文春文庫

ペルシャの幻術師

司馬遼太郎

文藝春秋

目次

壁画衆人奏楽図（東京国立博物館蔵）

ペルシャの幻術師

ペルシャの幻術師

メナムの雑沓

西紀一二五三年の夏、ペルシャ高原のひがし、プシュト山脈をのぞむ高原の町メナムは、ここ二カ月、一滴の雨にもめぐまれなかった。

「シュラブがとうとう干上ったそうだぜ」

メナムの雑沓《ざっとう》を、そう伝えてあるく声が往《ゆ》き来《き》する。シュラブとは、この高原に住む人達が「母《マダール》」と呼んでいる河である。

毎日のように、沙漠のあちこちから、隊商《キャラバン》の群れが半死半生で避難してきた。メナムには、どんな旱魃《かんばつ》にも絶えることのない緑泉《オアシス》があった。しかしそれさえ、きのうあたりから池底の水草を見せはじめていた。

ついに、水市《みずいち》が立った。

この雑沓がそうである。

「蒙古《ムンク》兵めは――」

人混みをゆく小商人らしい男が、連れの男に向って、笑いかけた。

「メナムの人間を四千人までは殺したが、あとの五千人は、太陽に殺されそうだ」

「しっ」

連れの男が、商人の不用意な高声を、あわてて制した。そばを、巡視兵らしく数名の蒙古兵が通りすぎてゆく。……商人は、首をすくめた。たしかに、聞えたが最後、そのいいいひょうきんな首は、熱い砂にまみれずには済まなかったろう。げんに、この雑沓に面した家々の壁にも、城壁にも、おびただしい血の痕が、黒々とこびりついていた。

新月のまだ懸らぬ六月二十八日の夜、いまから一月前のことである。アラ山脈を越えて突風のようにやってきた蒙古兵が、メナムの町を一夜のうちに鮮血の霧で包んだ。

町の土侯とその兵は戦わずして遁《に》げ、市民は、血に飢えた東方の蛮族の手で思うさま殺戮《さつりく》された。シナ北西部はおろか、遠く東ヨーロッパまで征服した成吉思汗《ジンギスカン》四世蒙哥《マング》が、その弟旭烈兀《フラーグ》に二十万の兵を授けて、史上有名なペルシャ攻略の緒にようやくつきはじめたのである。

そうした殺伐な背景のなかに、この数日来、メナムの町は奇妙な賑いをみせていた。沙漠をゆく隊商《キャラバン》が、水を買いにきて市を立てる。町の狭い南北路に、青や赤のフェルトを日蔽いにした出店がならび、そのあいだを水甕《みずがめ》を担いだメナムの男女が歩いて行く。陶器、織物、装飾品など、商品の山を囲んで、売手と買手が喧騒なやりとりを繰返す。ペルシャ人は吝嗇《しわ》く、アラビア人はずるい。すべて、水が通貨であった。

「あ、あ、だめだよ。なに、宝石――？　はは、いつもなら御の字だ。が、今日んところは、水にして貰いてえね。明日から三十日もカヴィール沙漠を歩くんだ。水を持ってきなよ、けちけちせずによ」

シナの絹の山の中から、アラビア人らしい隊商《キャラバン》の男が、薄紅い軽紗《けいしゃ》を手にしている若い女を口汚なく罵《ののし》った。

「ぶっ……」

ぶれいな、と、女の従者らしい男が、思わず前へのめり出した。

女は、それをかるく手で制して、

「あいにく、水を持っていません。見せて頂くだけならいいでしょう?」

アラビア人は、顔をあげてあらためて客を見た。女は、皓《しろ》い羅《うすぎぬ》を右肩から懸け流し、烈しい太陽の下で、あえかな隈《くま》を作って立っていた——男は、だらりと、下唇をあけた。なんという美しさだ。まるで、弦月の輝きを、そのまま人型にとったような女じゃないか……。

異教徒であろう、それは顔に覆い《ニゲイブ》をかけていないことでもわかった。あるいは血も、この種族のものではなく、遠い西方の血がまじっていようことは、ふかぶかとした碧《あお》い瞳と、透きとおるような大理石いろの皮膚ででも知れた。あごが幼くくびれて、齢のころ、まだはたちには一、二年の間はあろうかと思われる。

「行きましょう。買えなければ仕方がないし、買ったところで……」

女は、そこでちょっと言葉を切り、意外にあかるい調子で、

「誰のために着飾ろうということはないのですから——」

従者を促して雑沓の中に入った。

擦れちがう町の人々が、ちらちら視線を送っては、鼻の頭にかるく、ゆがんだ笑いをうかべたが、女は気付かぬふりをして、ひらひら泳ぐような歩き方で人混みを縫った。

そのときである。

奇妙な出来事が、女の視野の中で起った。むこうから、異様に背の高い男が、近づいてくるのである。

青い纏頭帽《ターバン》、それだけでも異風なのに、青い裾長の服を足でさばくようにして歩く。

顔は青黒い。鼻梁《びりょう》はそれ自身彫刻のように張り出、何よりも異様であったのは、その眼であった。十米《メートル》はなれていてさえ、その奇妙な輝きと、吸い込まれるような妖《あや》しさは、見る相手に、軽いくるめきを覚えさせた。

大股で、近づいてくる。

そのそばを、一人の蒙古兵が、擦れちがった。

擦れちがった拍子に、どちらが相手の足を踏んだのか、蒙古兵は醜くよろけた。

当然、兵は怒気を発してさっと一歩引退った。剣を半ば抜きかけたのと、青い衣服の端がふわりと兵の顔にかかるのと同時であった。

青い衣服の端にキラリと短い反射光が光ったとみる間、蒙古兵は、まるでそれが演技であるかのように、ゆっくりと折れ崩れて路上に横《よこた》わった。左頸部から一すじ、赤い血の糸が砂地に吸いこまれた。

黙劇はあっけなく終った。ただそれだけであった。時間にすれば数秒も経っていなかった。

男は、その一瞬の間も、歩くことをやめていない。

雑沓すら、それに気付かなかった。数瞬、平和なざわめきをつづけ、気付いて騒ぎだしたときは、事件の犯人を割り出すなんの手懸りもうしない、犯人は悠々人混みという絶妙な迷路を散歩していた。

女は、ある角度にいたために、情景のいっさいを知る、おそらく唯一の目撃者になった。

が、声をあげるよりもはやく、犯人自身が女の眼のまえに近付き、ひょいと、覗きこむように背を枉《ま》げ、眼の奥で微笑《わら》い、風のように手をのばして彼女のあごに二本の長い指をあてた。ぺたりと、冷たい脂の感触がした。

「可愛いあごをしている」

男の鳶色《とびいろ》の眼の奥へ吸いこまれそうな幻覚をおぼえた。はっと気をとりなおしたときは、男の姿は無かった。どうしたことか、おびただしい汗が、胸から腹部にかけて流れた。

「チャタム――」

女は、従者を呼んだ。

「あの青い男のあとを蹤《つ》けるのです」

従者を放つと、女は小走りに、町の中央にある宮殿へ帰った。なぜ、あの男を探らせる気になったのか、理由は自分でもわからなかった。

ただ、強い蛮酒を飲んだあとのようなうずきが躰中を駈けめぐって、足もとがふしぎにもつれた。

大鷹汗《シンホルハガン》の広間

中庭はちょうど、四隅を遊歩して五分はかかるという広さであった。

熱帯樹が日光を遮り、地上はこうも渇ききっているというのに、中央にある噴水が、不断の霧をふきあげていた。水は、城南の緑泉《オアシス》から引かれてきたものである。

宮殿は、壮麗とまではゆかなかったが、かつての支配者であった土侯が、北の方バコン山から緑石を斫《き》り出して、分限《ぶげん》なりの贅《ぜい》をこらしたものであった。

宮殿に帰った女は、長い廻廊を走り、中庭の入口まで出たとたん、

「あっ」

と身を避けた。

蒙古人特有の短い矢が、右頬をかすめて後の石壁に当って弾けとんだ。

「ははは、帰ったか。町は、面白かったか」

若い男が、樹のあいだに見え隠れして怒鳴っている。なんと、素裸だ。股間さえ蔽《おお》っていない。

その裸男が、足が地上に届くほど矮小《わいしょう》な蒙古馬に騎《の》って、樹間を曲芸のようにぐるぐる縫いまわっている。

縫いながら、ひょうと矢を射る。眼も止まらず矢継早に射る。

蒙古人が、その兵技で世界を征服したといわれる近接騎射だ。

矢がすべて噴水に向って注がれる。矢柄に青や赤の塗料がぬられているらしく、びゅんと噴水を射抜くごと、美しい虹が空に舞い上った。

「かッ」

最後の一矢が、再び女の左頰をかすって壁に弾き落ちると、男は、その矢を追うように馬を駆《はし》らせて、女の前にぴたりと止まった。

「ナン――」

色の白い、乙女のように豊かな童顔が笑っている。

無邪気な、翳《かげ》のない笑いだ。この若者が、メナムの新しい支配者であり、ペルシャ攻略軍の支隊長として草原の他種族からその兇暴と残忍を怖れられている旭烈兀《フラーグ》の第四子、大鷹汗《シンホルハガン》ボルトルであるとは、どうみても受けとれなかった。

「あまり退屈だから、ひと汗かいた。蒙古人が二日も馬に騎らず、三日も弓を引かぬと蒙古人でなくなる」

ひらりと馬から降りて、自分の素裸に気付くと、苦笑しながら、

「ナン。何か布はないか。これでは、王《ハガン》の権威が保てぬ」

ナンは、無言のまま、自分の被布を肩からすべらせて、王に渡した。王はそれで腰を蔽った。まぶしそうに視線を外らしたのは、むしろ、ナンの豊かな半裸身を前にした若者のほうであった。

「行こう、広間に。食事が出来ている。父の陣から故郷の馬乳酒が届いている筈だ」

王は、背を向けて先に立った。

丈《せ》は、ナンよりも低目である。その肉付のいい、丸い背を眺めながら、ナンは、この曠野《こうや》そのもののような粗野な若者に、かつて覚えたことのない愛情に似たようなものが、心をかすめた。

王は、健啖家《けんたんか》だった。

薄く紙のように切って焼いた塩味だけの羊肉を、次々と食い、口中ほおばりながら、ナンにも勧めた。食っては馬乳酒を飲む。乾草に似た、いやな匂いのする乳状の液であった。この王だけがそうなのか、蒙古人の舌は低能に近く、あれほどあくない掠奪《りゃくだつ》を全世界に繰展《くりひろ》げていながら、こと食物となるとふしぎに淡泊で、異国の珍肴《ちんこう》など見向きもせず、遊牧民が食う野外料理のようなものしか摂らないのである。

「酔った」

「あまりお強くないのですね」

「いや――」

久しぶりの故郷の香りに酔ったのだ、と、王は弁解した。弱いといわれることが、何事にせよ、きらいなのである。

「ナン。まだ気持が決まらないか」

「何の？」

「予の妃《ハトン》になるという気持だ」

ナンは、黙った。

（きらいです）

こう云いきってしまえば済むのだが、云い切ればおそらくこの男は、私を生かしてこの宮殿から出すまい。この奇妙な拘禁状態——生殺しのままで意思を尊重されるよりも、いっそ、力で、からだだけを捲《むし》りとってくれたほうが、いくらかはましだと思った。

「無理にとはいわない。その気持が萌《きざ》すまで、予は待つだけだ。だが——」

若い王は起ちあがって、ナンを露台のほうへ誘った。

「下を見よ」

宮殿の前庭に、武装した五百名ばかりの蒙古兵が屯《たむ》ろしていた。そのむこうには、蒙古軍団特有の包《パオ》と輸送車が、はるか城壁の下まで、るいるいと地上を蔽っていた。

「世界を血で染めた蒙古《モンゴル》の軍団だ。予は十六のとき父の軍に従って以来、遠く西夏《せいか》国を攻め、西蔵《チベット》国を侵し、ペルシャを襲い、二十五歳の今日まで、四十九の町を灰にし、十万の敵兵を屠《ほふ》った。この手を見よ。この手さえ右に振れば、たった今でもメナムの全市民を殺すことが出来る。いまや、予が望んで成らぬことは一事もない。だが——」

王は、ナンと向いあった。

「だが、予がはじめて恋をした乙女までを力で奪おうとは思わぬ。予の自信が許さない。ちょうど、ケルレンの草原の牧草が春の光を得て芽を吹きだすように、その柔い胸が予の力を感じて、自然の愛情を育てはじめるまで、予は待つのだ」

ナンは、ふしぎな動物でも見るような眼差しで、王の白い顔をながめた。この、草原に育って人を殺すことしか知らぬ若者は、自分は何人の人間を殺せる、こうならべたてることが、異性の関心を惹《ひ》く唯一の方法だと、無心に信じこんでいるのである。

「あの夜——」

草原の自然児は続けた。あの夜とは、蒙古軍がメナムを襲った夜である。同時に、王がナンをはじめて知った夜でもあった。

「メナムの男女を四千人まで殺したとき、予は戦い止めの鼓を打たせた。乱軍の中で逃げまどっていたお前を発見したからだ。あかあかと紅蓮《ぐれん》に照らしだされたお前の姿をみたとき、これは地上のものかと思った。お前の類《たぐ》いない美しさに免じて、それ以上市民の生命を断つのを止めさせた。わしの祖先の王にただ一人の女を得るために十万の軍を動かし十万の敵兵を殺した男がある。が、わしは、四千人を屻《ちぬら》しただけで、お前を得た。ペルシャ人は、お前の美に感謝しなければならぬ」

王は、そのとき想いだしたように、

「で、その後、お前の父の行方は？」

「まだ消息が知れません」

ナンの父は隊商《キャラバン》の長老であった。彼女はその父とともにアラビアからこのメナムに到着した夜、蒙古兵の夜襲に遭い、天涯ただ一人の身寄である父を喪《うしな》った。

「おそらく、その不幸な四千人の人々と同様、王の強い兵士たちの刃にかかって果てたのでしょう」

ナンは呟《つぶや》くように云って、瞳を西の空にむけた。

落日が、夏雲をすさまじい朱色に燃えたたせていた。悲しみに飽き切った、虚脱にちかい表情で、ナンはいつまでもそれを眺めた。

「……？」

人の呼ぶ声がして、はっと夢から醒めたようにふりむくと、もう王の姿は無く、

「お妃様――」

さきほど、あの青い男のあとを蹤《つ》けさせた従者が、右膝をたててうずくまっていた。

お妃様、とこの宮殿の人々は彼女をそう呼ぶ。そうとしか呼びようがなかったのである。

「私の部屋に行きましょう」

彼女は裳《もすそ》をさばいて階段をのぼり、部屋に入ると、いきなり寝台に腰をおろした。

「で、どうでしたか」

「は。それが……、王の……」

「え？　王の？」

「はい。王の命を断とうという男らしゅうございます」

「お待ち」

彼女は、部屋の入口まで行って、廊下に人気のないのを確かめ、

「さ、お話をするのです」

幻術師アッサム

雑沓を通りぬけ、城門を出、従者は城外までその男を蹤けた。

男が、城の南西にある赤茶けた岩山への径《みち》をたどりはじめると、従者は男を数町追いぬき、岩蔭に身をひそめた。

ほかにもうひとり、男のあとを尾行しているのに気付いたからである。

岩蔭から、眼だけ出して窺《うかが》うと、男は、青い衣を翻《ひるがえ》しながら、悠々と歩を進めてくる。

そのあとを数歩はなれて、一人の老人がひたひたと尾行《つけ》る。風体、乞食に近かった。

従者のかくれている岩蔭のあたりまで来たとき、老人は男を呼びとめた。意外に小柄である。害心のないのを示すためか、道ばたの石に腰をおろし、男の並はずれた長身を見あげて口を切った。

「見たぞ」

「………」

「さきほどの一件じゃ」

「………」

青衣の男は、老人を凝視《みつ》めながら、青黒い貌《かお》をゆがめ、小さな笑いを洩《も》らした。

「頼みがある。お前は約束を守れる男か」

「契約《カラールダード》によってはな」

老人は、黙って、一握りの砂金の袋を男の掌に渡した。

男は重さを衡《はか》るように掌の上で転して、

「義務《ワジーファ》は？」

「大鷹汗《シンホルハガン》ボルトルを殺せ」

「なに？　王《ハガン》？……か」

男は、も一度笑いを洩らすと、受取った砂金袋を老人の膝に投げた。

「いやか」

「足らぬ」

老人は、もう一袋の砂金をとりだし、二袋を男の掌に載せた。

男は、苦笑してそれを懐に入れると、

「日は？」

「二十日以内」

うなずいて、そのまま立去ろうとした。

老人はあわてて問いかけた。

「で、名は？　お前の」

「名？」

男は、一たん口をつぐみ、思い返したように、

「幻術師《シャヒル》アッサム」

そう答えると同時に、やにわに身を翻して跳躍し、岩蔭の従者の頸筋《くびすじ》を抑えていた。

「ははは、聞いていたか」

道ばたに引きずり出した。しかし、そのまま手をはなし、城のほうに向けてどんと突き放した。従者は飛ぶように逃げた。

老人は不満であった。

「なぜ殺さぬ。城に洩れよう。お前の命があぶない。いや、それはよい。契約が成就できまい」

「余計な指図だ。契約は終った。老人。行くがよい」

アッサムは、くるりと背をむけて、歩き出した……。

はなしを、宮殿のナンの部屋に戻そう。

聴きおわると、ナンは寝台から踵《かかと》をおろして部屋の中を往き来しはじめた。ドアから窓際へ三度ばかり往復したとき、不意に従者のほうに向き直って、ゆっくりと頸から飾

をはずし、その一環を力まかせに引きちぎって従者に与えた。

「黙っているのです。王へは私の口から申しあげましょう。もし、他《ひと》に喋れば――あなたの命を頂きます」

べつだん、深い思慮があってそう云ったわけではない。ただ何となくそうしたい気になっただけであった。

その日も、その翌日も、ナンは王にそれを告げなかった。これも、深く思慮したわけではない。ただなんとなく、そうしたかっただけである。

毎日、宮殿の下では、蒙古軍の調練が行われていた。おもに、騎射の法である。

東西十騎ずつ、ならぶ。

蒙古馬は、滑稽なほど矮《ちい》さい。双方、二町の距離があり、それぞれの横隊の五間前方には、十張の弓と、十本の矢が置いてある。

進鼓《しんこ》とともに、一せいに相対《あいむか》って駈け、途中、双方身を枉《かが》めて地上の弓と矢を拾い、駆《はし》りながら先ず東軍が、正面の対手《あいて》に矢を射かける。

むろん、対手の構えている楯《たて》を狙って射るのだが、射損じれば対手の命はない。

両軍が中央の一線で駈け違うと、直ちに攻守を転じ、こんどは先刻《さっき》射られた側が矢を番《つが》え、逃げてゆく対手の楯に射込むのである。これを「やぶさる・める」と呼ぶ。わが鎌倉武士のあいだに流行した「流鏑馬《やぶさめ》」とは、騎射の法こそちがうが、語源をここに置くという説がある。むろん、説にすぎない。

時に、若い王もこの競技にまじることがあった。彼は、対手の楯を射るや、直ちに二の矢、三の矢を番え、対抗軍の騎馬が接近してくる数秒間に、矢継早に三、四騎の盔《かぶと》の頂《いただき》についている飾毛の基座を射落した。

「ナン。見るがよい。あの鷲《わし》を」

露台から調練を見おろしているナンに、彼は楽しそうに叫ぶ。

鷲が一羽、旋回していた。空が、手の染まりそうに青かった。

若い王は、馬を駆らせながら、矢を碧空にむけて放つ。羽音を乱して落ちてくるのを、他の騎兵がそれをめがけて射込む。ばさりと地上に屍《むくろ》を横《よこた》えたときは、蝟《はりねずみ》のように矢が群がって刺さっていた。

わっと歓声があがる。

ナンはめまいを覚えて、手擦にからだを支えた。胸に吐気が充ちて、のどを衝《つ》きあげてきた。まさしく野獣《けもの》の群れである。けものという以外、この広場に跳梁《ちょうりょう》する一群は何と称《よ》べよう。

それから九日目、ナンは十八の誕生日を迎えた。この宮殿に身を寄せてから一月半になる。何事も、物憂かった。

ナンは、物心づいて程なく母を亡くし、その後母の縁者の家を転々と預け替えられ、よほど複雑な事情があったのか、父の手許に引取られたのは、成人してからであった。母が異教の信者であったからだというが、十分な事情は知らされていない。ナンの今までの人生は、すべて他人の意思によって作られた。彼女はただ、転々とする環境の中で、ひそやかに身だけ置いていればよかったのである。自分の意思を強く出すことは、破滅であった。

そうした、本能にちかい智恵が教えるまま、彼女はこの宮殿の中で生きた。半面、好悪の情が強かった。しかしそれを閉ざして容易に外に出さなかったのも、他人の中で生きた彼女の半生の智恵である。

「ナン。水を浴びた。体を拭ってくれ」

王は、ナンが独り居る広間へ、素裸ではいってきた。

「蒙古人は沐浴《ゆあみ》を嫌う。しかし、予は、ペルシャに来てからその愉《たの》しみを知った」

全くの裸である。しかしナンは白布をとって王の体を拭いた。むっと鼻を衝く体臭があった。羊の腸の臭気に似た、他種族には堪えられぬにおいであった。

「ナン。こんどは二人で浴室にはいろう。男と女のからだの違いを、ナンと眺めあいたい」

そういう戯言《たわむれ》をいうくせに、この王はナンの手も握ろうとしなかった。若者らしい節度と、この男の体一ぱいにある強大な自信のためである。やがてナンが自分に愛を感じて、自ら身をもたせかけてくるであろうことを、幼児のごとく信じていた。

「誕生日といっていたな、今日が」

「はい」

「酒を飲もう。やがて陽も落ちよう。予が生れた草原の南に『宋』という広大な国がある。やがて、わが伯父蒙哥《マング》大汗の手で攻略される日も近かろうが、その国には長夜の宴《うたげ》という風習がある。われわれも、今宵はナンの誕生日を祝って、その風習にならおう」

王は白布を肩に懸け、裸のまま、歩きながら従者に支度を命じた。

広間では、楽器をかかえた数人の男がならび、王が入ってくると、鏘然《そうぜん》と金属の打楽器が響いた。

「やめい――」

王はいきなり馬鞭《ばべん》を振った。そしてナンの方に振返り、意外に気弱そうな微笑を泛《うか》べ、

「悪かったかな。しかしこの国の――」

卓《テーブル》の上の赤い果実を把《と》り、がぶりと齧《かじ》った。

「音楽が妖《あや》しすぎるのだ。われわれの野性を眠らせようとしている。世界の果ての沙漠からやってきたわれわれ蒙古兵に、もし野性がなくなったときは自滅しかない。それよりも――」

王は、小羊の皮を重ねた敷物にナンをすわらせ、

「お前の美しさと、馬乳酒の酔と、羊の肉の満腹さえあれば、予の望みは満足する」

日没後、王の部将が居並び、はてしない徹宵の宴がつづけられた。

夜更とともに、喧騒な空気に体がもちかねるほどナンは疲れた。この異人種たちは、

ただ酒を飲み、肉を啖《くら》い、怒号するだけで何が面白いのだろうか。

窓を見ると、ちょうど月が中天《なかぞら》にさしかかっていた。朝までにまだ、よほどの時間があろう。

そのとき、広間の向うの入口あたりで、騒ぎが起った。宴席から立ちあがって、駈けつけてゆく男もあった。

「何事か」

王は、物憂そうに瞼《まぶた》をあげた。

「バートル。調べよ」

が、部将が立ちあがるまでもなかった。

騒ぎが急に熄《や》み、衛士《えじ》の一団が、王に向って膝を折り敷いた。

全員、立膝の礼をとっているなかで、ただ一人、両股を開いて立っている男があった。

（あゝ）

ナンは危うく口を抑えた。

青衣の男であった。

上半身を細い鎖で縛られている。

兵士の一人が、伸びあがって男の肩をつかみ、坐らせた。

（アッサム――）

男は胡坐《こざ》し、彼女に向ってにやりと不敵な微笑を泛べたようである。

ナンの胸に、冷たい笑いが湧いた。

（これだけの男だったのか）

ここ数日持ち続けた、なんとない期待と緊張が、自分でも可笑《おか》しくなった。

若い王は、無造作に觴《さかずき》をあげて一気に干し、

「十人長。事情を話せ」

「は。裏廊下を歩いていた男でございます。窃《ひそか》に、広間を窺《うかが》っていたものと見えます」

十人長は、饗宴を騒がしたことを、くどくどと弁解した。

「もうよい。幸い、宴《うたげ》の興でもある。予が直接糺明《きゆうめい》しよう。男——」

「名がある。アッサムと呼ぶがよい」

王は、ほう、と眼を輝かした。いつのまにか、王は立ちあがっていた。相手の面魂《つらだましい》に尊敬と闘志を感じたのである。

「何をしにきた」

アッサムは、それには応《こた》えず、

「大鷹汗《シンホルハガン》ボルトルとは、お前か」

まじまじと、王の貌をみた。

「忘れずに覚えておこう。実は、お前を殺す契約を結んだ。幻術師《シャヒル》は約束が固い」

「ほう……」

王は左右を見渡した。会心と云いたい表情だった。

「予を殺せるか」

楽しげに、叫んだ。

「いうまでもない」

「たった今、殺せるか」

「殺せる」

「見よう。楽しみだ」

無邪気なほど、語調が弾んでいた。

が、幻術師は、自分の上半身にちらりと眼をやって、苦笑した。

「喜ぶのは、まだ早い。お前の獣のような部下が、わしの自由を奪っている」

鎖に気づいた王は、手を振って気忙《きぜわ》しく、「解け」と命じた。

戯れが過ぎましょう、王の手を抑えた部将に、王は、うるさい、勇者の遊びとはこうだ、と語気を荒らげ、アッサムに向って、

「斟酌《しんしやく》は要らぬ。ただ、制限を設けよう。五歩の自由だ。五歩のみ行動せよ。よいか」

幻術師は、黙って起ちあがった。

あたりを見廻す。医師が施術をするときの氷のような冷たさが表情にあった。

満堂に、すさまじい静謐《せいひつ》がうまれた。部将も衛士も剣の欛柄《つか》を握りしめて、燃えるような瞳を、男の挙動に注いでいる。

男は、纏頭帽《ターバン》に手をやった。

部屋中の視線が、その手に吸いついた。

手は、ゆっくりと動いて、帽を解く。

男は、歩きはじめた。入口に向って五歩。

篝台《かがりだい》に近づく。

満々とみたされた油が、勢いよく炎と油煙を噴いていた。

帽の最後の一巻を解きおえると、くろぐろとした頭髪があらわれた。

溜息が聞える。

男は、その頭髪をぐっと摑んだ。そして、じつに無造作に、それをぽいと火中に入れたのである。

轟然《ごうぜん》たる音、硝臭《しょうしゅう》、そして血のように赤い煙が部屋の中に充ちた。

数十条の剣光が一斉に燦《きら》めき、広間は走り乱れる足音と怒号で包まれたが、濃煙は密度深く蔽って何物も見えなかった。

やがて、薄らぐ。部屋中の男が王の身辺にひしめいて剣の林を作っていた。

二つの異変があった。

一つは、衛士が一人、無惨な死体となって部屋の入口付近で転っていたことである。

もう一つは、その死体のそばで、衛士の弩弓《どきゅう》を構え、王の胸許を狙っている男のいたことだ。

「はははは、王よ、これで遊戯は終ろう。わしは、この右指を弾きさえすれば、お前を殺せる。しかし、お前の鼻の低い部下共は、わしを無事にはこの宮殿から出すまい。勝負を後日に譲った方が利口そうだ」

「はは、分別のいい男だ」

王は笑って、男を城外まで送れと命じ、

「では、十日以内に再び予に挑め。そのときもし予を殺せなかったら、お前が払う代価は、お前の首と、メナムの全市民の首だ。守れるか」

「くどい。わしは、お前のような遊びごとでやっているのではない。……これでも依頼者から二袋の砂金を受取っている」

二匹の悪魔！　そのすさまじい遊戯に、ナンは息をつめた。なぜか、快感に近い戦慄がからだ中を走った。官能を濡らしてゆくような血の騒ぎ、しかもその裏では、奇妙にも、嘗《かつ》て覚えぬ「罪」の意識に慄えた。この悪魔の遊戯には、無辜《むこ》のメナムのいのちが賭けられている！　ナンは思わず、幼女のころ母が教えた神の名を呟いた。

真紅の夢

その翌日、ナンは従者をよんでアッサムの居所を探らせ、さらに翌々日、王に外出の許しを乞うた。

「はは。また新しい隊商《キャラバン》がはいってきたのか。ナンは、予と居るより、絹の山を眺めている方が楽しいとみえる。ただ、護衛の兵だけは連れてゆくがよい。アッサムがどういう卑劣な計《はかりごと》をめぐらすかも知れぬ」

城門まで出てから、ナンは護衛をそこで待たせ、従者ひとりを連れて、岩山への径《みち》をいそいだ。一足ごと踵が焼けて、熱っぽい埃《ほこり》が二人の影を包んだ。

幻術師の家は、岩山の北側の襞《ひだ》に小さく建っていた。石を積み重ねて壁をつくり、窓が一つ、入口が一つ。どこから来た男なのか、半日もまえまでは、この荒涼たる山肌には、家どころか、野鼠の穴一つ無かったはずだと従者が云った。

従者を外に待たせ、彼女は入口の扉《ドア》を押した。

「ナンか」

椅子にすわり、壁に向って何かしていた幻術師が、背中でそう呼びかけた。

「来る頃だと思った。掛けるがよい」

くるりと振りむいて椅子を一つ出し、ふたりは対い合った。

「やめてほしいのです」

「何を？」

「むだな遊びをです」

「………」

「メナムの人達が可哀そうだとはお思いにならないのですか。あなたの血の中には、愛というものが……」

「愛？　ない。可愛いことを云う女だ」

「では、神が、いや神を怖しいとは思わないのですか」

「奇妙な詰問をする。お前は、景教徒《ネストリアン》（アジアに流行した古代キリスト教の一派）か。なら、お門違いだろう。幻《シャ》術師《ヒル》とは、人間の悪魔性をしか、信ぜぬものだ。マホメットの徒のごとく、仏陀の徒の如く、神《アラー》や慈悲などという世迷《よまい》ごとは幻術師に用はない。愛なんぞに用事が出来れば、わしの自殺だ。通力《つうりき》を喪《うしな》う」

　いつになく多弁になったアッサムは、

「それよりもナン、折角の来訪に、何のもてなしもない。が、よいものを見せよう。神よりも真実なものだ」

　右手首をゆっくりとナンの前に出し、

「この宝石を見よ」

　手首の腕輪に輝いている宝石を指した。真紅の色を湛《たた》え、指頭《ゆびさき》程もあった。

「見るのだ」

　吸い寄せられるように、ナンは覗いた。

　単なる真紅の一色ではなかった。

　宝石は、中央に一点、複雑な褐色の渦があり、ちろちろ、一条の微妙な光彩を発していた。

　光彩は、ナンの瞳孔を射た。射るごとに、彼女のこめかみは心地よく麻痺《しび》れてゆき、みるみる真紅は彼女の視野いっぱいに拡がってはっと周囲《あたり》を見廻したときは、天も地も、ふかぶかとした真紅に染まっていた。

「……！」

叫ぼうとしたが、声は出なかった。

眼が馴れるにつれ、ナンは、一望見渡すかぎりの花園にいる自分を知った。

（封じられた――）

思わず、遁《のが》れようとした。脚も、軀《からだ》も動かない。せせらぐ音が聞えて、ふと前を見ると足許に急湍《きゅうたん》が渦を巻いていた。

ナンは、花園のなかに折れ崩れた。

遠くから芳香が漂ってくる。

香りは、次第に近づく。そして、彼女の鼻腔はおろか、全身を強烈な刺激で包みはじめたころ、芳香は、突如、ナンの眼の前で、一人の若者の像《かたち》をとった。

「ナン――」

芳香の精は呼んだ。

ナンはすでに意思を喪っていた。

呼ばれるとゆらゆら立ちあがり、倒れるようにその男の胸に身を投げた。

激しい抱擁……。

狂おしく唇が触れ、合せた唇を通して、火のように熱いものが、ナンの全身を貫いた。

生れてこのかた、味ったことのない激しい快楽《けらく》が、ナンを一瞬のうちに女にし、全身をくるめかせた。

……やがて、真紅の天地が、薄紙を剝《は》ぐように色褪《いろあ》せはじめた。

「あっ」

小さく叫んで、両掌《りようて》で顔を蔽った。ナンは再び、幻術師アッサムの前で、椅子にきちんと腰かけている自分を発見したのである。

「ははははは、ナン。快かったか。快かったであろう」

幻術師は、傍らの砂時計を見た。手を伸ばしてその括《くび》れを摑み、ゆっくりと逆さにしながら、

「見よ、何ほどの時も経っておらぬ。ほんのふた瞬《またた》きほどの間だ。……が、ナンよ。お前は、生涯費しても味えぬ快楽を、いま、味った」

ナンは、夢遊病者のごとく起ちあがった。

「帰るか」

アッサムも、椅子を立つ。ナンは、青ざめて、ぱっと身を引いた。が、幻術師は彼女には眼もくれず、一直線に出口の方へ進み、扉をひらいた。

ナンは身を翻して走り出ようとしたが、

「待て、女」

衣のはしを、アッサムは摑んだ。

ナンは、畏怖と諦《あきら》めで虚脱した瞳をひらいて、幻術師を見あげた。

「可愛いあごをしている……」

幻術師は、彼女のくびれた二重あごに指をあて、眼をのぞきこんだ。

奇態にも、女の瞳から恐怖の色が消え、焦点のさまようた薄紅《うすあか》い霞がかかりはじめて、軽い脳震蕩《しんとう》を起したようにくたくたと崩れかけようとしたとき、それをはぐらかすように、つと、アッサムの指は彼女のあごから離れた。

「大鷹汗《シンホルハガン》の宮殿へ帰れ。あ、待て。念のために云っておくが、わしは施術中、お前のからだには一指も触れておらぬ」

女は、意味のわからぬ叫びをあげて、狂女のごとく太陽の下へ走り出た。

死　闘

その夜、星はなく、月も出なかった。

高原にはめずらしく、雷声と稲妻が空を蔽いはじめたのは、深更を過ぎてからである。

やがて雨が降りはじめ、未明とともに豪雨となった。

その日、終日降り続いた。雨季でもないのに異例のことだった。

翌日も熄まず、さらに三日目も、風雨は草原の天地に狂った。

メナムは、ついに沾《うるお》った。

しかし、宮殿では、王は退屈であった。

「馬にも乗れぬ。弓も引けぬ。雨が、予を殺すだろう。ナン、なにか面白い趣向はないか」

そう云ってから、王は何を思いついたか、ひざを打って急にはしゃぎ出し、百人長以上の将を集めて、何事かを命じた。

「予は雨に濡れたくない。バートル、麾下《きか》の指揮をお前に任せよう。すぐゆけ。日没までに帰るのだ」

そのまま、王はナンを連れて、望楼にのぼった。

下をみると、数千の軽騎が、糧秣《りょうまつ》もつけずに雨の草原に煙りながら、東を指して駆った。

「見よ、ナン。血に飢えた蒙古《モンゴル》の子らがゆく。やがて、バークフの町が地獄になるだろう」

彼らは、東のほう半日の行程にあるバークフの城市を襲ったのだ。ここは、メナムの土侯が逃げこんだ町であり、シュラブの流域地方における最後のペルシャ人の城として残兵を集め城塞を固くしていた。

「ナン、胸が鳴る。アッサムとの約束さえなければ、予はあの騎兵の最先に立って剣が血に飽くまで闘うのだが」

王はそう云ってから、

「顔色がわるい。眼が空《うつ》ろではないか」

ナンは、はっと眼を見ひらいた。

今の一瞬、彼女は白昼夢を見ていたのである。

「どうしたのだ」

彼女は、煙のような微笑をくゆらせて、かぶりを振った。

ナンの、秘密の生活が始っていた。

アッサムの家から帰った夜、彼女は、あの真紅の幻覚を、再び夢の中で見たのである。

次の夜もみた。

ついには、現実と夢とが、意識の中で白濁して、真昼ですら、何かの拍子に夢幻境にはいり、あの芳香の精と甘美な密会をつづけるようになっていたのである。

「いえ、なにも――」

「あ、ナン。静かに」

王は、咄嗟《とっさ》に、剣に手をかけた。

何かが、この野性の男の本能に響いたようであった。

王が、身構えて、あたりを窺う。むろん、何者もいなかった。

「妙だ。いま、ふしぎな気配がした」

そう云って王は腰から一口《ひとふり》の短剣を抜き、

「向後、何事が起るかもしれぬ。ナン、これで万一の場合を防ぐがよい」

柄《つか》に宝石がちりばめてあり、鞘《さや》を払うと、深淵のような青光を放っていた。

やがて、日没になった。

地をゆるがすような馬蹄の響きが聞え、軽騎団が、再び雨を衝いて帰ってきた。

王は、広間で指揮官たちの報告をうけた。

雨と血にまみれた戦利品が運びこまれ、最後に、一つの首が王の前に据えられた。

「ナンよ、これがかつて『月の蛇《マーマル》』の異名をとってこの草原で怖れられたメナムの土侯フーゼルだ。予の力の前には、ついに首でしかない」

王は右足をあげてその首を蹴《け》った。そして剣を抜き、見開いた両眼を刺した。

この男の体を流れている獣のような血に、ナンは激しい憎しみを覚えた。

「はははは、思い知ったろう。幻術師《シャヒル》アッサムを買収して予を殺させようとしたのも、この男であったにちがいない。アッサムも、ついに予を殺す理由をうしなった。勝負、予が勝ったぞ」

王は、哄笑《こうしょう》を続けようとしたが、途中で、不意に黙った。

(大鷹汗《シンホルハガン》ボルトルー——)

地底からうめきあげてくるような、奇妙な声が耳の奥で響いたのである。

「気の毒だが……。幻術師の眼には、生も死も一つでしかない。依頼主が死のうと、契約は消えぬ」

声は、ナンの耳にも明確に響いた。が、他の、広間にいる誰の耳にも聞えなかった。

——その夜を皮切りに、怪異が、ひんぴんと、宮殿の中でおこった。胸墻《きょうしょう》のうえに大火柱があがった。とおもう間、たちまちに消え、深夜の廊下を青い火がころげまわって往き来したという。

すべて、衛士の報告であった。王は、実際にそれを見なかった。

「ばかな。アッサムの催眠術に過ぎぬ。驚くことはない」

笑って、とりあわなかった。

催眠術は、それを信じた瞬間から術者の薬籠中《やくろうちゅう》のものになることを、王は故郷の巫女《シャーマン》をみて知っていたのである。

しかしついに、怪異は王の寝室までやってきた。

「王よ——」

がばと起きると、死んだ土侯月《マームル》の蛇の首がボッと暈光《うんこう》を発して宙空に浮んでいる。首が笑う。——剣がない。さがしても無い。王が焦ればあせるほど、首はみるみる大きくなり、ついには部屋一ぱいに拡がってゆらゆらと迫ってくる。

王は、落着きをとりもどした。寝台の上に胡坐を組み、しずかに呼吸をととのえ、両手を後にまわして探ると、果して剣はあった。うしろ手でそれをしずかに抜き、心気を鎮め、さっと横殴りに一閃する。首は消えた。しかし首は消えて、両眼のみが、空間に浮び残ったのである。

王は寝台から躍り上ってその右眼を刺突した。消えた。しかし左眼のみは残って、ふわふわと空間を退いてゆく。

さらに一躍したが、及ばず、二躍、三躍を重ねる。眼は燐光《りんこう》を放ち、笑うように退《ひ》く。

「ははは、アッサム、これしきで予が眩《くら》むと思っておるか。受けよ、この剣《つるぎ》——」

大きく跳躍して最後の刺突を加えたとき、王の五体はふわりと空間に浮き、そのまま雨の中をはげしく落下して地面にたたきつけられた。

衛士に発見され、意識を寝台の上で回復したのは、翌朝になってからである。

「さがれ。退らぬか」

意識をとりもどすや、王は寝台の上に立ちあがって、医師と侍者を追った。自分の醜態を何者にも見られたくはない。幸い、大きな負傷はまぬがれた。ただ、狂いたくなるほど不快であった。

その夜からほとんど眠らず抜身をさげたまま広間にすわり、衛士から怪光が立ったと聞けば奔《はし》り、青火が燃えたというと、その現場へ駈けた。

「アッサム！」

王の頰から、少年のような豊かな血の色が消え、悽愴《せいそう》な鬼気が相貌を隈どりはじめた。

「ナン。離れてはならぬ」

王は、女の肩を摑んで引寄せた。

かつてなかったことである。

この若者が、あれほどナンを愛していながら兄妹のような清潔さを守ってきたのは、勇者とは、王とは、そういうものだという無邪気な信仰があったからである。自分の力への絶対な矜《ほこ》りと自信、それがアッサムのもつ不可解な力の前にゆらぎはじめたとき、その幼い節度は、むざんな音をたてて断弦した。

「ナン。お前が欲しい」

王は、頬ずりしながらあえぐ。

「お前の耳を、お前の唇を、そしてお前の腰と、この花のような指の爪まで、予は自分のものにしたい……」

しかし、ナンは何の反応も示さなかった。かぶさってくる若者の唇を、ただ無感動に避けた。

彼女もまた、はげしく恋を覚えるようになっていたのである。

夜となく昼となく意識の襞にすべりこんでくる芳香の精との恋、ナンの全身は真紅の幻覚の中で激しく渇き、忘我の陶酔に痺《しび》れた。

――雨は、なおも降りつづいている。

すでに六日の昼夜は、豪雨のなかに明け暮れ、道路は幾条《いくすじ》かの細流と化し、今日も城壁の一角がゆるんで雨中に崩壊し兵に死傷が出たという。

「それも、アッサムの仕業であろう」

王は剣をきらめかして躍り出、裸馬で現場を駈け廻りながら喚《わめ》いた。

人々は、脅えた。

すでに、王の狂気は町中の噂になり、狂気の度合が高まるにつれ、メナムの流言は死相を帯びはじめた。

大虐殺……？

それも今夜か明日、というような噂が、風のように流れた。

朝になると、家財も人も、煙のように消えている。雨の草原を、どこを目当てに放浪するのか、城を巧妙に脱出する市民がふえはじめた。

それを、王は容赦なく斬ったのである。

兵を草原の四方に散らして逃亡者を追い、家族および近辺の住民諸共《もろとも》、町角に引きずり出して残らず斬った。

王みずから刃を把って雨中に立ち、

「アッサム、見ておくがよい。お前もやがて同様の身となろう」

雨と血を全身に滴《したた》らせながら、物狂おしく首を刎《は》ねていった。

ナンは、蒼《あお》い膜を張ったような表情で、露台からその光景を見下していた。

その夜である。

夜半から雨は小降りになり、ときには遏《や》んだ。

……ナンは、真紅の園を歩いていた。

ここには、雨も、王も、メナムの路上を蔽う死骸《むくろ》もすべて無く、天地はただ、芳香の精と彼女との歓喜のためにのみ存在した。

幻覚の中の男が、ひくく抑えるような声でナンの耳許に囁《ささや》く。そのつど、ナンははげしく求めて、男の首筋へ腕を巻きつけた。

歓喜がおわると、二人は、地上を割って流れる小川に身を浸した。快い、死を想わせるような疲れ――、それが癒えると、男は、ナンのからだを抱きあげ、再び花園の衾《しとね》に置く。接吻《くちづけ》、愛撫、そして生と死の間のあくない悶え……ここでは、いのちの中にある悦楽の琴線のみが惜しみもなく緩急を弾じつくした。

突如、真紅の天を截《き》りさいて、一つの裂け目があらわれた。

ナンは歓喜の中から醒めた。裂け目から一ぴきの蛇があらわれ、ナンにむかって進んできたのである。真紅の世界とは、それだけでも異質の、青黒い蛇身が無気味にひかっていた。

ナンは、怖れに身を固くした。

男を振りかえった。芳香の精は、口許に微かな笑いをうかべながら、ナンの傍を指す。

一口の短剣が置かれてあった。

王が護身用にとナンに与えた剣である。

彼女は、抜く。

芳香の精は、その手もとを、凝《じ》っと見ていた。

蛇は、ナンの膝もとまで近づいた。

「突け、力いっぱい――」

精は、命じた。ナンは、夢中で刺した。

「あッ」

真紅の世界は弾けるように消え、彼女は、呆然と寝台の上に坐っていた。

右手に短剣を持っている。血が、滴っていた。

ナンは声を呑んだ。寝台の裾のほうに、大鷹汗《シンホルハガン》ボルトルが、苦笑しながら、右の上膊部《じようはくぶ》を抑えて立っていたのである。

「ナン。――予だ」

王は、ついにナンを求めて寝室に忍んだのである。

「夢でも、見ていたのか」

云い終らぬうちに、王は笑いを消して、耳を澄ました。

「……？」

二人の鼓動が聞えるほどの静かさである。

王は、何をおもったか、そっと、ナンの手から短剣をとった。

そして振りむき様、後のカーテンめがけて投げた。

鈍くかすかな音がして、短剣は、重い布地に突きたつ。

……音もなく、濃緑のカーテンの裾から、血が糸のように滴り落ちた。

「アッサム、いたか！」

長剣を抜き、躍りかかろうとした途端、部屋中が薄紅い煙に包まれた。

王は、剣を諸手《もろて》に持ち、体ごとカーテンにむかって突進する。手応えは、空しかった。すでに煙は部屋に満ち、王は視野を失った。

床を這《は》った。そして周囲《あたり》を払った。が、手応えはなかった。

そのとき、王は知った。床のうえ二、三寸の高さだけ煙の無い層があった。王はさらに低く這いつくばい、床の上を舐《な》め透《すか》した。

移動しているではないか。血が移動している！　赤い蠕動《ぜんどう》模様をえがきながら、血はゆっくりと入口の方へ移動していた。

「見たぞ、アッサム！」

王は跳躍した。

血は、それにつれて走る。

「ナンよ」

ナンにのみ、聞えた声である。耳底に湧くように言葉がうまれた。

「望楼へ行くのだ。いそぐがよい。ほどなくこの宮殿に黒い死がやって来よう。いま剣をふりまわしているこの男にも、わしにも、蒙古兵《ムンク》にも、またメナムの市民にも、すべての上に死がやってくる」

ナンは、一瞬、時間の止まる思いがした。この声！　似ている。あの芳香の精と、幻術師グラペット・アッサム……。それが、同一人であったのだろうか？

ナンは、幽鬼のごとく立ちあがった。

「行け――」

王は、八方に剣を振った。ただ、煙のみを斬った。

血は、滴々と走る。

外に出るや、廊下の飾灯が割れ落ちて再び赤煙があがり、血はなおも、王を誘うように階段を下へと走り続ける。

血と王が、篝のあかあかと燃える中庭の入口まで降りたとき、王は大きく跳躍し、赤煙の右端をめがけて力の限りに刺突した。

「……………」

もう一条の血糸が、新たに赤煙の中から流れ出た。

「はあっ」

突き終ると、王にはげしい疲労が襲った。思わずよろめき、剣を杖に身を支えたとき、

「はははは、まだお前の剣はわしの心臓を刺していないではないか。ボルトルよ、この心臓が動いている限り、勝負はおわっていない」

二条の血は、哄笑した。

「とまれ、グラペット・アッサムの一代の失策《しくじり》であったよ。王よ、剣を捨てるがよい。どうせ死ぬ身だ、お前もわしもな。剣を捨ててわしの最後の繰言を聴くがよい。――幻術師の血とはな、あくまで氷のごとであらねばならぬものだ。が、今わしの体から流れ

ている血に触れてみよ。それは小羊よりも温い。はは、浅ましくも、わしは愛を感じたのだ。愛というものをな。……お前の剣は、たしかにわしを貫いた。しかし、待つがよい。お前が勝ったのではなく、わしの中の本能が、その主を斃《たお》したに過ぎぬ。強いて、勝者を選べというなら、あの女……」

「ナン――」

幻術師は、虚空にむかって呼びかけた。

「上ったか、望楼に。そこで、やがて起るメナムの潰滅《かいめつ》を見よ。ナン、わしは、お前を真剣に愛した。聞えるか――」

きこえた。低く、うめくような声となって望楼にいるナンの耳の奥にひびいた。

彼女はそのとき、この数日間の夢幻の世界からはじめて醒めた。呆然と、東のかた、微かに白む地平線の彼方を見た。

雨は、何時《いつ》のほどにか遏んでいる。

青い狼が美少女を誘って天に住んだという「狼座」が哀しいばかりの美しさで輝いていた。

そのときであった。

地平の白みを逆光に、えたいの知れぬ真っ黒な層が、むくむくと盛りあがっているのを見たのである。同時に、地軸までどよめくような、無気味な遠雷の音をきいた。

望楼に立っていてさえ、床に重苦しくゆすりあげてくる地鳴り――。

遠雷では、なかった。

（洪水――）

ナンがそう直覚したとき、真っ黒な奔流が天地にすさまじく鳴動しつつ、眼下の宮殿はおろか城郭も町も一瞬に呑みつくしていた。

母《マダール》シュラブが、決潰したのである。

メナムは、全滅した。

征服者ボルトルとその麾下三万の蒙古軍団は、叫喚《きようかん》の声さえあげるいとまもなく、刹那《せつな》のうちに濁流の底へ消えた。

一二五三年八月二十六日の未明、ただ蒼穹《そうきゆう》を蔽う星のみが、きらきらと生きていた。


……………


ナンがその後どのような運命をもったか、草原の伝説にも定かではない。

水は二日を経て退き、一旬ぶりで復活した太陽が、再び地上に現われた町を灼《い》りつけはじめたときは、くろぐろした廃墟に、生けるものは一茎の草さえなかった。

メナムの町は、この時をもって永遠に歴史の彼方へ没した。

洪水が、緑泉《オアシス》の水脈を変えたためであろうか、廃墟はその後、七百年のあいだ、人影を絶ったのである。

いまなお、クラサン沙漠の東北辺に無気味な死の市街を横たえ、謎の古代都市ペルセポリスやパサルガタイの遺跡とともに、草原をゆく旅人の眼を傷ませている。

グラペット・アッサムの死については、その後も多くの異説がある。生きてヒマラヤの麓《ふもと》を越え、インドに漂泊したともいわれるが、たしかな史実はない。

ただ、いつの時代か、廃墟の中から、一個の宝石が発掘された。

真紅の色を湛え、指頭ほどもあった。

それが、伝説の幻術師グラペット・アッサムの所持したものかどうかは分明でないが、その後ながく、ペルシャの幻術師の仲間で、法流を継ぐときの印可の証として伝承されたという。こんにち、テヘランの博物館に収蔵されている「悪魔の石《シャイターン》」がそれである。

一二八一年、日本の弘安四年の夏、忽必烈《フビライ》の蒙古軍十四万が玄界灘を押渡り、同閏《うるう》七月一日、博多湾頭を襲った狂颷《きょうひょう》のために、生存数千を残して悉《ことごと》く滅んだ。

大鷹汗《シンホルハガン》ボルトルの死より二十八年ののちである。その後百年を経ずして大蒙古帝国「元」は亡び、成吉思汗《ジンギスカン》の夢は、草原の彼方へ消えた。

戈壁の匈奴

蒙古《モンゴル》高原の南、戈壁《ゴビ》のさらに南、黄河が大湾曲《だいわんきょく》をとげるオルドス草原の河流を西へ離れると、地は漠々として天に連なり、曠沙《こうさ》の上には、一滴の水を求める泉さえない。一九二〇年の夏、この地を旅した英国考古学協会所属の一退役大尉は、寧夏《ねいか》の西で幕営を張り、夜、星明りの沙上で光るものを見た。

翌朝、蒙古人人夫に命じて発掘させたところ、白日の下に出てきたのは、一個の玻璃《はり》の壺であった。

壺といっても、口径一メートルに余り、高さはゆうに人の身のたけを越え、中に入った人夫が半身を折って仰臥《ぎょうが》するに足りた。壺中の人が動くたびに、半透明の玻璃は、ゆらゆらとあわい虹をえがいた。

この器物が何であるか、大尉の考古学知識のすべてを動員しても、容易に判断がつきかねた。触れると、きりこの幾何学模様が掌につめたく感じ、鉛がふくまれているのか、かつぐに十人の人夫を要し、うつと、清涼な金属の音を発した。

寧夏の西郊に、回紇《ウイグル》人のラマ教院がある。大尉は出土品をその寺へはこび、使いを北京に送って、そこからロンドンの考古学協会会長アウレル・スタイン教授に問い合せの電報を打った。教授は、いうまでもない、それより六年前、この付近を踏査したスタイン探検隊の長である。

半月を経て、大尉は、教授からの長文の電報を受取った。要旨は、

「出土したガラス製の壺《ポット》または槽《タブ》については、これを考定するいかなる資料も、今は持たないが、出土地域からみて、十三世紀の初頭にほろんだ中央亜細亜《アジア》東彊《とうきょう》のオアシス国西夏《せいか》の遺物ではあるまいか。もしここに恣《ほしいまま》な空想がゆるされるとすれば、それは西夏滅亡時の主権者であった李睍《リーシエン》公主のもちいた浴槽であろうかと愚考する」

歴史は神の神秘にみちたアトリエであるといわれる。しかし、その工房で創られた作品の半ばは、ついに後世の人類の目に触れることはない。漠南のオアシス国西夏もまた、そうした国の一つであった。歴史は沙《すな》の上にこの華麗な国を創り、わずか二世紀の生息をゆるしたのみで、ふたたび沙漠の底に風葬し去った。

数少ない史料によれば、西夏は党項《タングート》人の国であった。蒙古史料の表現癖を借りれば、その国は「崑崙《こんろん》の青玉《ぐふとぶち》のごとく」小さく、国土の中央を、マルコ・ポーロの越えた絹《シルク》・道《ロード》が貫いていた。

絹の道を通って、東西の歴史と文化はここで交流し、血をすら、東と西はこの民族の血管の中で交流した。西夏人の或る者は今日の欧州人に似て、碧《あお》い目と高い鼻梁《びりょう》、そして小麦色の肌をもち、しかも服装はやや唐宋のシナ風であったと伝えられている。姓もまた王族のみはシナ姓にならっていた。前記李晛公主の名が、その一例である。ただ言語は、漢字に似た独特の文字を使っていたというのみで、今日ほとんど不明に近い。

ここまでは、大尉の知識の中にあった。しかし、それ以上を知ることは不可能に属した。西夏に関する古記録は、漢、回紇、蒙古、安息《ペルシア》文字を含め、おそらくそのすべてを合しても、世界で千語を出ないはずだからである。

大尉は、なお現地での発掘を進めるとともに、教授から指示された書誌を北京国立博物館からとりよせ、文献による資料の考定に没頭しはじめた。

大尉の名は、サー・アルフレッド・エフィガム。爵位は男爵。ケンブリッジ大学で東洋考古学を専攻し、第一次大戦のベルダン塹壕《ざんごう》戦で左腕を付け根からくだかれた。戦場での体験は、彼を一人の夢想家に変えた。いや正しくは、歴史という死者の国の旅人にかえた。

彼が、沙漠の中で何かの破片を拾ったとする。事実、彼は、廃址《はいし》で無意味な小石を拾っても、そこに死者の声を聴けぬかと耳にあてた。それが一片の瓦であっても、そこに壮麗な青丹《あおに》の宮殿を幻出することができたし、錆《さ》びた銅鏃《やじり》のうえにも、百万の軍団が死闘する干戈《かんか》の音を聞くことができたし、一枚の銭刀をひろっても、その円孔の向こうに、二千年前天山《テンシャン》北路を越えてゆく悠揚たる駱駝隊《らくだたい》をみることができた。

玻璃の壺、そこに一体、何が見えるか。大尉の宿舎は、前記ラマ教院にある。青い瓦と白堊《はくあ》の壁をもった、美しい西蔵《チベット》式の建築であった。壺は、その部屋の薄暗い一隅に置かれていた。大尉は時に、書物の上から目をはなしてその壺を眺める。沙漠の星を吹きあげる風が、時々窓に垂れたフェルトを動かし、そのたびに獣油燈のほのおが大きく成長した。灯影《ほかげ》がゆれるたびに玻璃の壺は大尉の目に生けるもののごとく輝きを放った。見つめるうちに大尉の瞬《また》きが緩慢になり、目に靉気《あいき》がかかるにつれて、あの、考古学徒のみが享受しうる詩と奇蹟と科学の融けた「天国」が、静かに霧のように降りてくるのである。

大尉の靴底はすでに二十世紀の土の上にはなかった。彼は、自らが命じて降臨させた「天国」へむかって、ゆっくりと歩を運びはじめる。

その天国の向こうに見たのは西夏の街衢《まち》、そこを往き交う異風の男女、それではなく、彼が最初に見たのは、暁闇《ぎょうあん》の風を衝いてゆく十万の騎馬軍団と、その先頭の軍車にゆられていくひとりの老人、記録によれば、このとき、朔北《さくほく》の天は、初夏に入りはじめていた。

時代は一二二七年。馬蹄は戈壁を越えて西南へ、西夏の城へ向かっていた。

老人の名は、成吉思汗鉄木真《チンギスカンテムジン》である。地球の半ばを劫掠《ごうりゃく》したこの男も、いまや頰に暗い衰えの翳《かげ》をうがち、少年の頃、天山の山頂に登って「我に六十五年の天寿を貸せ」

と祈った、あの宿命の寿齢に漸く達しようとしていた。

死が、そこにある。この自覚は、彼の意識の中で抜きがたい権力を振るいはじめ、嘗《かっ》ての成吉思汗のつややかな英姿はもはやそこにはなく、彼の最大の美徳といわれた忍耐は焦躁に変わり、放胆は短慮に変色していた。

ときどき彼の車上から短切な叫びに似た命令が発せられ、その都度《つど》、全騎馬団は、痙《けい》攣《れん》したように馬足を早めた。漠南の蒼穹《そうきゆう》に子刻の狼座が輝き、六月の風は黄沙を含んで戎衣《じゆうい》に寒かった。

年譜によると、成吉思汗は五たび西夏を攻めた。が、そのいずれもが勝利とは云い難く、数度は完全な敗北さえ喫している。

最初、西夏を攻めたのは、彼がまだ仲間たちから強大《チンギス》と畏称されていなかった頃、つまり朔北の一小部族の土酋《どしゆう》、しかも孤児にすぎなかった十九歳の夏であった。

「西夏という国をきいたことがあるか」

斡難河《オノン》畔に、蒙古桜の乱れ咲いた大きな窪地があった。そこで風を避けつつ昼寝をしていた何人かの部族の若い仲間達に鉄木真がそう囁《ささや》いたのは、その年五月の暮のことである。朔北の風はまだ肌につめたく、高原を蔽《おお》う碧落の天に、蒙古鷲が一羽、獲物を求めて舞っていた。

「そこには、女がいる。白い肌、豊かな胸、くびれた腰、女とはそうしたものを云うのだ。わしの馬についてきたければ、一人に二十人の仲間を語らえ」

　仲間の若者達は、むくむくと起き上がった。匈奴、鮮卑と卑称されたこの沙漠の民は、当時から世界でも最も性欲の強烈な人種だとされていた。それは、穀食《きこうど》人種の常識を越えきったものであった。常食に、獣肉、獣肝、獣脺を食い、獣血を飲み、髄を啜《すす》る。匈奴八日二七夕ビ交ハル、と、古代シナの記録者は伝えている。後漢の中期、玉門関の西方に版図《はんと》をもった烏孫《うすん》国の王某は、十歳で三人の妻妾を持ち、十七歳のとき、生母を除く亡父の妾十五人を相続し、六十歳で夜ごと十人の女を御《ぎょ》したといわれる。おそらく、この男のみの特異記録ではなかったであろうか。

「本当か、鉄木真。お前はその目でその女達を見たのか」

「いや、わしは見ない。見たのは、回紇人の橋爾別《チャオルベ》だ。あの男は世界を知っている。この話は、信じねばならぬ」

「ちゃおるべ……」

　橋爾別という男は、青海《グフノール》の南に住んでいる回紇人の商人であった。漠北に冬が去ると、彼は駱駝に絹や日用具を積み、遊牧と戦闘のほか生産を知らぬ蒙古人との交易のために、毎年欠かさず戈壁を越えてやってくるのである。

　彼等は、蒙古地帯に着くと、それぞれの包《パオ》に分宿した。橋爾別は、この年、鉄木真の包に宿をとった。この家には、十九歳の鉄木真とその母である寡婦とふたりっきりで住んでいた。

橋爾別は包に入ると、あるじの寡婦に絹十疋と磚茶《せんちゃ》を贈り、青年にも愛想よく肩を抱いた。

「鉄木真、大きくなった。その斜眼《すがめ》までお前の父親にそっくりだ。もう、女を知っているのか」

「………」

「ははは、どうせ、蒙古の女だろう。蒙古は、馬はよくても、女はわるい。蒙古女は犬《ノゲイ》より劣る」

「犬？」

「何、犬を知らんのか。犬というのは、回紇人の商人仲間では沙漠妻《ゴビネーハント》といって、沙漠の旅に女の代わりに連れてゆく。まさか、戈壁を女と一緒に越えられんからな。これは、存外な味がする。むろん、人間の女のほうがよいにきまっているが、それでも蒙古の女よりはましなものだ」

沙漠での能弁家は、回紇人と色目人《アラビア》と、こう相場が決まっている。橋爾別は、鷲鼻の突きでた黒光りする顔を振りたてながら、その夜牛糞炉《アルガリ》のつきるまで、世界中の話をした。

むろん、この男のことである。商売の話でも戦争の話でもなく、女の話であった。露骨な描写をいれ、異常な情熱をこめて語った。

「鉄木真よ、世界の女で、どこの女がうまいか知っているか」

「知らない。……支那《ギタツト》か」

「ぎたっともいいが、美人がすくない」

「安息国か」

「うむ、いい。たしかに美人が多い。しかし体格が大き過ぎるな」

「女真はどうだろう」

「赤山羊だ、これは。問題にならない」

「吐蕃《トブト》国は知っているか」

「知っている。犁《やく》のように毛深いな」

「身毒《インド》国は？」

「身毒はいい。この国には素晴らしい経《ピチツク》があって、女達はみな技巧を心得ている。男がかしこいわけだ。しかし、色が黒い」

「韃靼《ダツタン》は？」

「ばか。あれを女だと心得ているのか」

「では、どこの国の女がいいのだ」

「それは……」

橋爾別は、いちだんと声を低め、鉄木真の耳に掌をかこって囁いた。

「西夏の女だ」

その皮膚、匂い、顔、からだ、橋爾別は精妙に描写しながら、西夏女の匂やかな像を、青年の脳裡に刻ませた。

「鉄木真、お前は、生涯、犬よりも下等な蒙古女を相手に暮らすか」

「いや、暮らさない」

「いい料簡《りようけん》だ。世界の女を知ることは、世界を征服することだ。どうすればそれができるか、知っているか」

「知らない。教えてくれ」

「うむ、教えてやる。お前の父親の也速該把阿禿児《イスゲイバーズル》には、世話になったからな。橋爾別の特別の好意だ。それはな、商人になることだ。商人になれ、蒙古人は金勘定《ユアルブ》が出来ないというが、お前なら、なれないことはあるまい。駱駝をひいてゆけば、欧州までも行けるぞ。商人になるか」

「ならない」

「では、どうして、あの身毒の女や、西夏の女を知るのか。分別することだ。おれの駱駝隊に入るがよい」

「蒙古女は犬よりも劣るかもしれないが、蒙古男にはうってつけの方法がある」

鉄木真は、いま聞いた西夏の女を思いうかべながら、生唾《なまつば》を嚥《の》んで云った。躰が妙に熱っぽくなっていた。咽喉を流れてゆく唾に、ふしぎな甘い味が残った。気がついて拳《こぶし》をひらくと、掌《てのひら》が汗でびっしょりぬれていた。ステファン・ツワイクに云わせると、歴史には不思議な瞬間があるというが、このとき、鉄木真が嚥んだ生唾が、のちに世界史を動顚させた。

「鉄木真、お前の言葉を信用してやる。それだけの国なら、ものもあるだろう。俺は部族を脱走してくる。みんなはどうだ」

仲間達は、細い吊り目を燃やしながら、一斉にうなずいた。鉄木真は、

「よいか、きょうから七日経った夕、時刻はあの疎林に狼星がのぼった時、この窪地に集まるがよい。それからオルコン河を南下し戈壁を越える」

この時代、この沙漠民の人生は、ものとおんな、この二つへの強烈な執念で成立っていた。地は、北へゆくに従って、冷え、乾き、生物の生息にきびしい冷淡さを示し始める。ここに棲む騎馬民族が、南の豊穣《ほうじょう》と色彩に寄せる夢はわれわれ農耕民族の子孫達の想像を絶するものがあった。シナ五千年の歴史は、一つの角度からみれば、この夢をいだいて南下してくる塞外の蛮族と、中原の穀物のみのりと文化をまもろうとする農耕民族との、人口の擦りへらしあいであったとも云えるのである。たとえていえば、青銅の什器《じゅうき》、象嵌《ぞうがん》の剣、朱塗りの椅子、螺鈿《らでん》の寝台、彼等はそのいずれを作る才能もなく、また資源もなかった。それに、絹を纏《まと》った嫋《たお》やかな女。これらの物資のどの一つを摑みとるにも、匈奴、烏孫、女真、鮮卑とよばれた沙漠民は一族の生死を賭けたのである。この欲望は今日の常識の及ぶところではない。

物に飢え、性に飢えた人種が、馬に騎《の》っている。

その馬は、大宛馬にくらべ、体軀こそ奇妙に矮小《わいしょう》であったが、沙漠の瘴癘《しょうれい》に堪えて

千里を走るといわれた。地球の如何なる場所であっても、そこに物があり、女さえあれば、この男たちの集団は走った。この集団の頭目になる資格は、これまたたった一つしかない。性欲と好戦欲と掠奪欲の人一倍激しい男、こういう男にのみ安心感が置ける。この男の欲する方向が、民族の欲する方向であるからだ。それに勇気と狡智《こうち》さえあれば、たとえそれが鉄木真のような、父を他部族に謀殺された一介の孤児であっても、男たちは血ぶるいしつつ従った。

「西夏の女を知っているか」たったそれだけを云った鉄木真は、忽然として軍隊を持った。三百の仲間が集まった。武具も自前、服装もまちまち、かぶとをかぶっている者は十人に一人、中には素裸に近いものがあるという、うらぶれた烏合の衆であったが、他人種と違う点は、それらがすべて自前の馬を持った騎兵であり、しかも自前の羊を連れた、つまり輜重《しちょう》まで自前で準備した長距離行動の軍隊であった。

戈壁を越えたこの性欲集団が、西夏の城壁に着いたのは、夏も半ばを過ぎようとしていた。

城の西南にある疎林の中から、それを遠望した鉄木真は、思わず声をのんだ。彼は城というものを見たことがなかったのである。蒙古人は城を造る技術というものを持たなかった。必要もなかった。彼等の国には、沙《すな》と草と羊と馬の外、他民族から盗まれるべき何物もなかった。従って彼等は常に襲撃者の立場にあり、たとえ侵される場合があっても、戈壁という沙漠そのものが絶妙の天嶮をなしていたからである。疎林の中で、三百人の襲撃者達は、まるで無邪気な観光客に化したように、倦かず西夏の城を眺めていた。

記録によれば、この城は、色目人《アラビア》の技師が設計したものといわれている。城壁は八稜郭をなし、三重の厚壁をめぐらして、外郭、中郭、内郭にわかち、外郭は三百歩ごとに望楼を聳立《しょうりつ》させて死角をなからしめていた。

城内の市街地には、迷路を縦横に走らせ、辻々に石塁を築き、弩弓《どきゅう》十挺を配備するという、恐らく人口十万を出ない都市に、これほどの防備が施された例は、西域史上他に類を見ない筈である。推して絹の道の商業国家西夏の富を想像すべきであろう。遠望すると、城は美しい淡紅色に煙った。これは、石材にはすべて金犀石が使われていた理由による。

夜に入った。

鉄木真は、包囲に先立って、風上である城の南側に兵の密集を命じ、全員に火箭《ひや》を用意させて、弦の続くかぎり城壁の向こう市街地へ射込ませた。忽ち、数百本の火箭が星空に弧を描きつつ城壁の中へ吸いこまれて行った。

胸墻《きょうしょう》からは、一本の矢の応酬もなかった。石材で出来た市街地は火の手ひとつ上がらなかった。城は、闇に包まれて森閑としずまりかえっていた。この静寂は、襲撃者にとって、意表であった。彼等のあいだに目に見えぬ動揺が起こった。

「火車《ガルンメル》を出せ」

鉄木真は叫んだ。数台の車が引き出されてきた。忽ちその上に枯れ草が満載され、油が注がれて、兵がその後ろに群らがってごろごろと転ばし、ある地点に来るや、力一杯突きはなした。車は勢いよく転んで、城門に衝き当たって横転した。その上へ火箭が注がれてゆく。やがて枯れ草は団々たる火炎となり、城門を包みはじめたが、依然、城内からは何の応酬もなかった。

人がいないのか、まさかそういうことはない。とすれば、立ち竦《すく》んで手も足もでないのか。いや、この城の中の人種は我々を愚弄して相手にしないのかもしれない。

蒙古人たちの心は、一種の虚脱に陥入った。自信の喪失するまま、彼等は鉄木真の制止もきかず、てんでに城壁へ寄ってゆこうとした。

「城へ寄るな。寄るやつは斬るぞ」

鉄木真は、仲間のあいだを駈けめぐって叱咤したが、一団は、まるで催眠術にかけられてゆくように、よろよろと城壁へ吸い寄せられて行った。鉄木真は、彼等の後ろ姿に、名状しがたい気持を味わった。強《し》いて表現すれば、文明というものを始めて知った野蛮人の、物悲しい虚脱を仲間の集団の中に見た。

そのときであった。城壁の上に、突如、弩弓を構えた数百の西夏人が現われ、炎に照らされてよろよろと近寄ってくる蒙古人達に、音もなく矢を注ぎはじめたのである。弩弓という武器を始めて見たのが、このあわれな襲撃者達の最期であった。忽ち二百名余りが城壁の下に転がった。

「退けえっ」鉄木真は、悲鳴に似たさけびを城下に残して、必死に馬腹を蹴った。馬は十数歩走って前脚を折った。前へ投げ出された所へ一筋の矢が鉄木真の右肘を貫いた。馬は乱軍の中で替馬を探そうとしたが、仲間の馬はいずれも傷つき、四脚を何とか地にあがかせているのはまだいい方であった。馬を捨てて徒歩で逃げて行く者もあった。生き残った者は、わずか二十名、これでは算を乱して逃げてゆくという形容さえ当たりにくかった。このみじめな野蛮人の後ろ姿へ、西夏の兵達は、もはや追い矢さえ射ず、城壁の上から、まるで滑稽な劇の観覧者でもあるかのように、手を打ち転げまわって笑った。この野外劇の滑稽な役者達の中に、後に世界を征服する男がまじっていようとはむろん神ではない西夏人の知る由《よし》もなかった。

運命は、この男を助けた。乱軍の中から蒙克《マング》という仲間が現われ、馬上から腕をのばして、鉄木真をすくいあげた。そして北に向かい、はるか戈壁に向かって鞭を当てた。鏃《やじり》に毒が塗られていたらしく、鉄木真の肘は、樽のように脹《ふく》れあがった。馬上で、蒙克は剣を抜いた。鉄木真の腕を摑んで大きくその皮膚を裂いた。走りながら傷口に口を当て毒血を吸っては吐いた。痛みが、鉄木真の意識を混濁させた。薄らいでゆく意識の中で、なんどもあの城壁から聞こえてきた嘲笑を幻聴のごとく聞いた。

第二の西夏攻撃は、微微児温都爾《チエチエルオンズル》の山麓で、同族メルキ部一万の兵を破り、その土酋托克塔《ツクタ》という男を捕えた時にはじまる。

このとき、鉄木真は三十二歳、あの西夏での惨敗以来、十数年の歳月が流れていた。彼はすでに朔北の一孤児ではなかった。西夏から敗れて帰った彼は、敗残の仲間とモンゴル部の部衆を集め、

「西夏、安息、身毒の女、支那の物資《ユム》、それらをお前達は獲たいか。獲たければ、鉄木真に従え。まず蒙古高原を、このつるぎの刃で統一する」

中世蒙古人は、神の生んだ最も卓《すぐ》れた獣であった。

あの戈壁を例にとってても解る。彼等の故郷の南に横たわるこの大沙漠は、今日の探検装備をもってさえ、越えることは容易なことではない。

ところが鉄木真の頃の蒙古人は、十日間の食糧を持ち、二十日間の日数で、北から南へ越え渡ったといわれる。彼等は、六日間の絶食に耐えられる特異な胃袋をもっていた。その心臓も、他人種のそれとは異なる。成吉思汗鉄木真の子窩闊台《オゴタイ》大汗が、喀喇和林《カラコルム》の宮殿で崩じたときのことであった。

この宮殿を、一騎の伝騎が躍り出た。かぶとに鷲《わし》の羽を付けていた。この羽は、通例早飛脚の目印に使われるものであった。鷲の羽の伝騎は、一昼夜を経るごとに途中の駅で馬を代え、不眠不食で、命じられた目的地へ走る。

この時の伝騎は、はるか欧州の征旅にあった猛将抜都《バトウ》のもとへ、大汗の死を報知するのが目的であった。

出発に先立って、彼は内臓を破裂させないように腹に木綿《もめん》を巻き、喀喇和林からカスピ海まで、記録によれば僅か十日で到着している。中近東の山野を疾駆し全行程一万二千キロ、ほとんど地球の半周にも及ぶ距離である。しかし、これを特異記録とするわけにはゆかない。中世の蒙古民族にあっては、一昼夜の騎走千キロ以上というのは、普通であったからだ。この場合、内臓をまもるために、茶だけをのんで食事はとらない。しかもそれを十昼夜つづける。これを他民族の常識では、人と呼ばない。人以上か、人以下である。

その卓抜した同族の獣性に気付いた最初の蒙古人は、成吉思汗であった。この民族さえ手に握れば、世界は卵殻を岩で割るごとく征服しうるであろう。彼がこれを直覚したとき、初めて、世界史は成吉思汗の出現を迎えることになるのである。

ところが、蒙古人の地上における数は、わずかに四百万を出ない。この稀少民族がさらに幾多の小部族に分かれ、殆ど劫初以来漠庭で同族間の争闘を繰返してきた。鉄木真の三十代は、その困難な統一事業のために、費されたといってよい。

そうした時期、つまり彼の三十二歳の晩春、前記メルキ部を討滅したのである。といってもまだ、彼の手兵はわずか千を出ず、メルキ部を破った軍勢は、ほとんど他の大部族から借りてきたものであった。漠北での彼の政治的位置はまだ微弱であった。

メルキ部の土酋托克塔が、彼の幕営の前に引き出されてきた。当然、これを斬殺する。古い小支配者達を、一人一人殺してゆくのが鉄木真の統一への方法であった。しかも、

「托克塔、この鉄木真を覚えているか。お前には怨みがある」

鉄木真の父也速該《イスゲイ》が、托克塔の兄の謀計で殺されたという風説が、当時あった。怨みというのはそれを指すが、話が煩瑣《はんさ》になってゆくのを避けるため、ここでは述べない。

鉄木真は、剣を抜いた。その剣は、数度の戦闘で血と脂がまつわり、銅剣のごとく見えた。蒙古人は、明澄の剣を尊ばず、血で銹《さ》びた剣を、勇者の魂とした。

托克塔は、漠庭では獰猛で鳴った男である。鉄木真の剣をちらりと見ただけで、観念の眼《まなこ》をとじた。

鉄木真は、剣を振りあげて、まずその耳を削《そ》ぎおとした。托克塔は、血の噴き出す右耳をおさえた。そして、躍りあがるように、

「あ、あ、有難い。何ということだ」

鉄木真は、黙って今度は左耳を削ぎおとした。血が、托克塔の顔から肩を真っ赤に染め、その血の中で托克塔は、はしゃぎ立ちながら、

「鉄木真、耳だけでよいのか。有難い。わしはお前のために何でもするぞ。さ、何をすればよいのか」

「西夏へ行け」

鉄木真は、托克塔の躁《はしや》ぎを興《きよう》なげに見ながら、

「お前の旧部下を五百名つけてやる。西夏へ行って、お前は何をする積りか」

「女を狩りとる。狩りとって、鉄木真、お前にみんな捧げる。それが俺の仕事だ」

「そうだ。それからが、お前の肺は、お前の意思で呼吸するのだ」

鉄木真にすれば、首を斬ろうとしたときふと思いついたまでのことである。こんな男にさして期待はしていなかった。

それから三カ月ばかり経って、鉄木真がこのことをすっかり忘れていたころ、この男は、骸《むくろ》になって帰ってきた。

生きて帰った者は、わずか五名であった。彼等はまだ、眠りの醒めきらぬようなふしぎな顔付をしていた。

五人の話によると、その当夜、五百名の蒙古兵が西夏城を遠く巻いて露営をした。夜半に至った頃、東風が吹いた。その風に乗って、城のほうから、微妙な音が聞こえてきたというのである。

兵達は、何となく総立ちになった。音はいよいよ大きくなった。時に急に、時に緩《ゆる》やかに、やがてそれは轟然たる大音響となり、あたかも、城全体が楽器に化したかに思われた。天地を包んだ音響の中で、蒙古人達は、ただ佇立《ちょりつ》するばかりであった。

そこを、西夏の伏兵が襲ったというのである。伏兵達は、馬を離れて右往左往する蒙古人に向かって、まるで射的遊戯のように的確な矢を注いだ。五百名が斃れるまで、さほどの時間はかからなかった。

「その音は、例えば笳《あしぶえ》の如きのものか」

鉄木真は、生存兵にむかって訊《き》いた。兵達は、かぶりを振った。唯、音がした、それ以上の感想を、彼等の知識の中から求めるのは無理であった。

鉄木真は、西夏の様子に通じている安息《ペルシア》人の武器商人を招《よ》んで訊いた。

「さてそれは、笳の如きものではありませぬ」

商人の語ったところでは、西夏には、二十絃の竪琴《たてごと》があり百人がこれを弾じ、五尺余の巨大な銅製の笛があり、五十人がこれを奏し、それに鼓《つづみ》、鉦《かね》、簫《しょう》などを混えて錚然《しょうぜん》たる音響を醸《かも》すという。蒙古人は笳のほかに楽器をもたず、風籟《ふうらい》のほかに人工の音律のあることを知らない。彼等が、魂を喪失するまでに妖しさを覚えたのも無理はなかった。

鉄木真は、ふと思い至って、この五人の敗残兵を斬った。

彼が世界を征服したのちもなお、蒙古人を朔北のその故郷にとどめ、その子窩闊台《オゴタイ》もまた、これを墨守して首都をわざわざ世界の人文から隔絶した喀喇和林《カラコルム》に置いたのは、この時の経験を徴したからであった。しかし、彼の孫忽必烈《フビライ》は大元帝国を作り、祖父の教訓を破って、都をシナの中原に移し、蒙古人を親衛隊として都に住ませた。やがて、元がほろぶ。この時、これを支えるべきあの蒙古軍団は、往年の野性を喪失して、ただの人間に化《な》り変わっていたのである。同様、こののち、満州の騎馬民族女真から興った愛新覚羅《あいしんかくら》ヌルハチは、わずか六十万の遊牧民をもって四億の明《みん》を滅ぼし、清《しん》を建てて都城を北京に営んだが、この民族もまた、今日、ツングース族の一派古代満州民族という呼称を民族学に遺すのみで、いまはその人種さえ現存していない。

文化に対する未開の血の儚《はかな》さは、托克塔《ツクタ》の惨敗の場合、とくに端的であった。文化は掠奪すべきもので、浸るべきものではない。托克塔の死に、鉄木真に教えた。血に毒のまわった五人の同族を斬ったのも、この直覚に繋がるものであったろう。

　第三回目の西夏攻撃は、一二〇六年の夏。

　このときすでに鉄木真は、漠北の一土酋ではなかった。

その前年、つまり彼の四十三歳の春、東は興安嶺から西は阿爾泰《アルタイ》山脈に至るまでの漠庭はようやく戡定《かんてい》を見、彼の生地斡難《オノン》河畔に蒙古三百部族を集めて大集会《クリルタイ》を開き、二百万の剣光に飾られながら、蒙古皇帝に即位した。成吉思汗と号したのは、この時からである。ついに卵殻を、岩で打つべき時がきた。

即位後五年、大汗旗は、始めて戈壁を越えて南下した。欧亜の歴史は、この時から恐怖時代に入る。

　二百万の匈奴は、まず、シナの本土、当時の金の版図に乱入した。忽ち、金の西京（いまの大同）は血の海と化し、桓、撫二州の野に屍が満ちた。さらに長駆して、金の首都燕京城（いまの北京）にせまった。

　居庸関を過ぎたあたりである。鉄木真はふと馬を止めた。潮のごとく南下を続けてきた蒙古騎兵団は、これにならって一斉に行進をとめた。

　道は、三方に分かれている。

　東は山海関へ、南は、燕京城へ、西は、はるか玉門関を経て絹の道にむすび、中央亜細亜の高原を走って欧州に通じている。

その玉門関の東方に、西夏があった。

西夏への執念は、鉄木真にとって、まるで恋のごときものになっていた。燕京城への道を真っ直ぐに南下していた彼の脳裡にうかんだのは、

「蒙克《マング》――」

軍旅の中から、その名を呼んだ。西夏の城壁下で、十九歳の鉄木真を救ったこの男は、いま、銀色のかぶとを冠り、銀竜の旌旗《せいき》を持ち、真紅の戎衣を着た千人長になっていた。蒙克とは、中世蒙古語では「温和な」という意味があったらしい。蒙古人には、名があって、姓がない。名も多くは仇名である。恐らくこの男は、戦いは上手ではなかったに違いないが、その温和な性質で鉄木真に愛されていたのであろう。

「大汗、おん前に――」

鉄木真は、黙って、鞭を西方に挙げた。そこには、滴《したた》るような血の色の太陽が、静かに地平線に沈みつつあった。道は、黄土の上を果てしもなく続き、やがて落陽の空へ融けていた。

「この道を西へゆけば、西夏がある。お前に、五万の兵を与えよう。わしは今から燕京城を攻める。六十日ののち、再びこの居庸関で、お前と会いたい。その時は――」

蒙克は、黙って一礼した。解っていた。大汗は、西夏の女を所望したのである。

蒙克の兵は、その夜のうちに進発した。出発に先立って、鉄木真は、再び蒙克を招《よ》ん

だ。

「囲んで、戦うな」

蒙克は、再び黙って一揖《いちゆう》した。若い頃から鉄木真と起居を共にしてきた彼には、鉄木真の意中は、すぐに解けた。鉄木真にとっては、西夏はいわば、未通の処女であろう。若年の頃から、あえかな夢と恨みをこめたこの城へ、いま部下の馬蹄が先んじて蹂躙《じゅうりん》することは、彼の感情が許すまい。囲んで、戦うな。もし戦ってこの城を掠奪すれば、大汗の嫉妬は自分に死を与えるであろう。この城と、この城の女を犯す最初の男は、大汗でなくてはならないのである。その大汗は、いま南征の軍旅の途上にある。彼は、向後、地の限りを極めて、すべての大国を略取してゆくであろう。小国はそれに伴い、ただ枝から落ちるを待つ。しかし、西夏のみは、例外なのである。あの女達を、早く得たい。青年の頃、回紇《ウイグル》人橋爾別《チャオルベ》が語った西夏の女とは、どのような女であるのか。鉄木真のこの想いは、恋といえばそれに似ていた。

西夏城を取囲んだ蒙克は、示威のために火箭五万発を新月に向かって飛ばすや、直ちに使いを城中に送った。いわば、和平使であった。使者に持たせた蒙克の手紙というのは、蚯蚓《みみず》の這《は》い跡のような回紇文字で書かれ、文章は粗笨《そほん》をきわめていた。直訳すると、

「われは、戈壁の北の匈奴。（匈奴、フンヌとも読む。蒙古語でフンヌは「人」の意である）

汝の国の王女を所望する。

城門《シユラル》を欲しない。兵《チルグ》の血を欲しない。王《カガン》の首を欲しない。王女のみを欲する」

一夜、明けた。

暁の光が金犀石の城壁を、くれないに染め、やがてそれが淡紅色に褪色してゆく頃、城壁の上から、一個の籠が吊るされた。

思わず、蒙古兵達が近寄ろうとした所、

「寄るな」

蒙克はただ一騎、馬腹を蹴って城壁の下に近寄った。彼は馬を降りた。そして、頭上を仰いだ。

籠は、するすると降りてくる。やがて、蒙克の足もとに着いた。

籠の中には、ひとりの少女が、半裸に白紗を纏い、胸を宝石でうずめて、なかば失神したようにぐったりと折り崩れていた。その肌は、七月の太陽の中で、淡い紅彩を発し、匂うばかりに美しかった。

記録によれば、この少女は、西夏の国主徳日《ドーリー》王の王妹であったということになっている。事実それが王妹であったとすれば、この物語の最後に出てくる李晛《リーシエン》公主の叔母にあたるわけである。

蒙克は、その日のうちに陣を引いた。

疾風のごとく甘州へ出、そこで二日間、王女のために休息をとってから、居庸関への道を行軍した。

甘州で、蒙克は彼女のために、常の居室ほどもある壮麗な車輪付の包《パオ》を作り、調度寝具はおろか、浴室までその中に作って、二十頭の蒙古馬に曳行させて進んだ。

時々、蒙克が部屋を訪ねて、武骨な世辞を云っては、彼女の無聊《ぶりよう》をなぐさめようとした。が彼を見てもただ怯《おび》え、慄えるばかりでひとことも口をきかず、行旅一カ月、食事もほとんど摂らなかった。

平地泉を過ぎて、西京城に入り、恒山を南に望むあたりまで来たとき、彼女の目はついに生気を喪った。

医者と巫人《シャーマン》を部屋に入れ、扉の外で蒙克自らが剣を握って三昼夜一睡もせずに侍立したが、四日目の朝、王女の胸からついに鼓動の音が絶えた。

その翌々日の夕、蒙克は、屍《しかばね》となった王女を擁しつつ、居庸関に達した。

鉄木真は彼の幕営の前で、それをむかえた。彼は、王女の顔の蔽いをとって、始めて接する西夏女をながめた。

やがて彼は、みずからの手で弔衣をとり、王女を抱いてそれを着せおわると、全軍に弔列を命じた。

それから八年ののち、大征西の緒についた鉄木真は、始めて葱嶺《パミール》を越え、サマルカンドへ入った。サマルカンド城は、葱嶺以西、裏海東岸にまで威を振るう西域の大国花剌子模《クワラズム》国の根拠地である。

王ムハメッドは、戦わずして西へ遁《に》げた。

「哲別《チェベ》、追え。求赤《ジュチ》、南下せよ。速不台《スブタイ》は葱嶺の西に生ける者をあらしめるな」

六人の猛将に、それぞれ二十万の兵を与え、地に満ちた二百万の蒙古馬の蹄《ひづめ》は、パミール高原を血の色で染めた。

最も虐殺の酸鼻をきわめたのは、サマルカンドの城内であった。

男という男は子供に至るまで殺戮《さつりく》され、その数は二十万を越えた。女のみ、生存がゆるされた。それはすべて、蒙古兵の飢えに供された。

遠く裏海の小島に遁《に》げこんだムハメッド王は、サマルカンド城にあった頃、女色をもって、西域諸国に聞こえた男である。

絹の道を通って葱嶺を越える隊商の男たちは、この王を揶揄《やゆ》して、

ムハメッド汗は、ナクシュの黄栗鼠《きりす》、
飽食知らぬ、片輪者

という俚謡《りよう》を歌った。葱嶺は、世界の葡萄樹《ぶどうじゅ》の原生地として知られる。秋ともなれば、山野に自生する葡萄樹が、人と栗鼠のためにつややかな果実を結んだ。この俚謡は、ナクシュ地方の栗鼠というのが法外な貪食漢で人間への分け前を残さぬことに掛けたものか、あるいは葡萄を房のまま食べる食べ方の貪婪《どんらん》さに掛けたものか、いずれにせよ、ム

ハメッド王の後宮には、六百人の女が囲われていた。あるいは彼の食作法として、女性を粒としてではなく、房として愛玩していたのかもしれない。

その一房に西夏の女が五人いた。

宮殿の広間で、六百人の女をいちいち検分していた鉄木真は、最後に引出された五人の西夏の女を見て、蔽《おお》いがたい不快を眉にうかべた。

「たしかに、西夏の女であるか」

吐蕃《トブト》人の通訳は、叩頭《こうとう》した。

「誤りございません」

「お前は、嘗て、西夏の女を見たことがあるか」

「ございます」

「それは、この女達に似ていたか」

「さあ。なにぶん若年の頃でございましたゆえ……」

鉄木真は、黙った。やがて、

「はげ」

兵が走り寄って、女の衣裳を剝ぎとった。黄色い肌が出た。どのからだも痩せて、胸が不健康に萎《しぼ》んでみえた。それなりに美人には違いなかったが、目はほそく吊り、鼻は低く鼻翼の張った、どうみても支那の女以外の何者でもなかった。鉄木真の幻影の中にある西夏の女とは、その相貌は凡《およ》そかけはなれていた。事実、これは、西夏の女であったのかもしれない。西夏に住む党項人《タングート》とは、吐蕃種、シナ種、アリアン種の混合した、複雑な混血人種である。なかには、シナ系の血の濃い顔もあったはずなのだが、鉄木真の執拗な先入主からすれば、これは西夏女ではなかった。彼は、目の前にいる何人種とも知れぬ五人の女が、その女達の存在そのものが、自分の威信に対して侮辱を投げつけているように思えた。二十年抱きつづけてきた夢を、その細い目とその低い鼻が、嘲《あざけ》りかえしているように思えた。

彼は、剣を投げた。兵士たちは、その剣を拾って、抜いた。五人の女の首は、前に落ちた。黄ばんだ体から、血が噴き出た。鉄木真は、通訳を見て云った。

「吐蕃人。なお、詐《いつわ》りを云い張るか」

通訳は、青黒い顔を痙攣させ、わなわなと血の中に膝を折った。

鉄木真、六十五歳。一二二七年の春のことである。

身毒遠征を終えた彼は、シナ侵入以来十数年の転戦の疲れをいやすため、軍をめぐらしてサマルカンド城を経、さらに北上して、故郷の蒙古高原に帰った。

ある日、彼は、斡難《オノン》河畔に水浴した。これが悪かったのか、宮殿に帰ってから、大熱を発した。

鉄木真の発病は、全蒙古を震撼させた。諸部の長が陸続と彼の穹廬《きゆうろ》にあつまり、数十万の兵が戎衣を解かずに斡難河畔に宿営し、数万の炬火を焚いて、大汗の平癒を天に祈った。

その頃、老将蒙克が、責めを負って、自殺した。いきさつは、こうである。

帰郷して数日後、鉄木真は、蒙克を誘ってただ二騎で斡難河畔を周遊したことがある。沙と草と天と、ただそれだけの故郷の自然であったが、世界のあらゆる風景を見てきた鉄木真も、この磽确《こうかく》たる天地に、滲みとおるような懐しさを覚える年齢になっていた。久しく見なかった斡難は、相変らず阿爾泰《アルタイ》の雪を融かして沈々と流れ、碧落の天に遊ぶ蒙古鷲までが、鉄木真の目に懐しいものに映った。

「蒙克、見ろ。故郷の水だ」

流れにしゃがんで、鉄木真は、水を掬《すく》って飲んだ。やがては、服をぬぎ、裸になって、河の中に入って行ったのである。

「大汗。まだ冷とうございますぞ」

そう蒙克は制止しようと思ったが、この男のからだにある五十数カ所の傷痕をみて、口をひらくのを諦めた。とめて、やめる男ではないのである。若い頃から、欲することを、そのままにやってきた。

やがて水からあがってきた鉄木真は、

「疲れた。年の所為《せい》かもしれない。すこし昼寝をする」

鉄木真は、水際からすこし離れた窪地に入って、その草の衾《しとね》の上に寝転んだ。

「蒙克。この窪地を覚えているか」

「覚えているどころではない。あなたにそそのかされて、この窪地から我々は部落を夜逃げするように出て行ったのですから」

その頃の仲間は、その後鉄木真に従って各地で転戦し、ほとんどが戦没して、今生き残っているのは蒙克ただ一人だった。その蒙克も、すでに六十の半ばを越していた。

「そのあなたが、いま、地の主になってここに帰ってきた」

「いや、まだ仕残しがある」

「西夏でしょう」

蒙克は、声をたてて笑った。西夏に関するかぎり、政治や軍事に属することではあるまい。当然、女噺《おんなばなし》に属することであろう。それに、大汗も自分も、六十の頽齢を疾《とっ》くに越した。往年の鉄木真のあの執念は、もはや茶のみばなしの話柄にしか過ぎまいと蒙克はかるく思ったのである。

しかし、鉄木真は笑わなかった。その表情の意外なかたさに、蒙克は内心、怯《おそ》れとたじろぎを覚えた。

「蒙克、お前は齢をとった。そう、気軽く笑えるところを見れば、お前は男でなくなりはじめている。お前の目の中から、蒙古兵の獣の輝きが消えかけているようだ。わしの目をみろ、十九の若者と変わるまい。この目こそ、モンゴルの子等の皇帝にふさわしい目だ。わしはまだ、西夏の女を諦めてはいないぞ。あの匂い、あのからだ。若者の頃に描いた映像と同じものが、まだ生ま生ましくわしの躰の中にある。わしは、西夏を討つ。

全世界の兵力をこぞって、あの小さな宝石のような国を奪いとる」

いつになく多弁な鉄木真の顔を眺めるうちに、蒙克は、身のうちから抑えがたい奇妙な慄えがわきあがってきた。稀薄な生命力が、異常に強靭な生命に対した場合、ときにこうした精神の力学現象の起こることがある。蒙克の震えは、それかもしれなかったが、蒙古人の環境にあっては、もう一つの理由があった。

老齢になって生活力を喪った父を、子供が生きながらに風葬する例は、この種族の習慣として、当時普通に行なわれていたことである。彼等にあっては、老人ほど、憎むべく、またうとましい存在はなかった。この種族の戦いは、他種族のように兵士だけの戦闘ではなく、前面に若者が立ち、中軍に壮年が並び、後方は女子供から羊群までをふくめた輜重隊《しちようたい》が続いた。いわば、部族そのものが、軍団なのである。この戦闘団の中で、老衰者という特権的な例外は、一切認められなかったのは当然といってよい。身の自由の利かなくなった老人は、野に棄てられた。沙漠の劫風《ごうふう》が、まるでそれが役割であるかのようにこれを白骨に化した。

老人が、老衰したと見られることは、それは死の判決に近い。蒙古軍団の宿将である蒙克が、老衰したところで野に毀棄《きき》されることはないが、この場合、その老衰の判決を、大汗が下したのである。怖れと恥に温和な彼は年甲斐を忘れて動揺した。こういうとき、この野性の種族に起こる反応は、抗弁ではなく、きわめて直かな行動であった。蒙克は、反射的に起ちあがった。

「大汗。勝負をしたい」

「やぶさるめるか」

二人は、ものも云わずに、それぞれの馬に乗った。

「刻限は？」

「日没まで」

二人の馬は、まだ落日まで二時間はあろうという太陽に向かって、真西にむかって、驀直《まっしぐ》らな疾走をはじめた。

やぶさるめるとは、いわば競馬である。しかし、蒙古人のそれは通例の概念にある競馬とは、まるで異なっていた。まず円周をまわるのではない。地平線にむかって、真っすぐに疾駆するのである。さらに、終着の目標物というものはなかった。時間というものが目標であり、所定の時限内に、いかに多くを走ったかで、勝負を決するのであった。

二人の勝負は、落日に賭けられた。沈みゆく太陽のために、天は鮮紅に化し、草原は茜《あかね》に染まる。その中を大地の大汗と、蒙古の宿将は、征矢《そや》のごとく太陽に向かって疾駆した。疾駆しては地平の稜線へ躍りあがり、さらに地を摑んでは、次の地平へ驀直《ばくちょく》した。

二時間の疾走ののち、太陽は、ついに落ちた。鉄木真は、蒙克よりも数馬身を追い抜いてとまった。蒙克は、敗けた。鉄木真は、笑いながら、

「蒙克、お前は、素晴らしい蒙古兵だ」

馬上から、彼の肩を抱いた。しかし、蒙克の息は不規則に荒く、顔は蒼かった。

二人は宮殿へ帰った。鉄木真の発熱はその夜からである。水浴の冷えと、そのあと一時に心臓を酷使したためであろうか。

数夜で、彼は枯骨のごとく痩せた。相貌に、死色が現われた。

諸部の長が、その責任を蒙克に追及したのは当然であった。蒙克は甘受した。

「一々の条、詫びの申し様もない」

詰め寄る族長達の前で、うなだれた。しかし、意外に明るい色があった。彼は、包に帰ってから息子達を呼び、

「忌むべき老衰の疑いは晴れた。責任のためなら、死はむしろ、慶事ではないか」

そう云って、剣を執った。欛《つか》を握る手が騎走以来驚くほどに痩せて、漸《ようや》く剣を保つと、それを咽喉へ突き刺して果てた。

鉄木真の病が、奇蹟の小康を得たのは、その後、一月経ってからのことであった。

彼は病床から体を起こすと、間然を許さぬ至厳な口調で、命令を下した。

「ただちに、兵を準備せよ。軽騎のみ二十万。強兵をすぐれ」

その先頭に病車が準備され、求赤、哲別の猛将に指揮された二十万の騎兵が鉄木真の穹廬の前に整列したのは、それからわずか二日後のことであった。そのとき、鉄木真ははじめて、

「西夏へ行く」

と宣した。ひさしぶりで蒙古軍団は、戈壁を越えて南下した。

ひと月の後、西夏城を囲んだ鉄木真の軍団は、黄白の旌旗を雲のように棚引かせ、全軍が銀兜、銀甲を着し、弩弓一万挺を揃え軍車五千台、騎馬二十万、宛《あたか》も、これが彼の戦いの人生を飾る、最後のページェントのごときものであった。

西夏城を守る者は、数カ月前に病死した徳日王《ドーリー》に代わって指揮をとる李睍《リーシエン》公主である。公主は、徳日王の姪にあたり、このとき未だ二十歳を越さぬ未婚の公女であった。

この公主がいかに美しかったかは蒙古典籍に明らかである。「それは、青狼《グフノハイ》のごとき瞳をもつ。頰は桃花玉のごとく輝き、肌は吐蕃麝香《じやこう》のごとき芳香を放った」。この筆者は、元初のラマ僧である。彼はその容姿を見聞者から聞きとって筆写したものであろうが、原文に禁欲者独特のねとつくような執念が流れていて、無気味なほどである。

李睍公主の麾下《きか》の西夏兵の奮戦はすさまじいものであった。

彼等の戦意が奮ったのは、恐怖によるものといえた。敗ければ、掠奪と虐殺であることは、鉄木真崛起《くつき》以来の蒙古軍の歴史がそれを教えていた。

西夏軍は、徹底的な籠城戦をとり、城外に一兵も出さなかった。出せば忽ち蒙古兵の剣と槍が蝟集《いしゆう》して、一溜りもない。兵だけではなく、西夏の市民のすべてが胸墻に拠り、弓、石、弩弓をもって、城壁下の蒙古兵を狙撃した。

このとき、はじめて鉄木真は、砲を用いたともいわれるが、それは誤伝である。砲は、鉄木真の孫忽必烈《フビライ》が色目人の傭《やとい》技師の試作品を使って、南宋の臨安城の城壁を粉砕したときが東洋史上での最初の登場である。

籠城一カ月、ついに西夏城に、糧水が尽きた。李睍は、毎日城壁を巡回して、市民を激励したが、人々は、もはや弓弦を引く気力さえ喪失しはじめていた。

ある日、その早朝から、蒙古軍の矢戦さが熄《や》んだ。彼等は、城外を遠く退き、はるか西郊の丘に集結している。

やがて使者が来た。城門がひらかれた。むろん、降伏の勧誘であった。

李睍は、峻拒した。しかし、使者は帰らなかった。彼は、大汗の意向として、受降後、殺戮は一切しないと伝えた。蒙古軍の慣習からすれば、稀有《けう》のことであった。

「掠奪は？」

「する。ただし、市民の財産には手をつけない。王家の財宝のみが対象です」

「保障できますか」

「できると思う。しかし、最大の条件が受け入れられればです」

「それは？」

「成吉思汗は、貴女を欲している」

「……………」

使者は、返答を約して帰った。李睍は、すでに覚悟をしていた。通例なら、国主の死を求められる所であろう。が、西夏の場合、国主は女性である。匈奴の王は、そのからだを求めた。李睍は、このからだが、無気味な匈奴の穹廬に運ばれてゆく日のおぞましさを思ってみた。しかし、死は考えなかった。それが王家の務めなのである。西夏国は商業国家であり、何人かの富商に支持されて、その王家が成立している。他国のような、専制国主ではなかった。選ばれ、承認され、そして都城の危機のときには、市民に代わってその責めに立たねばならない。李睍を決意せしめたものは、壮烈な美談的感情よりも、そうした王族としての不文律の義務感からであったと云える。

公主は、決意した。市民は、生命と財産の無事を歓喜した。城に満ちた市民の歓呼の中に、公主個人の悲劇へ想いやる感情がどれほど含まれていたか疑問であった。

李睍公主は、使いを攻城軍に送って、日没とともに開城し、自ら車騎を用意して鉄木真の陣中に赴く、と返答した。

夕刻、部屋に戻ると、公主は侍女をよんで晩餐の支度を命じ、独りで卓子に向かった。皿の上で数片の羊肉を裂いたが、しかしそれを口へ運ぼうとはせず、やがて肉叉《にくさ》を措いた。この胸のつかえは、哀しみともつかぬ。不安ともつかない。怖れというものでもなかった。それらの入りまじった気持、いわば、女の肉体の深部が、つまり感情を隔絶したふかみの中から激しく湧きあがってくる生理的な疼痛《とうつう》といった方がいいかもしれない。

彼女は、茘酒《れいしゅ》の壺をとりあげた。血のように赤い酒液が、角の酒器を満たした。唇に寄せ、やがて一気に飲み干した。赤い滴が、つと彼女の口辺を流れて、白い軽紗の膝に散った。

公主は、立ちあがった。危うく、からだの重心を失おうとした。いつのまに入って来たのか、侍女がそれを支えた。

「お湯をお召し下さいますように」

公主は黙ってうなずいた。侍女はその手首を軽くとって、廊下を隔てた浴室へ導いた。思うに、当時の西域諸国の習俗からみて、この浴室は、蒸気の沐浴室であったろう。凝脂《ぎょうし》を蒸気で融かした後、浴槽でそれを洗い流すのである。

「さがって、よい」

侍女にそう云うと、李眠公主は、湯槽へ身を沈めた。公主のからだが沈むにつれ、湯は縁に溢れ、せんせんとこぼれた。湯槽は、厚い玻璃をもってできあがっている。底部は円く、槽体は四すみに角をとり、口はやや小さく、一見、巨大な壺のようにもみえる。半透明の玻璃に刻まれた模様が、彼女のからだが沈みゆくにつれ、複雑な乱反射を瞬いた。

彼女は、つとうなじを引いて、玻璃の光に融けた自分の肉体を見た。日没が来ればこのからだは匈奴の王の所有に帰する。それを、手の中の小さな海綿は無心で洗っている。悲しみとは別な、何か依怙地なまでの手のうごきであった。もはや彼女のなすべきことは何も残っていない。匈奴の陣中へ行く日没までの彼女の人生の時間は、いま、真空のごとくであった。

その真空の中で、何かする行為があるとすれは、湯槽の中で手を動かすより外なかったかもしれない。それは、人が重大な時間の前によくやる、意識や感情とは無関係な、痴呆的な反復行為であるともいえた。

それ以上、われわれは現代の言葉をもって、十三世紀初頭に生きた沙漠の国の王女の心の中に踏みこむことはできない。ただこの公主は、鉄木真という匈奴の王を知らなかった。或る想念はあった。それは、色彩に似たものであった。戈壁という、暗い褐色の幕がそこにあった。その幕の中から突如現われてきた男、その男は黝《くろ》ずんだ装束と薄汚れた革の匂いをもっている。塵にまみれた脂くさい掌で、彼女の肉体を撫でるのである。この色彩が彼女の意識を襲うごと、公主は玻璃の中で胸を抱いた。

沙漠の陽は、青海《グフノール》を赤く染めて落ちた。西夏城の門は大きく開かれ、一人の馭者と二人の侍女を連れた李晛公主の馬車が、沙《すな》に暗いわだちの跡を引いて出た。

はるか西郊の丘に匈奴の陣がある。数万の炬火が、天と地を彩って、公主の目にはそれは現実の時間の中の火とは思えぬほどの美しさで燃えたっていた。

幕舎の中で鉄木真に謁見した李晛は、一瞥《いちべつ》してこれが亜細亜を席巻した不世出の英雄《バガトル》であるとは、到底思えなかった。豪華な白い戎服がむしろ痛々しげに見えるほどの、瘦せた土色の皮膚をした老人がそこに座っていたのである。椅子にもたれながら時々背を枉《ま》げて絶え入るような咳をした。

「公主か。よく来られた。私は、成吉思汗である。待つことが久しかった」

鉄木真は椅子を立って公主の手をとろうとしたが、足許がよろめいて、左右の侍者に支えられた。

「部屋へ行こう。ただ一人で、お前を眺め尽したい」

侍者数人が椅子のまま鉄木真をもちあげ部屋に運んだ。短檠《たんけい》の中で、二人は向かいあった。公主は立っている、鉄木真は座っていた。

「美しい、これは、この世のものではない。わしの若いころ、橋爾別という回紇人がいた。彼はお前の生まれぬ先から、お前の美しさを讃えていた。その後、わしはお前を獲《え》るために、四十年を費した。世界を従えて、ついに西夏を獲た。そのお前が、いまわしの前に居る」

しわぶきの中から洩れるように聞こえてくる老人の口説《くぜつ》に、彼女としては、皺んだ口許の震えを眺めるほか、為すことがなかった。

言葉も解らない。ましてこの蒙古の老人の半生についての知識など、何一つ彼女は知っていなかった。しかし、鉄木真にすれば、これが恋の囁きであったかもしれなかった。その語彙《ごい》が素朴であり、その表現がこの男の人生の規模に似て、いわば壮大な世界性を帯びていた点だけが、世の常の恋人と異なるのみである。

その夜、鉄木真の病は革《あらた》まった。六日のあいだ高熱がつづき、七日目の朝、大蒙古帝国の大汗鉄木真は、西夏の公主の手をとりつつ、喀喇和林《カラコルム》へ帰る陣中で没した。

一二二七年の八月十二日。

麾下の蒙古軍はその死を悼み、かつ、その死を沙漠の他民族に知られぬために、喀喇和林への行軍の途上、道で遭う隊商、遊牧者のことごとくを殺害した。

この頃、漠南に驟雨《しゅうう》が降り、戈壁へつづく北の空はめずらしく晦冥《かいめい》した。

李晛公主はその後、父の女を相続する蒙古人の慣習により鉄木真の嫡子窩闊台《オゴタイ》の夫人になったといわれる。

エフィガム大尉の発掘した玻璃の壺は、その後、大英博物館に送られた。それが李晛公主の浴槽であったかどうかは、なお確定していない。

兜率天《とそつてん》の巡礼

その寺は、洛西の嵯峨野《さがの》に在って、上品蓮台院《じょうぼんれんだいいん》という。不断念仏宗の末寺である。中世の末までは真言宗仁和寺《にんなじ》の門跡に属し、古刹《こさつ》であったが、宝物といえる程のものはない。寺域をめぐって古い土塀があり、真竹の藪《やぶ》の中に崩れ残っている。植物病でもあるのか、藪は瘦《や》せて枯色がすさまじかった。本堂は、弘化の失火で灰となり、以後、檀家のないまま再建もされない。境内は存外にひろく、草の上に、わずかに弥勒堂《みろくどう》と庫裡《くり》ひと棟が現存している。

ポツダム政令によって京都のH大学を教職不適格者として追放された法学博士閼伽道竜《あかどうりゅう》がこの寺を訪れたのは昭和二十二年の夏であった。

道竜は、この暑気に帽子もかぶっていなかった。汗がまぶたを刺すごとに、幼児のようなしぐさで手の甲を目にあてた。そのしぐさが妙に似合う貧相で小柄な男だが、後ろから見れば痩せた肩が七十を越している。しかし瞳だけは小動物の仔《こ》のように濡れていて、ものに触れて休みなく動いた。おそらく、五十をいくつも出ていまい。

庫裡の戸は立てつけが悪かった。入ってすぐ古いカマドがあり、屋根裏を重い梁《はり》が這《は》っている。そう辛うじて分別できるほど内部は暗く、その暗さが陰湿な冷気となって、あるじの応対をまつ道竜の皮膚にはいあがってくる。極度に無口なのか、この男は、頼もうともお邪魔とも声をかけず、暗い土間で陰気な表情をうかべたまま突ったっていたが、やがて、かるい作り咳を二度ばかりして、来客のあることを報《し》らせたつもりだった。が、なんのいらえもない。咳の音は、そのまま庫裡の奥に吸われて空しく消える。

人がいないときまると、道竜の目は急に落着きをうしないはじめた。暗さに目が馴れるにつれ、カマドの上に小さな大黒像が置かれてあるのを知った。道竜はそれをすばやく摑み、底を返し、指頭で叩き、埃《ほこり》を払ってみたりしたが、やがて失望したように旧《もと》の位置へ戻した。たいしたものではなかった。どこの荒物屋の店頭にもある安物の貯金箱にすぎない。

彼は歩きはじめた。そのまま土間を通り抜けて裏口へ出た。午後の陽《ひ》が境内の一隅をかしゃくなく焦《い》りつけている。その二十坪ばかりの土が乱暴に掘り散らされ、蔬菜《そさい》が植えられていた。辛うじて、この寺が無住でないことがわかる。

その向こうに、一宇《いちう》の堂が建っていた。しばらく眺めていて、やがてそれが弥勒堂であることを確かめると、ためらわず、彼はその階《きざはし》をのぼった。腐朽がはなはだしく、一足ごとに堂が揺れる。とびらに錠もなく、手をかけるとぐゎらぐゎらと苦もなくひらいた。マッチを擦り、須弥壇《しゅみだん》の下を手探って、数本のローソクを得た。ローソクの灯は、わずかに堂内の闇を払った。

——台座がある。

台座には仏像がなかった。堂の名からみて、この仏像は弥勒菩薩《ぼさつ》でなければならない。しかし、何代か前に盗難にかかったか、すでに売り払われたものか、蓮台に厚い埃がつもっていた。

彼はローソクを用心深く掌でかこって、須弥壇の裏へまわった。長持があり、曲ろくがあり、天蓋がある。それらがローソクの灯影の向こうにゆらめいて、まるで妖怪の踊りたつような影をつくった。道竜は這うように進み、やがて背面の壁に至る。壁にひたひたと掌をあててゆくと、程なくざらついた膚質を感じた。火を近づけると、黝《くろ》ずんだ色彩がある。壁画である。道竜は背伸びしてローソクの灯を丹念に壁に這わせていたが、やがて灯に隈取りされた彼の顔のしわが動き、喜色をむきだしにした。道竜の求めていたものは、この壁画である。

道竜が予《あらかじ》めしらべた所によると、この堂は明暦元年の再建、二百年を経ている。当然壁画も同時代の作であろう。が、異説はある。寺の創建は古く平城京遷都以前に遡《さかのぼ》り、その後数次の火災に遭うた。遭うたびに壁画のみは焼失を免《まぬ》がれ、明暦の再建のときに補色して今日に至ったともいう。なにぶん公式な文化財調査をこの寺は一度も経ていないため、説に格別の根拠はない。道竜の考えではたとえこの壁画が創建以来のものでないにしても、再建の都度《つど》模写を新たにして往昔の原型を引き継がれたため、少なくとも藤原期の様式は強くのこしていよう、と。いや、その詮索も彼にとっては、さしたる興味はない。

道竜に必要なのは、この壁に描かれている諸菩薩、諸天子、諸天女のうち、たった一人の天女であった。

——ただ、この天女を求めるに至った道竜のいきさつは、余人からみればとりとめもない。

閼伽道竜は、かつてはドイツ政治史の教授の位置にあった。妻があった。妻は子をなさず、四十三歳の春、突如発病した。

妻の名を波那《はな》という。この妻のおかげで、閼伽道竜はH大学の教授の地位を得たと、彼を好まない多くの人々は取沙汰した。それほど、副手として大学に残った当時の彼の資質は、豊穣とは云いかねた。

云うには及ばぬことだが、教授の席は講座に一つしかない。たった一つの椅子をめぐって教室員の人生というものは成りたっている。副手に簡抜された秀才達が、助手、講師、助教授と階梯を経るにつれ、マラソンの落伍者よりも哀れに、次々と脱落してゆく。このマラソンに堪えてゆくには、才能よりもむしろ金であると当時いわれた。

学問もまた、財力ある土壌にあってこそ伸びやかに育つ。道竜より高等学校は数年後輩である高名な理論物理学者は大阪の病院主に入婿《いりむこ》することによって、その業績を全世界の評価に堪えうるまで伸ばすことができた。金のみが外国図書をふんだんに買い入れさせ、私設助手を恣《ほしいまま》に傭わせ、必要とあれば海外にまで調査の足をのばさせることができる。教授は通常、貧家の出身をその後継者にしないものであった。道竜は肥後の真宗寺院の五男に生まれ、苦学して大学を出た。当然、官庁商社に就職すべきところを、数人の富家の子弟とともに大学に残る栄誉をもちえたのは、当時の主任教授が、福井の出身とはいえ同じ宗門の寺院の、いわば真宗同朋《しんしゅうどうぼう》であったからである。助手に昇格した当時、助教授への道に三人の競争者があった。このまま行けば道竜の人生には、地方の専門学校の法律教師に出てゆく程度の札しか残されていなかったが、幸運は必ずしも一定の運動律をもって落下してくるものとは限らない。そのとき道竜の掌へありうべからざる弧線を描いて落ちた札というのは、

「閼伽君。たしか、きみだけが独身だったな」

ある日、研究室へ入ってきた主任教授の一声がそれであった。その声をきいて、同時に顔をあげた三つの顔のうち、二つが血の気を退いた。教授がそのとき道竜をふくめた三人の助手の前で話したのは、神戸の大地主から持ちこまれた縁談であった。教授は上

衣の隠しから兵庫県地図をとりだして、この地方財閥のぼう大な土地山林をまるで仲買人のような熱心さで克明に説明した。

「つまり、そうなれば、姫路から西に散在している分、これだけが君のものになる」

教授は、すでに決まった話のように、道竜の肩を叩いて笑った。道竜は茫然としていた。いや、茫然たる様子を装わねばならなかった。顔を動かせば、他の二人の助手の視線と合う。すでに、道竜はうなじに激しい視線を感じている。二人のうち一人は大阪の流行医の子であり、一人は金沢の素封家の出だった。彼等は決して鋭い才能の持ち主ではなかったが、道竜と比べてより愚かであるとは云えなかった。彼等が愚かであったとすれば、それは生家の富に頼りすぎていたことのみに掛る。彼等は結婚を、平凡に行ないすぎた。閨門に頼らずとも、道竜をのぞく二者択一の勝負ならば、あとは才質と努力で決しうると安易に考えすぎていたのである。もしこの内の一人がまだ独身を守っていたとすれば、道竜の僥倖《ぎょうこう》はその者の手に落ちていたかもしれぬ。いずれにせよ、予想表にも乗らなかった馬が、突如巨大な実力を身につけてコーナーを疾駆しはじめた。勝負はついた。数年ののち、この二人の競争者は、教授に世話されるまま、東北の高等商業学校と熊本の高等学校にそれぞれ都落ちして行った。

といって、道竜のこの栄進の契機は学者一般の慣習として愧《は》ずべきものではない。ある大学の工学部は、教授、助教授の半ばが閨門を通じての縁戚の閥を張るに至っている。閥ではなく、一種の資源網であろうか。財閥もまた、その家門の虚飾として学者を一族にもつことを望んでいる。その意味からゆけば、この慣習は富と頭脳の相互扶助に過ぎないのではないか。

さて、道竜は学者として順風のみちを進んだ。妻波那は、一緒に住んでいても、彼女がたてる物音というものをついぞ聞いた記憶がないほどひかえめな女であったが、道竜はこの可憐な、いつまでも少女の匂いの消えぬこの女を限りなく愛した。道竜は、凡庸といわれても、その生活は学者である。読書と調べものが毎日夜おそくまでつづいた。波那は、良人《おっと》よりも先に床に入る。書斎と夫妻の寝室は、襖を隔てて隣りあっている。書斎の灯は、時に終夜消えないこともあった。道竜は幼少時、檀家四十軒で仏飯《ぶっぱん》も食いかねた貧寺に育ったせいか、体質は虚弱であり、性に関する興味も、通常人よりやや稀薄ではないかと、自ら思うことがあった。調べものが連日続くときなど、つい夫婦の間のことは忘れるともなく淡泊にうちすぎた。波那の華奢《きゃしゃ》なからだもまた、夫婦のことを多く欲しない。しかし、このひかえめな妻も、時に間歇泉のように欲求のうまれることがあった。一月にわずか一度に近いそのかぼそい欲求でさえ波那は波那らしく、内気にそれを表白した。そのときは大抵、ひと寝入りしたあとふと目をさます。多く、横に良人はいなかった。隣室の灯が、なお消えずに襖の隙間を透して寝室に射しこんでいる。その灯は、波那に激しく良人への渇きと懐しみを覚えさせた。彼女は、静かな聞きとりにくいほどの小さな声で、襖の向こうへ声をかけるのである。

「なにか、お呼びでしたでしょうか」

そのために私は目を醒ましたのだ、というさりげない口調であった。道竜はその声をきくと、それが長い、あるいは生まれた時からの慣習でさえあるかのように、本を閉じる。そして、書斎のあかりを消す。灯が消えると、彼女は深いやすらぎを得たように、良人の愛撫を待ち、薄い瞼をとじるのである。波那との生活は、かくて二十年続いた。良人による平凡な、幸福な後半生を作りとげたのち、波那は死ぬ。道竜は妻を想いうかべるときに、この妻の二十年繰返しつづけた求愛のことばが、いきりょうのように鼓膜の奥から生き昇ってくるのを覚えるのである。彼自らも、時に声を出してそっと呟くことがある。「なにか、お呼びでしたでしょうか」。そう呟くと、この沙漠のごとく情感の湿りに乏しい男にも、云い知れぬ哀切な、それこそ自らの命のなお生き続けていることを、只今にも断ち切りたい、いや事実そう狂気するが如く、死者への慕情に迫られるのである。

波那の直接死因は心臓麻痺であった。昭和二十年の初夏、ほとんど慢性化していた糖尿病が急速に悪化した。京都ではかなり信用のあった西陣の内科病院に入院し、入院後さらに病状が進んで、わずか一月ののち末期症状に入り、ついに心臓障害を起こして死に至った。重態に堕ち入ってからわずか十日目であった。病状の経過がただそれだけであればよかった。実をいえばその最後の十日間、波那の意識はすでに地上になかった。病床に横わっている者は波那ではなく、別の女であった。さらに云えばシーツの上に、人ではなく別の毛物が横わっていた。糖尿病の悪液質がすでに脳へ侵入しはじめていたのである。数日来の不眠の看病で疲れはてた道竜が、ある朝、目がさめてベッドを降りようとすると、暗灰色の壁際から、ふたつの目がらんと彼を射すくめているのに気付いた。波那である。波那にはちがいなかったが、昨日まで殆ど肘をついて己れを支えることさえ出来なかったこの病人に、どれほどの体力が残されていたのか、病床からすっくと起きあがって、塑像《そぞう》のような姿で道竜をじっと見つめていた。

「波那。どうかしたのか」

云い知れぬ怖れが背筋を奔《はし》って、道竜は思わず声をかけた。波那の目は青色を帯びて、瞬《また》くこともなかった。むくみ切った青黄いろい顔が厚い粘土を塗りこめたが如く、しかも動かなかった。これは、波那ではなかった。

「波那。どうした」

道竜は一歩近づこうとした。途端に、波那は裂けるばかり口をひらいた。叫んでいた。しかし、声には出なかった。追いつめられた毛物のような恐怖が、波那の顔いっぱいに噴き出た。彼女は毛布を纏《まと》ったまま床に転げ落ち、道竜が抱きとめようとしたとき、はじめて、ひいっと、笛のような音を咽喉から突きあげて、扉に向かって奔った。扉に当たって倒れ、倒れたまま手足を蛙のように泳がせて、

「怖いィ。お前の、お前の顔……。ああッ」

抱きとめて共に転がって道竜の髪を、波那は力まかせに引きむしった。幾本かの良人の頭髪が波那の骨のような手に残った。医師と看護婦が駆けつけたときは、波那は意識

を失って昏睡状態に堕ち入ったのちであった。

ベッドの上の波那の胸をひろげ、型どおり医師は診察して、看護婦に毛布をかけさせると、そのまま部屋を出ようとした。道竜は押しとどめて、彼が来る直前までに起こった異変を細かく報告したが、医師はただ当惑したように首をかしげるだけで、

「が、異常はない……」

道竜はこの男を殴りつけたい程の激昂に駆られた。しかし、すぐ昂奮は冷えた。この男には無理なのかもしれない。もともとこの病院を選んだのは院長が糖尿病の権威として名があったからだが、その院長が入院後十五日目に応召した。残された数名の医員のうち、偶々《たまたま》この朝医務室にいたのは、この七十近い老医師である。検定試験制による最後の医師で、戦争末期の医師払底《ふってい》時代でなければ、医療施設の現役業務には堪えがたい技倆と思えた。老医師は、医師としてその処置と責任を無視されたのを、腹を立てるでもなくうじた。道竜は看護婦を指さして、直ちにH大学の精神科の医局員を招ぶよう命っそりと部屋を出た。ほどなく大学から医局員が現われた。ここでも教室のほとんどが応召で出払い、主任教授はたまたま名古屋大学に出張して不在で、道竜の前にあらわれた医師は、臨時医専部の助手であった。名刺の肩書を見て、道竜は軽侮はしなかったが、かるい不安を覚えた。しかし、この医師は道竜の報告をきいて、分の厚い笑顔と信頼感のもてる語調で、静かに云った。

「すぐ大学の内科病棟にお移しになる方が宜しいでしょう。内科と連繫の上、出来るだ

けの処置をさせて頂きます。きわめて稀だが、糖尿病の末期には精神をそこなうことがあります」

それから数日を経て、波那は殆ど昏睡のまま死んだ。永眠の日が丁度終戦の日であったが、道竜にはそれに関する記憶はなかった。八月十五日の自分を思い出すにつけ、国家の存在などは、個人の人生にとって妻の存在に比すればはるかに卑小なものではないかと、奇妙な感動をもって考える。同時に、その国家に関する、いわゆる社会科学の研究を自分の生涯の職業としてきたことに、舌を嚙みきりたいほどの虚しさを覚えた。これは彼がその後追放になったときに、ふと教室員に洩らした述懐である。彼は理論をもたぬ学者と云われた。彼の理論は、若い頃ベルリン大学のR・トライチュケ博士について学んだそれのみを愚直に祖述した。この最後の述懐だけが、彼の大学生活中に述べた唯一の独創的意見ではないかと、彼に好感をもたぬ同学部の一教授が嘲った。

妻の死は彼にとって大きな打撃であったが、それだけではなかった。悲しみのほかに別な搔き傷を、彼の胸の内壁に残した。傷跡それ自体はすぐ癒えたかもしれないが、やがて別な肉腫となって彼の後半生を支配することになった。この物語はそれを述べるために語り起こされたものである。

平凡で順調だった道竜の前半生は、追放をもって閉じた。が、正しくは、妻の発狂をもって彼の後半生が始まったと云わなければならぬ。それほど、波那があの朝、突如人格を一変させたことは、道竜にとって名状の仕様のない驚愕であった。あの波那の目を、道竜は記憶の網膜を剝ぎとっても忘れることができぬ。目をつぶれば、闇の中にあの波那の目がらんとして光ってくる。それは理由なき恐怖と理由なき敵意に燃え、傍に寝ている道竜が如何なるいきものであるか、判断に喘《あえ》いでいる目であった。波那のからだに突如、いっぴきの粗毛のあら立つ毛物が這入りこんだとしか思えなかった。変身した波那の目から見れば、隣りでうずくまる道竜もまた、不可解な毛物であったろう。その毛物が起ちあがって、波那に挑《いど》もうとした。そのとき、波那は最後の十日間にたった一度だけ人語をなした。「怖いィ。お前の、お前の顔……」これはなんの意味なのか、道竜は執拗に考えている。詮ないことであろうが、あの従順だった妻が、生を終える最後に至って示した良人への反逆が、彼には堪えきれぬ悲しみになっている。妻が自分にあらがうことは、天地が覆《くつがえ》るとも有りえぬことと思って来た。如何なる潜在意識が、如何なる因によって触発されたものか。その潜在意識が良人である自分と関連性をもつものであるのか。道竜は、妻との二十年の人生を振返ってみた。それは他人からみれば拍子ぬけするほど波瀾のないくらしの連続であった。そのどの部分を截《き》りとってみても、波那はその生活に満足し、自分を静かに愛し尽してくれた穏やかな歴史であったとしか思えぬ。自分もまた、妻の愛情に愧《は》じるような行為は毫末《ごうまつ》もなかったように思われる。世のいかなる良人が二十年の歳月を振返っても、これ程のことが云い切れるであろうかと、道竜はむしろ自分を誇らしくさえ思えるのである。そう想い至ると、妻のこの最後の裏切り、……あえて裏切りと云いたい。いや印象としてはそれ以上のどすぐろい不快さがあった。その裏切りに対して、誰を責めればよいのか。何者が、波那を自分から裏切らしめたのか。その者をつきとめねばならぬと彼は思う。それは、学者としての自分の責任ですらあろうと。

そう思うとき、いや波那の狂態をいま想起するとき、彼女の背後の壁にべたりとへばりついていたくろぐろとした何者かが、目に見えるような気が道竜はするのである。その得体の知れぬくろい者。道竜には、やがてそれが明瞭に見えてくる。彼は、その者へあざけって問いかける。ふん、お前は、遺伝、ではないのか？　問いかけるたびに、その者は道竜の目の前で、みるみる黒い姿をひろげてくるようであった。

教職追放によって大学を去った道竜は、下鴨田中関田町の自宅を出ることも少なかったが、その日鮨詰めの国電に乗って大阪へ出た。あのときの医専部助手に会うためであった。軍医養成機関としての医専部は、すでに生徒募集を停止していた。あの助手もまた大学の職を離れて、大阪の住吉にある私立の精神病院に就職していた。かれは道竜の来訪をけげんな顔で迎えたが、やがてその用向きが判ると、

「閼伽先生、じゃ、お子様がおありなのですか」

と、彼は道竜の問には答えず、却《かえ》って質《たず》ねた。道竜は、相手の余りにも職業的な明快な態度に、彼の精神の調子が瞬時適合しかねたのかもしれぬ。しばらく押黙って、口を

ひくひくさせていたが、やがて「ない」と、不快そうに答えた。

「なければ、お調べになる必要はございますまい。遺伝系譜の調査などは素人が考える以上に面倒なものですし、調べたところで曖昧《あいまい》なものです。たとえ、奥様に精神病の遺伝がおありだったとした所で、すでに患者は死亡し、子孫もない。遺伝子は永遠に人類から消えている。それを今更おつつきになるのは社会的にも無意味な上、死者に対する冒瀆《ぼうとく》でもあろうと思いますが……」

職能に対する過度な自信というものは、人を傲慢《ごうまん》にさせるものらしい。死者に対する冒瀆、と、この男が医師としての立場を越えた忠告にはみでたとき、道竜の小さな顔に血がのぼった。

「余計なことではないか。私は妻への強い愛情からこれを知ろうとしている。妻と私を、最後の瞬間に割《さ》かせた何者かの実体を知りたいと思っている。これは学問的な情熱でさえある」

「学問的？　どういう……」

「君は、私が精神科学者でもないのにと云いたいのだろう。私のいう学問的とは……」

「先生、議論をしても始まりません。奥様が発狂されたということも、私は医者として確認していない。あれから、心臓が停止するまで患者は昏睡を続けていた。取乱されたというのは、先生のお言葉をきいて知っただけです。仮に精神病が発病したとしても、糖尿病の悪液質が脳を侵したと見るほうが妥当でしょう。だとすると外因性のものだから、遺伝とは無関係です」

「君は、生まれは何処です」

「神戸です」

「家内の実家も神戸だ。すると、家内の実家と関係があるね。だから、そんなことを云うのだろう。私に、調べさせまいとしているのだろう」

医師は持てあましたように首をふった。道竜はそれを言い切ると、振りむきもせず病院の玄関を出た。医師は玄関から、その後ろ姿を、あらためて興味が湧いたような目《ま》ざしで見送った。閼伽道竜氏、夫子《ふうし》自身こそすでに発病寸前にあるのではないか。

道竜は、病院を出るとすぐその足で神戸へ行った。神戸の須磨海岸に波那の実家があった。

すでに舅姑達は日支事変の勃発前後に相次いで死亡し、あとを長男夫婦が継いでいたが、この男は戦時中ひとのすすめに乗って、東満の石頭、北満のハイラル東辺、さらに興安嶺山脈にあるという有望鉄鉱脈の試掘にほとんど全財産を注ぎ込み、終戦直前には大満州鉱業株式会社という会社まで作ったが一グラムの鉄をも出さぬまに満州国はほろんだ。戦後、その打撃から廃人同様になって、波那の葬儀にも来ず、既にそれも抵当に入っている須磨の自宅に引籠っている。ものぐさな道竜は妻の実家を訪ねるということは絶えて無かったから、この義兄に会うのも十年ぶりというに近かった。応接間に、見違えるほど黄黒く老衰した老人が座っていた。しかし、見違えたのは、道竜の方ばかりではなかったかもしれぬ。応接間の老人は、入ってきた道竜を見て、一瞬不審そうに目を細めた。これが妹の良人の、元H大学教授閼伽道竜なのか。頬の落ちたその相貌は七十を越えた老人のそれである。道竜と義兄とは同年輩で、五十を一つしか出ていなかった。部屋に入るなり道竜は、その老人の目の中に指を突き立てるようにして云った。

「あんたの実家には、精神病者は居なかったか」

「――聞いたことが無いねえ」

唐突な問いに驚きもせず、老人は答える。その死魚のように物懶《ものう》げな目は、すでに驚きという機能を喪失していたのかもしれなかった。

道竜はそれから三時間程老人と対座した。老人の知りうる限りの係累の性格、性癖その他人格に関することを訊きだしたつもりだったが、なにものをも得なかった。ただ知り得たことは、この義兄は親類縁者とは殆ど交際しておらず、その個々についての知識も驚くほど乏しく、時には顔さえ想いだせないものもあった。

「この家は、明治以前は何をしていたか」

「お百姓さ。神戸が兵庫といい、さらに武庫水門《むこみなと》と云った頃からのお百姓だよ。百姓としては古い家柄といわれている。あまり自慢にはならないがね。この家の本家というのが播州にある。尤も、今は没落しているが、当主が小さな神社の禰宜《ねぎ》をしているはずだ。その神社がこの家の家系と関係があるというのだが、なんなら場所を調べてやってもいい。行くか」

「うむ。行ってみよう」

「しかし、三百年前に分かれた本家だぜ。精神病の調査に、そんな古いものまで必要があるのか」

「必要がある。……なくても、行って得心のつくまで調べる。波那への僕の義務だ」

「義務、か。人間、没落すると妙なものを義務にするらしい。俺が毎朝五時に起きて柴犬のノミをとるようなものだろう」

やがて、義兄は、神社の場所を書いた紙切れを道竜に手渡すと、ぐったり疲れたようにソファから体をずり落して、目をつぶった。用が済んだのなら、早々に引取ってほしいという顔付であった。

兵庫県赤穂郡比奈《ひな》　大避《おおさけ》神社
道竜の握りしめている紙片に、そう識《しる》されている。禰宜波多《はた》春満《はるみつ》という。

その奇妙な名の神社を訪ねるために、道竜は須磨からいったん神戸へ引返した。神戸駅から、山陽線に乗る。

降りたのは、相生《あいおい》である。そこで一泊して翌朝、比奈という部落を目指して、二里の田舎道を歩いた。道は、暑かった。

何に憑《つ》かれて、炎天の田舎道をこう歩かねばならないのか。これは、今となっては、己れのことながら道竜自身にも測りがたいものになっている。元々は、波那に関する精神病の遺伝系統を調べる筈であった。これについてはさすがの彼も無意味に近いことが判りかけている。とは云っても（道竜のために開きなおるようであるが）、追放後の彼の生活ではいま何を為すこともなかった。真空内での物体の運動は、それを阻止する抵抗がない限り永久にとどまらぬ如く、目的の殆どを喪失した道竜のこの行為もまた、追放という時間と精神の真空内にあっては、ただ運動のみが残されたが如くであった。道竜は、とにかく調査せねばならぬ。いわば、至純といっていい一種の学問的情熱であった。悪くいえば、白痴化した学問的情熱であったろう。学者としては、ある意味では、これほどみごとな情熱は稀なことかもしれなかった。

比奈の部落は、赤穂郡南部のひくい丘陵群が海に落ちこむあたり、なだらかな山ひだに囲まれて散在している。

郷社があり、大避神社がそれであった。村道を外れると自然石を積んだ十数段の石段になり、登れば森に入る。石鳥居が傾き、くぐると、屋根に苔をおいた小さな流れづくりの社殿があり、貧寒たるたたずまいであった。ただ、森の中に湖の香りがする。神社が背負っている丘の頂きに登ると、内海が一望に見渡せた。近くに散在するのが家島群島であり、遠くに望見できるのは、小豆島である。

社殿の東側に、社務所がある。藁葺白木造のまぐち二間ほどの建物で、社殿と同様、蒼古《そうこ》として海風の中に立っている。道竜が軒先で汗をぬぐっていると、うしろで、草履

で土を踏む足音がして、

「客人かな？」

道竜がふりむくと、媼《おうな》のように物柔らかな色白の老人が立っていた。

「私が、当社の宮司代務者波多春満だが、御用は？　いや御参詣かな」

道竜は、手短かに用件をのべた。その用件が理解できたかどうかはわからない。まあまあと、人懐っこく道竜を座敷へ招じ入れ、

「まず、上衣をおとりなされ。当社は無人な上、収入もない。従って何のおもてなしもできかねるが、茶だけは自慢にしている」

自ら茶を汲んで、茶たくを道竜の前へ押しやった。

「といって、茶の葉ではない。この葉は、番茶です。自慢は、湯ですな。つまりこの水です。さ、喫《の》まれよ。何なら、水だけ差しあげてもよい」

云われて、道竜は、茶わんをとって一気に咽喉へ流し込んだ。別に、どうという味の変わりばえはなかった。

「違うでしょう。この水は、千数百年来、大避の神水《こうず》とよばれている。境内に在って、いすらい井戸というものから湧く。これほどの甘露は、全国に二つしかない。どうですか、いま、一杯」

「もう一つの井戸と云うのは？」

「京都の太秦《うずまさ》にある大酒《おおさけ》神社、そこにやすらい井戸という古い井戸がある。いすらいと、

やすらい、語呂が似ていますな。大避神社と大酒神社、これも訓が通じている。この謎を大正の中期、英国のゴルドンという女学者が興味をもって、熱心に調べたそうだ。あなたも、それを御研究なのか？」

「いや、私は法律の教師です。いま、精神病の遺伝について調べている」

「遺伝？　何のことだ」

「妻に、精神病の遺伝があったかどうか……」

「あなたの御家内に？」

道竜は、あらましを話し、波那の神戸の実家の係累を貴老はよく知っている筈だときいて来た――そう訊ねると、

「なるほど。幾らかは知っている。私の家はかつて、室津にあった。両家はもと同系で徳川初期に分立した。その後も代々縁組その他何等かの形で接触がもたれ、つい先年まで両家の間に交際があったが、今はない。私のほうが没落したからです。というより、当主の私が家を出て、こんな、神官の真似事《まねごと》をして世を捨てたからでもあるでしょうな。神官といえば、この神社もいわば両家の氏神といっていい。で、遺伝……？」

「精神病の、です」

「それは、なさそうだ。少なくとも、明治この方は聞かない。色情狂ぐらいは居たかも知れないが。――まあ、私です、むろん若い頃の。……それと、もう一人居た」

「誰です」

「秦《しん》ノ始皇帝です」

「からかわれては困る」

「からかってはいない。秦ノ始皇帝ということに、私の先祖は一応なっている。これは、日本書紀に明記されている。始皇帝の裔《えい》功満王の子弓月《ゆづき》ノ君が、山東百二十県の民を率いて日本に帰化した。その移民団が、どこに上陸したか。それは、あなたが今いるこの岬に上陸した。そしてこの神社近辺に定着し、まず井戸を掘った。その井戸から汲んだ水が、いまあなたが喫んでいるその茶です」

「………」

「ということに日本書紀ではなっているが、私は秦ノ始皇帝とは思わない。むかし、田村卓政やゴルドン女史が、説をたてた。その説に私は従っている。つまり、ユダヤ人だったんだ」

「………」

「あなたの奥さんは、ユダヤ人の移民団の子孫だった。精神病については知らないが……」

「ユダヤ人……」

道竜はどういう訳か、ひくっと頸《くび》をのばして老人の笑顔を見た。そしてすぐ、目を離してきょときょと視線を座敷の調度品に移していたが、やがて頸をふって庭先を見た。

柴垣に囲まれた十坪ほどの蕪雑《ぶざつ》な庭である。芭蕉が一本、松が四本、雪ノ下が二株、石が五基……道竜の目はうっそりと光を喪ったまま、それを数えてゆく。ふしぎと石燈籠が一基もなかった。あるじはおよそ、住いや庭に興趣を起こさぬひとらしい。庭はそのまま丘の傾斜につづき、その頂きに立てば海が見える。海には、いま白帆が浮かんでいるだろうか？

道竜は、心のどこかで慌てている自分を感じていた。なんと、睡い。俺はいま、何を考えている。何も考えてはいない。考えようにも、頭が、脳の中がまるで幼児のころのようにどろどろと白濁してしまっているではないか。俺は目をあいている。老人を見ている。老人の微笑が、媚のような微笑が、だまって俺を見ている。しかし、何とねむい。瞼が開いているだけで、俺の大脳は、いや小脳も、すっかり眠りこけてしまったようだ。どうしたのだろう。以前にもこういうことがあった。いや考えてみると、子供の頃から度々あったようだ。外界は、何もかも見える。色も、形も。しかし脳は鼾《いびき》をたてて眠っている。こういうことは、最近では何時あったか？　想いだせるか？　ひょっとすると？　そうだ、俺は脳の生理がおかしいのではないか。俺こそ、いや俺のほうが、精神病の遺伝があるのではないか。国の寺はどうだろう。享保《きょうほう》のころ、その代の住職が妻をもちたいばっかりに、真言宗から浄土真宗へ転宗した。浄土真宗のみに、女犯の罪がなかった。魚肉を食うことも寺社奉行から保証されていた。きっとその坊主は転宗当座、まるでかたきのように女と魚肉をむさぼり食ったことだろう。梵妻《ぼんさい》と寝ながら、宗祖上人に心から報謝の念仏を捧げたことだろう。その肉を食った坊主から七代、その七代目が俺だ。七代の間、癲《てん》、狂、佯《よう》、いずれかに属する坊主は出なかったか？　梵妻の系統はどうだ。たとえば、俺の母親。あれはひどいヒステリーだったように思う。親父が村の代用教員に手をつけた。いやつけもしないのにつけたと邪推して、死ぬの生きるのと書置を遺して裏山へ身を隠した。檀家の男どもが総出で山へ探しに行ったのは、俺のたしか、九つの時だった。櫟山《くぬぎやま》の上に、一本だけ松の木が生えている。その枝に縄をかけて、ぼんやりと立っていたお袋を村の衆がみつけて走り寄ると、お袋は急に死ぬ死ぬとわめいて縄を首に巻きつけた。それを引きむしって皆で抱きすくめると、こんどは手足が見る見る硬直して絶倒したそうだ。みんなが青くなって騒ぐと、一人の物知りが進み出て、待て待て騒ぐなと制した。女の血の道の病いというものはな、野中の一軒家では起こらんばい。人が見ている場所で起こる。散れ散れ、みんな身を隠せ。身を隠してみながそっとお袋を見ていると、やがてのこのこ起きあがってあたりをズッと眺めたげな。女のさがというのは、なんと哀しいものだ。それが精神病だとすると、俺もそのけがないとは云いがたい。——しかし、これは何という睡さだ。死ねば、この睡さはなるか。それでも不思議なことに、ちゃんと目だけは開いている。あいて、老人を見たり庭を眺めたり。……老人の顔が、笑っている。薄い唇だ。その唇が動いている。何か話しているのだ。あ、俺も話している。

「地蔵盆は、いつでしたか？」

なんとも、奇妙な質問に、老人は笑顔をとめて道竜を見た。道竜も自分の声に気づいて、いま口から出て宙に消えた言葉のあとを、あわてて追う目つきをした。瞳が、小刻みにせわしなく動いた。

「この辺は旧暦ですから、八月の二十四日でしたか。——明後日だな」

「カンナが、植わってますね」

そういえば道竜からは、やや斜め後ろになって、視野には入りにくかったのだが、庭の北隅にひとむらのカンナの花が、ややかげりはじめた夏の陽の中で小さく燃え盛っている。道竜は、ふとそれを声に出してから気づいた。あのカンナの赤が犯人であったに違いない。あの赤が、さきほどから俺の網膜の端をちくちくと刺し続けていたのだ。自然、意識に軽い被膜が出来て、俺は擬似催眠状態に堕《お》ち入った。というような理屈が、心理学にはありはしないか。俺は童子のような、混沌たる心になりかけていたのだ。地蔵盆も、これによって解ける。幼いころ、寺の小さな庭にも幾茎かのカンナが植わっていた。地蔵盆の前後には、これが、どの茎も真紅の花をひらいた。この花の色がいつのまにか網膜を透しつつ複雑な屈折を経てついに意識の深奥に達し、深奥部に潜《ひそ》んでいる幼少の頃の記憶を、屈折した反射光によって意識の上層部に浮かびあがらせたものではないだろうか。ならば、罪はカンナであって、俺が精神病であるとは、誰もいえない。そこまで道竜は考えると、ほっとしたような表情になり、いままで休みなく動いていた瞳がはたと止まって、

「で、波那が、ユダヤの子であると云われる?」

「いやいや、われわれ秦氏《はた》の祖先が、あるいはユダヤ人でなかったかという訳です。波那さんが、ユダヤ人というわけではない」

「その証拠は？」

「証拠という程のものはないが……。これは一種の学説です。むろん、単なる奇説であるかも知れん。しかし、日本人の先祖を知るには重大なことでな。波那さんの遺伝がどうあろうと、放《ほ》っては置けぬ。あなたも日本人ならばだ。しかも法律とはいえ、学者ではないか。どうです、この説を聴きますか。聴くなら、今日はお泊めせねばならぬ。お泊めした以上、いや聴いた以上、あなたはそれを今後演繹《えんえき》敷衍《ふえん》する義務がある。その気がありますか」

「その気がある。波那への供養にもなるかもしれない」

道竜は、胸の隠しから吸殻と煙管《きせる》をとりだして、マッチを擦った。火は、紙くさい煙をのこして、吸殻の先をぼっと燃えあがらせた。しばらく主客の間に薄い悪臭が漂っていたが、やがて道竜の肺へ吸いこまれた。脳の被膜にニコチンの軽微な酩酊がひろがるにつれ、道竜の皺んだ小さな顔に、はじめて、伸びやかな寛《くつろ》ぎに似たようなものが浮かんだ。なにが、明日から始まるのかは知らない。しかし、少しでも波那に関することを日常の「仕事」としてやってゆくことに、道竜は快い安らぎを覚えた。暮らしてゆく目標が、仄《ほの》かながらも、これで出来た想いでもある。

「さ、ごあんないする。陽が暮れ落ちぬまに、境内でお見せしたいものがある」

波多春満は、庭へおりて踏石の上に庭下駄を置き、客のために鼻緒をそろえた。道竜も庭へ降りた。春満の痩せた肩に従いつつ、庭を南へまわって社殿の裏側に出た。さらに山の脚部に沿って羊歯《しだ》を分けながら、長身の春満は、ほろほろと風に吹かれるような足どりで歩を進める。

「雨かな？　あすは」

春満は蚊柱をうるさそうに手で払いつつ歩いた。呟きを打ち消して、頭の上で、からからとひぐらしが鳴いた。

「やはり、雨ではないな。あすは」

老人は、空を眺めた。それにつれて、道竜も空を眺めた。べつに、あすが雨であろうと晴であろうと、明日に特別な期待をもたねばならぬ二人でもなかった。空が、乳灰色に曇っていた。西雲の表皮に、濁った血のような残照をのこして、今日の陽は、いまようやく沈みはじめようとしている。

径《みち》があった。この径は、ほそぼそと山の凹部を通って、頂上へ這いのぼっている。径の起点のあたりに、やや深いどくだみの叢《くさむら》があった。湿った植物の陰性な匂いが、鼻をつく。土が、ここ一面に水気を重くふくんで、足を踏み入れると、靴の裏に生きものの体を踏むような、妙になまなましい感触が残った。

道竜は、暗緑色の叢の中に、苔を厚くかぶって埋もれている石の堆を見つけた。

「お墓ですか」

「井戸ですよ、さっきあなたが喫まれたのはこの井戸から汲みあげたものです。この井戸は、海浜が近いくせに、ふしぎと潮気がない。舌にころがすと、なにか甘い。珠を融かしたような味がする」

「別に、私にはしなかったが……」

「舌が、鈍感なのではないか？」

波多春満は、袴の裾をたくって叢の中を歩きだした。が、二、三歩すすんで、ふと足をとめ、道竜のほうへ振りむいて、「今から千四百年ばかり前、欽明《きんめい》天皇の頃だ。大和ノ国泊瀬川《はつせがわ》で洪水があった」

春満は、それが昨夜の出来事であったかのように、大和盆地をひたした濁流のありさまを具《つぶ》さに描写するのである。東のほうを指さし「川上を見るがよい……」道竜は指先に従って、東を見た。南赤穂特有のなだらかな饅頭形の丘が眼前にあり、丘の上の空に鳶《とび》一点がゆるやかに移動している。春満の指先に従って眺めると、聞き手の道竜の目には、なだらかな丘が忽《たちま》ち消えて、野を浸し丘を乗り越えて奔流する視野いっぱいの洪水が見えはじめるようであった。

「村人がまずそれを発見して騒いだ。川上から、赫《あか》い壺に乗った童子が流れてきたのだ」

舞いあがるその鳶が、物語の童子のごとく道竜のほうへ舞い寄って来るようにも覚えた。

「童子は、三輪山の杉の鳥居のあたりまできて止まる。朝廷から有司《ゆうし》が出て童子を検分した。見ると、異相をそなえ、雅《みやび》やかなること玉の如くであった。帝、即ちこれに秦姓《はたせい》を賜う。童子は長じて、欽明、敏達《びだつ》、用明、崇峻《すしゅん》、推古の五朝に仕え、のち勅勘を蒙《こうむ》って配流された。配流の場所が、この土地だ。赦《ゆる》されて大和に還《かえ》ってから、土地の者その徳をしのんで祠堂《しどう》を建つ。即ち大避神社である。

と、この神社に遺《のこ》る社伝では伝えているのだが、実はこれは別の経緯を仮託したお伽話にすぎぬ、と私は思っている。むろん、日本書紀もそれをはっきりさせている。その童子は、川上から流れてきたのではなく、百二十県の異民族を率いてきた移民団長であることは、正史にまちがいはない。ただ、私の気になることは社伝でいう、異相という言葉だ」

「一体、祭神はどういう……」

「三柱が在《おわ》します。まず、天照大神《あまてらすおおみかみ》。ついで春日大神。天照大神は大和朝廷の氏神であるし、春日大神は藤原氏である。秦一族は、自ら異民族であることを愧じ、かつ当時の二大勢力への気兼ねから、まず両柱を奉った。三番目の神こそ、これが秦氏が信奉する唯一無二の神だ」

「それは――」

「大避大神だよ。この神名、古事記にもない。申せば、つまり、異教の神だ」

「仏教の神かな。例えば本地垂迹《ほんじすいじやく》した八幡大菩薩や、また金比羅権現のような――」

「秦の一族が渡来した頃は、人皇十五代応神天皇の頃だから、仏教はまだこの国には入っていない。それから約三百年欽明朝に至って、漸《ようや》く入った」

「支那や朝鮮の土俗神だろうか」

「ちがうね」

「すると、……」

「キリスト教の神だよ。宇宙の唯一神ゴッドだ。なぜかと云えば……」

「………」

「この神社は、延喜式以後大避神社と書くがそれ以前は、大闢《だいびやく》とも書いたと古記録にある。大闢、だいびゃくとは、――漢訳聖書を見たことがあるか」

「ない」

「ダビデの漢訳語だ。この神社は、ダビデの礼拝堂であった。秦一族は、古代キリスト教の一派景教を信じていたというのが私の説である。この井戸を見給え」

波多春満は、長い骨張った人さし指を、井戸の底へ向けた。道竜は引きこまれるように体を乗り出して井戸の中を覗いた。水は、はるか下のほうにくろぐろと、永遠の夜の色を湛えていた。

「この底は、民族の歴史の永遠の闇の中に通じている。誰か、この底に降りて、その闇を探る者はいないかと、私は年来その者の現われるのを待っていた。あなたが、現われた。私はこれで、田舎神社の宮司代務者として死ぬ。安心して死ねそうな気がする。この井戸の名前は、教えたな」

「いすらい井戸」

「そうだ。イスラエルの井戸。古来、地の者はそれを知らずして転訛《てんか》している」

道竜は、その夜、神社で一泊したのち、翌朝、京都へ帰った。帰ったその日から、彼は憑かれたが如く図書館に籠った。まず秦という異民族がはるばる日本に来た遠い経緯から手をつけねばならぬ。

知らねばならぬのは、景教という、すでに地上から亡びた古代キリスト教の一派の東遷についてであった。

とくにその始祖、コンスタンチノープルの悲劇の教父《エピスコホ》ネストリウスについてであった。彼は、文献を渉猟《しょうりょう》してゆくうち、その想念は遥か千数百年の昔に遡り、魂は古代を游歴《ゆうれき》しつつ、遂に地を離れてコンスタンチノープルに飛び、さらに天山北路を東へ越えてシナに至り、潮路を東へ流れて播州比奈ノ浦、また山城太秦ノ里に遊ぶといった、奇妙な遊魂の巡歴をはじめる。


ここまで書いて、実をいえば語り手は閉口している。こんな奇妙な動機で、のめり込んだ彼の仕事なのだが、一体、どの程度まで正気で閼伽道竜が景教の研究などに凝《こ》りはじめたのか、この物語の語り手にも疑問である。真ッ正気ならば、あまりにもその心象は玄妙不可思議すぎる。気狂いの部類であろう。彼の妻は、秦氏の子孫であるという。秦氏の日本来航は、いくら少なく見積っても千三百年前のことだ。ある数学者の計算によれば、先祖などは高が知れたもので、凡そ八百年前に遡ると、今の日本人は大てい同じ先祖になるという。秦氏であろうが、朝鮮人であろうが、土蜘蛛《つちぐも》であろうが、高砂族《たかさごぞく》であろうが、また藤原鎌足であろうが、源頼朝であろうが、親鸞上人であろうが、いずれを先祖と名乗っても、気随気儘なわけである。秦氏は、道竜の樹立した説によると、ユダヤかペルシャか、とにかく日本よりうんと西の方の、碧眼紅毛の民族であったらしい。しかも、キリスト教の一派景教の信者であった。となると、仏教渡来以前に、日本にキリスト教が入っていたことになる。日本民族というのは、実に世界史上、奇怪な性格を帯びることになるわけである。

道竜が、妻波那への疑問の起点を、五世紀の東ローマ帝国の首都コンスタンチノープルにとったことは、一見、奇妙な飛躍であるとみえる。しかし、この男の想念では、造作もないことだ。妻波那は、死の寸前において発狂した。彼は、彼女の遺伝系統を調べはじめた。さしたる結果はえなかった。それだけで済めば、この物語も出来上がらず、ふしぎな想念の世界へ遊戯してゆく道竜の遍歴もなかったであろう。道竜は、自分の行為を研究と名付けていた。妻の発狂の因に関する研究であるという。しかも、医学の研究ではなく、じつに、深淵幽玄なる妻の血に関する研究なのであった。遺伝の調査と歴史の研究とを、彼の頭の転轍機《てんてつき》は観念のながれのどこかで切り誤ったのであろうか？

とにかく、道竜の魂は、波多春満がダビデの礼拝堂であると断言した兵庫県赤穂郡大避神社の境内のあたりから、地を離れた。ゆたゆたと虚空に舞いあがり、もはや天を駆けめぐって、古代世界地図の上をとめどなく遍歴しはじめた。まことに、玄妙不可思議の旅であるが、この物語の語り手もまた、道竜の道案内に従って道竜の頭に描かれた古代地図の上を歩いてゆくより、このところは手のないように思われる。五世紀のころ、波那の先祖と道竜が信ずる一群のキリスト教徒が、コンスタンチノープルの都城からはるか東方へ追放された。物語もまた、このあたりから虚空へ舞いあがらねばならない。

閼伽道竜は、いま、金角湾を抱いてボスポラス海峡を見下ろす五世紀の東ローマ帝国の都城コンスタンチノープルの城門の前に立たされている。額から流れでている血は、老獪《ろうかい》な陰謀者に踊らされた市民の投石によるものであり、目に沁む汗は、洞穴の蛇をも蒸し殺そうという八月の黒海沿岸の炎暑によるものであった。四三一年の八月四日。太陽は、シリアの砂を熔かしている。

「悪魔。新しきユダ。われらに天国の門を閉ざした男！」

悪罵がやむと、また一しきり石が飛んできた。忽ち瞼をはれあがらせ、唇を切り、肩の肉を破って、流れた血はすぐ黒く干上がり、また新しい血がその上を濡らした。この男、史上の名はネストリウス。つい先刻まで首都の教父《エピスコホ》として、すべてのキリスト教寺院を総攬《そうらん》した男である。キリスト教史上最初の神学論争といわれた八月四日の大宗教会議において彼の追放が議決された。彼の意見に関するすべての文書は焼却され、その後ローマ帝国の続くかぎり、彼の思想に加担する者は死罪をもって酬いられ、カトリック教会の続くかぎり今日に至るまで、彼の思想は教会史上最兇の邪説の一つに数えられるに至る。

兇悪なる闘伽道竜《ネストリウス》は、詩人のような澄み徹った目と数学者のような広い額と、闘士のような頑固な唇をもっている。ただその二つの腕だけは彼の所有ではなく、胸甲をつけた衛兵達によって身動きも出来ず押さえられていた。石の一つが頭部に当たって驚くほど多量な血を肩へ流した。彼はたった一つ自由になる唇を、天にむけて叫んだ。

「陰謀者たちよ、地獄に堕ちるがよい。首都の市民たち。私はお前たちを怨まぬ。お前たちは、キリスト教会に巣食う悪魔どもに踊らされているのだ。私は、論争に敗れたのではなく、陰謀に敗れたのだ。市民よ、心を平《たいら》かにして聖書を読むがよい。私の意見の正しさは聖書のみがそれを認めてくれる。投げよ、石を投げて私を死に至らしめよ。必ず天国へ昇って、私は私の見解の正しさを実証するであろう」

彼の邪説というのは、ただひとことで説明できる。マリアを認めなかったのである。

由来、キリスト教は一神教であるといわれる。全能の唯一神以外に神の存在を認めないはずであったが、のちにそれに似たものがあらわれた。キリストと、マリアである。

預言者イエスは、自ら神のひとり子と名乗って神の座に迫ったが、マリアは何者であろう。ただイエスを生んだ子宮にすぎないではないか、と説いたのが、ネストリウスの属した、五世紀のアンテオケ教会閥であった。彼等は、有名な章句を残している。「彼女は、神の容器《テオドコス》であったかもしれないが、神の母《テオトコス》ではない」——しかし、この説は、アンテオケ教会閥に対抗するギリシャのアレクサンドリア教会閥の活躍によって敗れた。実をいえば、原始キリスト教会におけるマリア崇拝の最初は、ギリシャより起こった。ギリシャ人は、もともと女神を好んだ。その土俗信仰が、あたらしく勃興したキリスト教に習合したのは当然なことであったし、そのギリシャに本拠をもつアレクサンドリア教会閥が、布教の現実問題としてマリアの神性を掲げ、その神性を否定するあらゆる見解を叩きつぶそうとしたのは、むしろ自然の勢いであったといわねばならぬ。ただ、その手段を公正な論争に頼らずして、陰謀をもちいた。陰謀の主役は、キリルという僧正であった。

キリル僧正はアレクサンドリア教会閥の代表者であり、ネストリウスは、アンテオケ教会閥の代表者である。両閥拮抗《きっこう》して当時の教父職を争奪してきた関係上、両名は宿命の競争者の位置にあった。因《ちな》みに、ネストリウスは、西シリアの貧しい農夫の子に生まれた。彼を溺愛した師のテオドル監督の引立てがなければ、到底コンスタンチノープルの教父にはなれなかったであろうという点、それは現実の闕伽道竜と似ている。性格も道竜に似て、温和であったということにすれば、この物語の理解がやすかろうと思う。

キリルは、それと異なる。ギリシャの女哲学者を教会内に引きずりこんで、貝殻で削り殺したという剛愎《ごうふく》な男である。女は、ハクペシアという名の、新プラトー学派の新進哲学者であった。「彼女の名が都鄙《とひ》に高まりつつあるのを嫉《ねた》んだ」と、史伝にある。原始キリスト教会の敵の一つは、ギリシャ哲学であったといわれる。彼は、神への忠実な下僕であろうとして、この教会と並び立とうとする異質な精神の権威をゆるしておけなかったのであろうか。教会内に無頼漢を養い、彼等を使嗾《しそう》して、アレクサンドリアの街路上で若い美貌の女哲学者を捕え、衣服をぬがせてなぶり殺したうえ、死体を寸断してキナロンの地で焼いた。キリル僧正は死後、聖者の称を与えられている。

閼伽道竜、いやネストリウスを葬る為に、聖キリルは、まず百人の美女をコンスタンチノープル府に送りこみ、その口から妖言を飛ばさしめて、民衆を惑乱した。さらに、宮廷の女官を買収して「ネストリウスを教父に頂くかぎり、皇帝、皇妃、高官に、天国の門はひらかれないであろう」と首都の要路の者に説かしめた。その審判を下す大宗教会議の当日、ネストリウスを支持するアンテオケ教会閥の議員団の到着せぬまに会議を成立させ、しかも各議員の背後に無頼漢を立たせて「新しきユダを追え。然らずんば後ろを見よ」と、短剣の鉾子を隠顕させてみせたといわれる。

かくてネストリウスは追われ、キリルの行為は宗教会議の議決により、カトリック教会の続くかぎり永劫の正義となった。地上の閼伽道竜のかなしみもまた、ここにある。道竜は、その日記に書き遺している。

「予と、連合軍司令部との関係もまた、かくの如くではなかったか。予は、脅迫と陰謀によって追放された」と。まことに重大な記述であるが、これは、どうやら道竜がネストリウスへの感情移入のあまりの悲壮感が描いた幻覚らしく、道竜の追放にはその事実は皆無なようである。地上の閼伽道竜の追放に関するいきさつは、やや滑稽なかなしみに満ちている。

閼伽道竜の不幸は、戦時中、Rという同僚と多少の交渉をもったことにあった。Rは、その当時、皇道法哲学という奇妙なイリュージョンを仕立てあげて、時の人気に投じた男である。この男は常々道竜の凡庸を陰に陽に軽侮していた男であったが、そのときどうしたはずみか「山陰のY市から講演をたのまれたが講師が一人たりない」と、いやがる道竜を無理矢理に引きずって行ったのである。現地へゆく汽車の中でも、道竜は、弁当を一箸つけたまま仕舞いこんでしまうほど顔色が冴えなかった。

「どうしたんだ」

「喋ることがない」

「馬鹿だなあ。あれを喋ればいいじゃないか。何てったかな、君の調べてるあれ。あれは時局むきだよ」

「北畠顕家《あきいえ》か。別に調べてるってほどじゃないんだが……」真宗寺院には、どういう訳か北畠顕家の血流という寺が多く宗内で二十一カ寺もある。道竜の寺もそのうちの一つであった関係上、寺伝の古文書があったり、口碑によって彼自身も多少の智識はなくも

なかったが、無論、それ以上のしろものではない。道竜は、そう弁解すると、

「しかし、君は歴史学者じゃない。だから正確を期する必要はない。要は、史伝に対する解釈と見方だ。顕家というのは、いくつで死んだ」

「二十一だったか」

「それァ若い。若いだけに都合がいい」

と、Rは顕家に対する新しい見方を道竜に教えた。道竜は、その通り話した。二十一歳で戦死した南朝の公卿の子が、まるで偉大な哲学者であったかのような新説を、その後講演を頼まれるごとに喋っているうち意外な人気を得て講演速記までが出版された。ただそれだけの材料で、戦後道竜は大学を出なければならなかった。あるいは、ネストリウスの追放も、もとを洗えばその程度のことであったかもしれない。なぜといえば、マリア人間説は、実は彼の意見ではなく、彼を引き立てて首都の教父職につかせたその師テオドル監督の学説を祖述したものにすぎなかったからである。

かくして、ネストリウスは追放後その生まれ故郷に監禁され、その徒はローマの支配圏をのがれて、東方に逃亡した。東洋史上、景教徒とよばれるその遍歴はこのときから始まる。閼伽道竜にすれば、もしコンスタンチノープルの大宗教会議がなければ、彼の妻波那はこの世に生を享《う》けなかったはずであった。なぜなら、彼女は古代に日本に漂着した景教徒の子孫であった。彼等が去ってから百年後に施行されたジャスチニアン帝編纂になるローマ法全典コーデッキス第一巻のしかも第一節に彼等が極悪人である

ことを規定している。その子孫は、死刑を免《まぬが》れることなしに再び故郷に帰ることはできなかった。遍歴の道竜にすれば時間と空間の制約をもたぬ、ローマ法が自分と妻波那を結びつけたと信じ込んでいたが如くであった。事実、道竜は妻の亡魂を抱いて時空の上にある。

　この流亡の景教徒が、地球を半周して古代中国に現われたのは、七世紀の中頃であった。大唐の隆盛期、太宗の貞観九年五月のことである。

長安の楊柳は、日ましに生色を重ねて夏の近きを思わせた。

晩春の陽が、都城の西、金光門をあかく彩って落ちはじめた時刻、城門下に男女百二名の胡人の旅行団が着いた。駱駝の背に旅塵がつもり、どの胡人も衣が裂け落ちて、彼等が経てきた歳月の並々でなかったことを偲ばせた。

衛兵が、型のごとく問う。

「いずれの国びとにて、いずこより、何の目的にて長安に来、しかして首長以下何人であるか」

長老らしい七十近い男が、まず駱駝より降りて衛兵に一揖《いちゆう》した。

「これは守牢礼奴《スムライヌ》。安息《ペルシヤ》の民。国を経ること三十五国、河を渡ること二百九十三、漠を越えること十八、その間二百四年、父は祖父に継ぎ、子は父に継いで、ついに世界を支配する唐《タムガジ》の都長安《クムダン》にくがれ着き申したるものども。大帝の庇護により、向後、長安においてわが宗旨の安穏を許ろうと存ずる。開門お通しのうえ、大帝に御伝奏くだされたい。わが名は、守牢礼奴。弥尸訶《メシア》の教えを奉ずる者」

彼等はとりあえず、金光門近辺の客舎に分宿せしめられた。当時、長安は世界の中心といってもよく、塞外の蕃民はおろか、西域、南海、遠くは大秦《ローマ》より来る異俗の旅人が踵《きびす》を接して入唐し、たとえば徳宗の貞元三年などは京師に滞在する諸国の国使とその従者のみで、四千を数えた。衛兵が、碧眼の胡人を見て、殊更に怪しまなかったのはむしろ自然であったといってよい。

数日を経て、太宗は、竜首山の緑の中に青丹の粧いをこらした宣政殿において、長老守牢礼奴を謁した。

「弥尸訶の教えとは、身毒《インド》の釈教のようなものであるか。仏、菩薩のうち、何を尊ぶ」

「釈教と異なり、仏は唯一人しか在《おわ》しまさず。エホバと申し、皇帝に天国を約束する仏でございまする。皇帝をエホバの国まで導きます者を救世主と申し、釈教にては候わず」

唐は、武宗が出るまでは他民族の信教についてはきわめて寛容であり、異国趣味を世界の主人の位置から愛したといわれる。太宗は、宇宙に唯一人しか神がいないという奇妙な宗教を、最後まで首をかしげながら聴いていたが、別に理解に努めるという風でもなく、聞き終わると童子をよんで襟くびから風を入れさせ、老胡人に向かって破顔しな

がら、

「もうよい。仲々面白そうだが、今日は暑い。この暑さに、大唐の主が汗に堪えつつ聴かねばならぬほどの教えでもなかろう。まず、長安に倦くまで存分に住むがよい」

太宗の好意を約束された胡人達は、西域との商業に従事しつつ、三年ののち、貞観十二年、長安の西坊に大秦寺という寺を建てた。貞観十二年といえば、長安にはわが国の遣唐使犬上御田鍬《いぬかみのみたすき》や薬師《くすし》恵日が滞在し、また学僧恵隠、恵雲などが西明寺で梵語を修めつつあった頃であろう。当然、彼等が長安の街角に出現した、形からして奇態な大秦寺の堂塔を眺めたこともあったにちがいない。

大秦寺に関するきわめて稀な資料の中に、宋の嘉祐七年のころ、蘇東坡《そとうば》の弟蘇子由《そしゆう》が作った「太秦寺」という詩がある。当時すでに長安の都は亡んで麦畑と化し、この寺はかろうじて礎石を遺すのみであった。詩にいう。

大秦、遥カニ説クベシ
高キ処、秦川ヲ見ル
草木ハ深谷ヲ埋メ
牛羊ハ晩田ニ散ル
山平ラニシテ麦ヲ種《う》ウルニ堪エ
僧魯禅ヲ求メズ

北望スレバ長安ノ市
高城遠クシテ烟ニ似タリ

さらに降って、金の官吏楊雲翼という者がこの寺の廃墟を過ぎた。

寺ノ廃基空シク在ス
人ハ地ニ帰シ　自ラ閑《しず》カナリ
緑苔ハ碧瓦ヲ昏ウシ
白塔ハ青山ニ映ユ
暗谷ニ行雲渡リ
蒼煙ニ独鳥還ル
喚《よ》ビ回スベシ塵土ノ夢
聊カ此レ澄湾ヲ弄ス

楊雲翼の詩の如くであれば、唐の長安の西坊にあった大秦寺は、屋根に緑碧の瓦をふき白堊の塔を天に突きあげた異風の結構をもっていたはずである。

この寺がまだ健在であった頃、ひとりの胡女が寺に住み、なにがしと云った。唐の武宗の会昌年間のことであった。胡人の女は、闍伽道竜の想念を珍重して、仮に、この物語の上では波那と名乗らせたい。この女は、駱駝に乗って遠く西方から来たものの子孫であった。長安の人々は、彼等胡人を胡儡《あぶれもの》とよんで軽んじている。事実、彼女も衣食しかね、寺の物置に住み、稀に来る同族の参詣者たちの慈悲にすがってその雑用をしては、辛うじて生きていた。

彼女は、十六歳になる。古い木綿の白布を纏っただけの粗末な身なりであったが、開花の季節は争えるものではない。日に月に、四肢にみずみずしい脂肪が成長しはじめ、参詣者の目をみはらせた。彼女はギリシャ文字も、シリア文字も、ペルシャ文字も、唐の文字も、いかなる国の文字も読めない。性格は、人が時に呆れるほど従順であり、智恵も人並のようではなかったかもしれないが、その碧い目はふかぶかと澄んで、それをふと覗く人に、この女はその目の奥で、人間が原初から抱きつづけているいのちの悲しみと疑いと諦めを、彼女の脳髄さえそれに気付かず、その目のみが孤独に深く考えつづけているように思えた。

四歳のとき彼女が孤児になって以来、この教会で育ててきた寺の閼伽道竜教父《アウギンゾム・エピスコホ》は、ことにそう思うのである。この魯鈍で経典をさえ読めない女だけが、その目の奥で確かに神を見ているような思いさえする。

「波那よ、女は櫛《くしけず》らねばならぬ」

彼女の蓬髪《ほうはつ》を見かねて、長老は母親のような注意を与えねばならぬことがある。時に、居室から櫛をとって来て、自ら彼女の背に廻って梳《す》いてやることもあった。

そのときふと、彼女は瞳をあげて、平素ふしぎに思っている疑問を長老に問うた。

「なぜ、この髪は黒くないのでしょう。長安の他の娘のように……」

「民族が違うからじゃ。黒くなりたいのか」

「はい。瞳も。胡儡とよばれずに済みます。私達が、貧しいからこんな髪や目の色をしているのでしょうか」

「わからぬかな、民族がちがうのだ。お前の祖父の時代に、我々はこの長安にやってきた。そのときは百二人もいたが、そののち生活が思わしくなくて、在る者は辺疆の甘州へ行ったり、在る者は西域の花剌子模《クワラズム》国へ流れて行ったりして、今は長安府に十家族五十二人しか止まっておらぬ。教えを守るのも辛いが、貧しいのも辛いな」

「私のお祖父さんというのは、どこから来たのでしょう」

「何処ということもない。故郷を追われてさすろうて来た。もとは、ここから気の遠くなるほど西の国、青い海峡と白い城壁のある都だが、わしも見たことはない。夢でときどき見ることがあるが、恐らく美しい都であろうな」

「長安より美しい？」

「さあ、どうかな。とにかく、その都から西の方には、お前やわしのような顔をした人間ばかり住んでいて、唐にも負けぬ書物や画や彫刻もある。お前は、自分の民族を恥ずるにはおよばないのだ」

長老は、彼女の肩に落ちた毛を払ってやりながら、ふと生まれぬ前の昔を偲《しの》ぶような、遠い目付をした。

この女が、武宗の後宮に徴せられたのは、彼女が十七歳の時、会昌三年の秋のことであった。後宮の役目の者が、路上で彼女の異国風な美しい姿を目にとめたものであろう。その内旨が下ると、聞き伝えた同族の者達が、ささやかな祝いをするために、教会の庭に集まってきた。持寄った酒で顔を火照らせているその者達の服装も、胡傐の蔑称にふさわしく、いずれも薄汚れて貧しかった。長老は、笑いさざめいている庭の一群を、じっと会堂の窓から眺めて庭へ出ようとはしなかった。窪んだ目に、暗い淋しみがしばたいていたが、やがて使僧の一人に、波那をよぶように命じた。

彼女は自分の身にふりかかった事態が、どういうものであるかは、充分にはわからなかった。しかし、長安の他の娘のように自分もまたお嫁にゆけるごとくでもあるし、何よりもうれしかったのは、今朝から着更えたこの衣裳であった。後宮の役人が持ってきてくれたこの衣裳は、長安のどの娘も手を触れたこともなさそうな真紅の裾と衿、それに軽紗を何枚も重ね着してしかも肩に羽毛の重さほども感じないうちかけであった。彼女は、それを風に泳がせながら、会堂に入ってくるなり、

「長老さま」

と、童女のように抱きついた。

「これで、波那は長安の他の娘よりきれいでしょう……」

くびをかしげたその姿を見て、長老は、ああと小さくうめいた。不意に、どういうわ

けか、自分たちの宗旨の始祖ネストリウスが、マリアの神性を否定したのは抜きがたい誤りであったのではないかとさえ思った。

それが誤りと思うならば、この娘を見るがよい。この娘の清らかなのど、眉、唇、そして目、これほど美しいものが神と無縁な道理があろうか。この美しい者は、自分の美しさに、いまけがれなく酔うている。この酔いの美しさに、神が宿っていぬ筈があろうか。例えていえば、処女が自らの処女を守ろうとする本能は、自らの処女の中に宿る神を守ろうとする本能でもあろう。処女が羞らい、処女が喜悦し、処女が驚く、すべて神によらざればああも美しく人をうたぬ。その清らかな永遠の象徴が、処女マリアというものではあるまいか……。

「ああ、お前はマリアに似ている」

「マリア？　イエス様を生んだ？」

「そうだ。処女のままでな。……しかし、お前は、遠からずその清らかさが失われよう。ただの人間になるのだ。なまぐさい、ただの人間に。しかも異教の、異民族の王によってその処女は失われる」

長老は、思わず彼女の体を、両腕でしかと抱きしめた。清潔な血のたぎりが、薄い紗を通して、長老の胸にうしおのごとく伝わってくるように思えた。地上の閼伽道竜は波那をめとった夜の、あの哀しげな女体の鼓搏の音を想い出している。

「波那よ」

云ってから、長老は、何を云うべきか言葉を失った。長老は、いま胸に浮かんで消えた一つの想念の行方をまさぐった。しばらく抱きしめたまま黙っていたが、やがてその老いた顔に血をのぼらせると、不意に女を離し、

「波那。わが民族の中に、お前の処女を置いて行け。よいか。これが、流亡のわれわれのせめてもの誇りであるかもしれぬ」

「処女を……。どのように……？」

「わしがその役目をしてやってもよいが、すでに老いている」

長老は、老いを理由にして、神に仕える身であることを理由にしなかったのは、当然、彼の胸の内にすれば、この行為そのものが神への祈禱に等しかったからであろう。彼は、同族の中から、眉目《びもく》の清らかな若者を選んで、その夜、波那と室を共にさせた。

波那が、寺を去って竜首山の宮殿へ行ったのは、その翌日である。

彼女が、屍になって寺に帰ってきたのは、それから七日ののちであった。

武宗は、処女を好んだといわれる。死罪の理由はそれであったに違いないが、理由は何等明示されず、累が大秦寺に及ぶこともなかった。ひとりの胡女が、老いた長老の心に掻き傷を残したのみで長安の人々の記憶から消えた。

大秦寺が破壊され、僧俗が国外へ追放されたのはその翌年、会昌四年である。

大秦寺のみが目標にされたのではなく、むしろ武宗の仏教嫌いの巻きぞえを食わされたものといえる。会昌の廃仏毀棄令は徹底をきわめ、毀《こぼ》たれた仏教寺院の数は四万六千、

還俗《げんぞく》または追放に処せられた仏教僧は二十万を越えた。

かくて東洋史上景教徒といわれたネストリウスの一派は、会昌四年以降、歴史に消息を絶つ。甘粛へ流れたか、土耳機斯坦《トルキスタン》へ行ったのか、マリアを持たぬ五十一人のキリスト教徒は再びのちの史家の目のとどかぬ孤絶の天涯をさまようたのであろう。

もし、それから約千年の後、明の天啓五年西紀一六二五年、昔の長安の地である陝西省西安において大秦景教流行碑なる黒色半粒状の石灰岩の碑が発掘されなければ、七世紀のなかば、既に古代キリスト教の一派が支那に入っていたという事実は、ついに知られなかったはずであった。

この碑が発掘された時でさえ、多くの疑問が投ぜられた。発掘したのは西安の農夫であったが、最初に報告したのは、アルバレー・スメドレーというカトリックの宣教師であった。ヨーロッパの学界は、このくろぐろと炭化した奇妙な石と碑文をめぐってまず、誰も知らなかったことが一つあった。景教とは一体いかなる宗教であるかという点、それがキリスト教の一派であることは何人も知らなかった。それほど、五世紀以来のローマ法の禁令は峻厳をきわめ、その史実の片鱗さえ後世に残されなかったようである。第二に、これは中国人の擬史癖からみて偽作であろうといわれた。この疑惑は執拗に学界を支配したが、ようやく一八九四年に至り、フランスの「通報」という東洋専門誌に発表された「大秦寺の僧景浄に関する研究」という一文によって、その偽作でないことが明らかにされた。因《ちな》みに、発表者は、わが国の高楠順次郎氏である。高楠氏の名は、この一文によって全世界の東洋学界に喧伝された。

碑の大きさは、高さ九フィート、幅三フィート六インチ、厚さ十・八インチ、重さは実に二トンもあった。碑頭は二匹の蛟竜の彫刻によって飾られ、蛟竜は十字架の紋章をいだいている。碑文は、漢文とシリア文とをもって刻まれ、大唐の皇帝の庇護によって景教がいかに興隆したかという教会の側の撰文らしい示威の文章が綴られている。太秦寺の隆盛時に、その門前に建っていたものであろうか。

付記すると、碑が発掘された程遠からぬ地点から、人骨一体が出土している。当然なことだが、この報告については、専門学者のたれもが、年来かえりみなかった。閼伽道竜は、この報告に多少の執念をもった。彼は専門学者でない。その自由な想念から、これを唐詩にある「胡女呼珊」の死に結びつけたのが、如上の物語であった。これを端的にいえば、妻波那への想い出に結びつけたものであろうか。彼は、もともと情念によってこの研究をしている。


閼伽道竜の巡歴は、ついに日本に至る。景教徒の日本渡来は、道竜および大避神社禰宜波多春満の説によれば、唐よりもはるかに古く、仲哀帝の八年、秦ノ始皇帝の三世孝武王の裔と唱える功満王なるものが一族を率いて来朝したのがその第一梯団であったという。むろん、これは信憑《しんぴょう》のよすがもない。仲哀帝の頃などは、国史は模糊《もこ》として無史料時代に近く、しかも記紀の年号に作為があり、仲哀帝が西紀何年の人かと言うことさえこんにち明瞭でないようである。また第二梯団は、功満王の子弓月ノ君が率いて応神帝の頃来着したといわれる。これまた事実であるにしても、直ちに西暦と照応するのは大胆に過ぎるであろう。

いずれにせよ、これらは秦一族の作った家伝の神話と見るほうが無難なようである。弓月ノ君ののちは、真徳王、雲師王、武良王、普洞王と続き、推古朝に至って秦川勝《はたのかわかつ》の名が、ようやく信ずべき形で世に現われるに至る。六世紀のことである。コンスタンチノープル府におけるネストリウスの追放後、百年を経ている。

つぎの話が、秦氏のどの先祖であるか、かりにここでは閼伽道竜の信ずるごとく、普洞王であったとしよう。波那の遠祖である。

普洞王とその民族がいまの兵庫県赤穂郡比奈ノ浦に上陸したのは、大和地方の政権はまだ中央集権の形をとらず、各地の部族相拮抗《きっこう》し、天皇家は祭祀の具をいだいて各豪族の勢力の均衡の上に辛うじて権威を保っていた奈良朝以前に遡《さかのぼ》る。国土は河川の流域しか耕されず、渺茫たる草のはらには、人よりも走獣の数のほうが多かった。

普洞王とその集団は、上陸地点比奈ノ浦をもって最初の都と定めた。まず、ここを固めねばならぬ。これ以上、未知の土地へ前進することは、流亡してきた民族の損耗を、さらに重ねることになろう。それに、故郷のボスポラス海峡を偲ばせる瀬戸内海沿岸の風光は、彼等の目に安堵と懐しみを覚えしめた。

推測するに、彼等はコンスタンチノープルを東へのがれ、ペルシャを経てインドへ入り、インド東岸から陸を離れて中国沿岸をつたいつつ東海の比奈ノ浦へ流亡してきた。同じくペルシャの地から中央亜細亜の高原を越えて唐へ入った集団とは、出発と経路を異にする。

彼等が最初にやった仕事は、丘の上に大闢《ダビデ》の礼拝堂を建てることであった。これが、禰宜波多春満の説によれば、兵庫県赤穂郡比奈ノ浦大避神社の前身である。さらに、礼拝堂のそばに、イスラエルの民の宗教生活の慣習として、井戸を鑿《ほ》った。比奈ノ浦にはシリアの風沙の地とは異なり、水を汲むべき小川は幾筋も流れている。しかし、それらは神の飲料に適《てき》すまい。彼等はまるで、地軸まで突きとおしそうな深い井戸を鑿った。比奈の人々が神水とよび、禰宜春満が道竜に甘露を誇ったのは、この井戸であろう。

彼等が比奈ノ浦を都として、いつのほどから播磨平野の経営に志を起こしたか、漠として知りがたい。しかし普洞王には為さねばならぬことがあった。この山と草と水の美しい国に、いかなる神が住み、いかなる気質の種族が棲んでいるかはまだ未知であるとしても、まずその者どもの女を娶《めと》らねばならぬということであった。普洞王は自ら大和のくにへ旅立った。

津のくにを経、河内のくにを経、たけのうち峠を越えて大和のくにへ入ると、国ばらの上に青霞がたち、てのひらで優しくかいなでたような緑の丘陵が起伏して、烈しい太陽や地殻をむきだした岩と沙《すな》の野を故郷の風土にもつ普洞王の一行は、思わず声をあげて泣きたいほどの感動を覚えた。

「風が絹のように柔らかい。光が、たわむれるように肌にまつわる。此処には、人間の膚骨を刺戟する何ものもない。このようなくにに住む者達は、一体、悪というものを知っているであろうか。悪を知らなければ、おそらく善をも知るまい。善悪を知らずして生涯をすごせる天地こそ、天国というべきであろう。われわれの民族は、ようやく安住の地を得た」

普洞王の目がうるんでいる。左右も、ただ黙って大和盆地をながめながら首長のことばにうなずいていた。彼等が神を忘れた最も重大な瞬間は、このときであったかも知れない。やがて神を喪う最初であった。

由来、膚骨を刺す自然の中にこそ、すぐれた神は生まれるものである。インドに仏教が生まれたのは、偶然ではなかった。風がやめば酷暑は人を殺し、ガンジスとインダスの両川が年に一度は荒れて曠野の風景を一変させるというインドにあってこそ、肉体をもつがゆえの現世の苦悩から解脱《げだつ》する冥想が生まれたのであろう。シリアの荒蕪《こうぶ》の地で、ただ星と沙をながめて暮らしてきたユダヤ人の間からこそ、星のかなたに住む唯一人の神によって天国の平安を得たいという救済の教えが生まれたにちがいない。自然が人間の肉体を虐《いじ》めない所に神は育たない。温和な気候と美しい山河と豊穣な土地に住み、いのちを愉悦しつつ生涯を送れる者に、現世の解脱や救いの教えはどれほどの必要性を持とう。大和の地にはまたそれなりの神はある。しかし、それは生命の解放に必要な神ではなく、彼等の現実の欲望をさらに充足させるための生活の友人ともいうべき神である。少なくとも、インドやシリアの神からみれば、個性の弱い、温和な、妥協性に富んだ生活の神々であった。この国の神も人も、普洞王の民族を、彼等が経てきた他の国々の神や人のように追放しようとはしなかった。しかしこの風土が、微笑をもって、彼等がやがてその神を祭ることを忘れせしめるようにした。日本での景教の衰滅のただ一つの理由は、ここにある。やがて百年を経ずして唯一神エホバの神は、日本の神々と同格になり、それぞれ名を変えて各地の神社に素姓も知れずに祀られ、かくして今日にいたる。

さて、大和国原に入った普洞王を語らねばならぬ。たけのうち峠をおりきった葛城山麓の長尾ノ里で数日足をとめ、土酋一言主《ひとことぬし》から大和国家の事情を聴いたのち、一行は飛《あ》鳥《すか》の天皇《おおきみ》の宮居をたずねた。

「その役の方はおられるか。海のそとから来た普洞王と申す者、おおきみに願いごとがあって比奈ノ浦より罷《まか》り越した。取次ぎの方は、どこにおられる」

宮殿の庭で遊んでいた一人の村童にたずねた。宮殿とはいえ、ありようは藁ぶきの物置にも似た小屋である。用材の肌がちょうなで削られているのと、床がたかどのになっている点だけが、付近の民家と辛うじて区別のつく外観であった。まことにみじめな、しかし王の宮殿がみじめであるだけに、この国は平和であろう。そのあまりの平和さの故に、普洞王の一行は、咽喉もとから思わず笑いがこみあげる思いがした。例をあげると、雄略帝のころ、小子部栖軽《ちいさこべのすがる》というあわてものがいた。輔弼《ほひつ》の重臣兼雑役係という役柄で、帝の身辺の侍臣はこの栖軽ひとりであったらしい。おおきみは栖軽を粗忽《そこつ》と善良のゆえに愛し給うたと、日本霊異記は伝える。大和の盤余《いわれ》に宮居をもたれていたころ「天皇、后と大安殿に寝《いね》ます。栖軽、知らずして参入す。天皇恥ぢ止みたまへり」というから、侍臣一人が宮居の中をうろうろしても、おおきみと后の御寝のさまたげになるほどの狭さであったようである。

普洞王の場合も、おおきみは庭先の人声をきいて、自ら高殿まで出られた。白い麻の裁ちものを無造作にひきかぶった小柄な、憚《はばか》りなくいえば貧相な老人である。同じような風俗の侍者が数人、おおきみの左右にたち現われて、ふしぎそうに普洞王の一行をながめた。その変哲もない帝王と側近の服装から、この国の文化の貧しさを思って、普洞王はかえって親しみを覚えた。

「播磨に漂着しました普洞王と申しまする者、天皇《おおきみ》の御稜威《みいつ》を伝え聞き、貢物を運んで参りました」

「変わった貌《かお》じゃな」

おおきみは、呆れたような風で、まじまじと普洞王一行の貌をながめた。

「出雲でもあるまい。百済でもあるまい。さては、蝦夷《えみし》か」

「いえ……」

普洞王は、ちょっと言葉をつまらせた。このような極東の島国の、しかも山垣でかこまれた国の王に、コンスタンチノープルの話をしたところで理解がとどくまい。

「西でございます。ずっと西……、波の上を一年もかかります西……」

と言ってから、普洞王は、ふと漢民族が、ローマを中心とする勢力圏を「大秦《たいしん》」とよんでいるのを思いだした。

（後漢書巻八八西域伝――其ノ人民皆長大ニシテ平正、中国ニ類スルモノアリ。故ニ大秦ト謂フ。――さてこれがローマ帝国そのものを指すのか、安都城《アンテオケ》を首府とするシリア地方を指すのか、まだ明らかでないという）

「大秦と申す国から参った者」

「大秦――？」

おおきみは、傍らを顧みて、物識りらしい侍臣の一人に発言を促した。

「はて、秦という国はむかし在ったかに聞いておりますが……。今は亡んでございませぬ」

「ならば、なんじ等は、その亡んだ秦の王族であるか」

のち、秦氏が、秦ノ始皇帝の子孫だと称するに至ったのは、凡《およ》そ、こうしたやりとりからであったろう。中国とシリアとを取りちがえられたところで、この大和では大差はあるまい。むしろ同じ外来の民なら、史上著名な帝王の子孫と称するほうが、先着の民族に対して万事好都合である。これは秦氏だけではない。応神帝の頃、十七県の民を率いて帰化してきた中国からの移民団の長は、漢の皇族の劉宏の裔であると大和朝廷へ届け出ている。

「なにか、のぞみはあるのか」

「大和の娘どもを欲しゅうございます。これによって子を成し、この国の土に適《あ》う皮膚と血をつくらねばなりませぬ」

「さて、娘どもが、お前たちの貌に驚きはせぬか」

「それは――」

普洞王は言ってから、まずわがためにみかどのひめの一人を給えと、跪《ひざまず》いた。媛《ひめ》の一人が、庭先へ導かれてきた。普洞王はその手をとり「媛よ、普洞王とて、顔かたちは変わりこそすれ、おのこには変わりもうさぬ。いざ」と、従者たちに人垣をつくらせて、その垣の中でやにわに抱きしめ、充分に抱きおえたのち、人垣を払って、みかどに申しあげた。

「目があおく、鼻梁がたかくとも、かくのごとく、大和のくにのおのこと変わりはございませぬ。いや、大和びとにまして、慈《いつく》しむ覚悟がございます」

この媛は、そのまま宮中にとどまっていたが、やがて子を生み、播磨へくだった。その子長じてさらに倭女を娶《めと》って子を生む。それが、秦川勝であるといわれる。いま、洛西の太秦広隆寺にある秦川勝の古像は、容貌雄勁《ゆうけい》で、眼瞼大きく鼻梁兀《こつしゅつ》出し、いかにみても蒙古型の偏平な造作ではない。

おおきみは、直ちに国中にふれして、五十人の娘を召し、普洞王に与えた。これを比奈ノ浦に連れ帰って、種族の若者たちとめあわし、その混血と繁殖を待って、この一族は播磨の平野地方の勢力を固め、さらにその植民地として当時無人の原野であった山城地方を開拓するに至った。

山城の空は、端倪《たんげい》することができない。晴天に浮かんだ一朶《いちだ》の雲が、急に黒く変ずるかと思えば、朝からの霖雨が突如夕立に変じ、と思うと、拭ったように青く雨気を払ってしまう。その日も、下鴨の家を出た閼伽道竜は、市電壬生《みぶ》線に乗って四条大宮まで至ったときに、ひがしの赤い祇園社の楼門を抱いた華頂山は、飛沫《しぶ》きあがる雨気の中に隠れてしまった。市電を降りて、阪急四条大宮駅の庇の下に逃げこんだ道竜は、向いの嵐山電車に乗らねばならぬ所用がある。

四条大宮駅と嵐電四条駅との間に、市電路線の走る舗道がある。舗道の谷間に、滝のごとく、雨の数百万の白い条線がふりくだっていた。

道竜は、ほうけたように、雨をながめている。その貌の、耳朶《じだ》の下からあごにかけて、普通人にはありうべからざる皺がふかぶかと二すじ走りとおっていた。その暗い左右の皺が、時に道竜の顔を猿のごとくにも見せ、時に、得体のしれぬ黯《くろ》いかなしみの翳《かげ》のようにも見させた。死霊のかなしみ、いや、生けるものが無機物に化したときに現われ出るあの髑髏《どくろ》の物憂くかなしげな表情が、道竜の相貌にもきりきざまれていた。祥月ではないが、きょうは波那の命日にあたる。波那の死から、死者の国に旅立った道竜には、もはや生きた街の街角に立てぬ冷えびえとした死霊の温度が、その身辺からたちのぼっていた。丸刈の頭から滴《したた》った雨は襟を通して背筋を濡らした。いつのまにか、道竜は雨の谷を歩いていたのである。

秦一族は、播磨平野を固めおわると、比奈ノ浦を同族の聖なる地として神社ひとつを遺し、主力を山城にうつして氏族の都を太秦《うずまさ》の地にさだめた。道竜は、いま、その地へゆこうとする。

さて話は千年の昔にもどる。普洞王の裔、川勝は、大和の太子に対して深く謝するところがあった。大和の太子とは、聖徳・厩戸《うまやど》ノ皇子であろうか。

「太子よ、一度山城へおいでになりませぬか」

川勝は、絹を貢進するために大和のみやこへ来るごとに、執拗に太子に勧めるのであったが、この秀麗な容貌と円熟した教養と物静かな挙措《きょそ》の持主は、いつも笑って首をたてにふらなかった。川勝は、三十になっても太子の位置にあるこの王子に、父のようないとおしみをもっている。彼は、なぜ太子が山城へ来ないかを知っていた。秦の都に行けば、いやでも見ねばならぬものがある。太子は、後世の仏教僧から和国の教主といわれた。仏陀の教えに帰依する太子にとって、山城の太秦は、外道《げどう》の都であった。異教の廟所《びょうしょ》があるように聞いている。秦一族は、その族の通称として、これを大闢《だいびゃく》ノ社《やしろ》と名付けていた。闕伽道竜が、いま赴こうとするのは、その大闢ノ社であった。大闢はのちに大避と誤記し、さらに降って今では大酒神社といわれる。比奈ノ浦にある大避神社と、同神のやしろである。太秦広隆寺の摂社として、いまにいたるまで千数百年の社齢をけみした。

「太子よ、ぜひ今度こそ、おいでねがわねばならぬ。太子は蒲柳《ほりゅう》におわす。政《まつりごと》に倦まれたとき、気を休める別墅《べっしょ》が必要でございましょう。それを、太秦のよき台地を選んで、川勝が建てもうした。ぜひ、おん車を迎えねばならぬと、秦の国びとも沸いておりまず」

当時大和には、天の飛鳥のとぶ路をさえ支配するという強大な豪族蘇我氏がいた。今上もまた、その蘇我一族より出している。太子は、叔母の女帝を輔《たす》けるために摂政に選ばれた。蘇我氏との調整は、太子の生涯の中での最大の心痛事であった。調整には、金が要ろう。太子の政治資金のために、財宝の無償供給をし続けたのが山城の秦氏であった。姓が織《はた》と同訓になったほど、当時の秦氏の織物の生産量はぼう大をきわめていた。その財宝をおしむことなく太子のために割いたのである。道竜は思うに、あるいは無償の供給ではなかったかもしれない。仏陀の徒であった摂政の太子は秦氏が異教の神をいだいていることを暗に知りつつも陽に口を緘《かん》していたようであった。秦氏の感謝は、かくて政治資金に現われるのである。それにもまして、秦の長者川勝は、この魅力ある怜悧な青年と語れる快感をできるだけ多く持ちたかったのも本心であろう。

迎えの供が仕立てられ、太子は日を定めて秦の都太秦の地を訪れた。そこには目もあやに、大和にもない大厦《たいか》高楼が翠巒《すいらん》の中に丹青を誇っていた。

「この社は、見馴れぬ結構をしている。祭神は、何と申しあげるか」

「は……。先祖以来奉仕いたして参った社でございますが、祭神は、はて、そう、天御《あめのみ》中主《なかぬしのみこと》命でありましたな」

川勝は答えた。天御中主命とは、大和の種族の神話にある造化の神であった。

「ほう、それはめずらしい」

太子は、微妙な表情で社殿をながめた。事実、この神は記紀にも造化神として簡単に説明されてはいる。しかし、ふしぎにも延喜神名帳にさえ、この神を奉祀《ほうし》する社名を伝えてはいない。民族の宗教生活の中に実在した神ではなく、物語の中のみに存在した神であったように思われる。しかし、唯一の例外はある。今日なお、太秦にのこる大酒神社のみは天御中主命と大避大神とを祀《まつ》る。あるいはこれは、秦氏が日本的神名に仮託したエホバとダビデの変名であったのだろうか。——川勝は、社殿の前にながく立たれることを怖れるかのように、太子の手をとり、

「それよりも……」

森を指して、導いた。森の中に入ると、中央はひろびろと伐り拓かれ、丹の色も乾かぬ壮麗な伽藍《がらん》が、輪奐《りんかん》を陽の中に輝かせていた。太秦広隆寺が、聖徳太子の別墅として秦一族から献上されたのはこのときである。献上の年代は、諸説があって今日ではもはや伝説の霧の中にある。安置された仏の一つは、釈迦入滅後五億年を経て地上を救済しようという仏教の中では最もシリア思想に近似した弥勒菩薩であった。ネストリウスの

追放から発した流亡のキリスト教徒の信仰への意志は、こうした所にまで、まるで怨念のごとく残ったのであろうか。

閼伽道竜はこんにちの太陽の下に立っている。彼は、いまは京都郊外の中級住宅地と化した太秦を歩いていた。先程の雨はすでにやみ、ただ道竜の濡れた肌着の中にのみ重く残っている。道竜は、嘘のように青く拭われた八月の空をながめた。どうしたことか、一羽のかもめが空に舞っていた。ふしぎと思わねばならないが、道竜にすれば、この海のない土地にも、かもめの一羽ぐらいは住み残っていても差支えないとも思われるのである。道竜のかもめは、森の多い太秦の丘陵群の上を、空に消えもせず、地に降りようともせず、悠々と舞い漂うていた。それを眺めつつ、彼はふと、また秦氏の先祖が住んだというボスポラス海峡の海のあおさを想った。

道竜は、大酒神社の森の中に入った。変哲もないこの村の郷社ともいうべきたたずまいであったが、社殿へ進む道竜の心を、どことなく掻きみだしてゆく何かがある。やがてそれが、一つの匂いであることを、道竜は気付いた。濡れた或る種の苔の匂いであるとも思われ、あるいは、どくだみの刺すような匂いとも思えた。この匂いは、どこかでかいだ記憶があった。道竜は、匂いに惹きいられるように社殿の裏へと歩を運んだが、すでに彼はまざまざとその記憶に思いあたっている。兵庫県赤穂郡比奈ノ浦大避神社の背山の麓でかいだ匂いも、この鼻の奥の粘膜を眠らせるような甘い陰湿な匂いであった。やがてその匂いの根源の場所まで来たとき、すでに森は深まっていた。日射しは天に在って、辛うじて木洩れの日が、薄暮のような光の中に数条の白い帯を地に落していた。

道竜は、一足抜き、さらに他の足を落してまるで忍び入るような足どりで、そっと歩を近づかせた。そこに、泉があった。細い流れが、泉から発して森の下手へこぼれるように流れている。泉は、畳十枚ばかりの浅い水溜りのていをなし、底の砂が、一粒々々、さまざまな光を反射して、水の色を複雑な黄金色にみせていた。櫟と樫が泉を囲み、繁みきった枝が水面にかぶさるあたりで彼の足は急に止まった。つまさきに泉のふちがある。彼は低いうめき声をあげた。背筋をのばし、やにの溜まった小さな目を見ひらいて、彼はそれを見あげた。彼の前に迫っていたのは、一基の不気味な鳥居であった。

鳥居は石で出来ている。その基座は泉の中に踏み抜かれ、あたかもぶざまな巨人が、水の中にはだかって放心したように森の天蓋を仰いでいるかたちに見えた。不気味さはそれよりも、その鳥居が三本足であったことだった。二本足は前に、一本の足はうしろにある。鳥居の天辺は普通のそれではなく、二等辺三角形をなし、それぞれの頂点から足が一本ずつおろされていた。三角の五徳のごときものを想像すれば、まず当たっている。石は水際から厚い苔にしかれ、上にゆくに従って苔は薄くなり、やがて白い石の地肌があらわれ、その白さは蒼白な死色のようにも見えた。道竜は、たしかにこれは鳥居であろうと思った。鳥居の変型なものにはちがいなかったが、その形は、ユダヤ人が好んで使うあの意味不明な三本足の紋章になんと酷似していることか。——道竜は森を過ぎてなおも秦の廃都をさまようのである。

広隆寺の境内は徒《いたず》らに広く、地上に残る堂塔の数が少ないせいか、しらじらとした墓地の真昼の虚無を思わせる。境内の固い土が、歩む道竜の頭に一足ごとにこたえた。境内を東から西へ過ぎると、伽藍の跡らしい台地があり、一望の草にうずもれている。草の波をわけてゆく道竜には、目の前の碧落の天の中に自らも融けはてるかと思われ、空と草の青さに身のうちまでこのまま青く染まってゆくかとも思われた。

その原の西辺に、やすらい井戸がある。井戸は頑丈な石を積みあげて囲まれ、底は、里の伝えでは地の魔物の殿舎にまで達しているという。道竜は井戸のふちに手をついて、ふと後ろをふりむいた。井戸にちかぢかと、一軒の小さな農家がたっている。腰板と柱が紅殻でぬられ、戸口の右壁に、二つの紙製の面がかけられていた。その面が、道竜の目には、このやすらい井戸を最初に掘鑿《くっさく》したイスラエルの子孫たちの顔のように見えた。面は鬼に形どられているが、毛と云い、鼻と云い、はるか西の海から流れついた種族の貌もこうであったかと思われた。毎秋十月十二日の夜に、この里の人々はこの面をかぶって摩陀羅《まだら》神なるふしぎな神の祭壇をしつらえ、祭文を読むという。その祭文の文句は、いまだに何語とも知れず、ふしぎな言語で綴られている。

道竜はさらに歩いて、この旅のついの終着地となった冒頭の上品蓮台院を訪れるのである。大避神社を訪れた夜、波多春満は道竜に教えた。「嵯峨の上品蓮台院に秦一族の誰かが絵師に描かせた古い壁画がある。その仏たちの顔を仔細に点検すれば自然私のいう説の謎が解けるであろう。それは悉《ことごと》く日本人と異なる。或いは天女の中の一人にあなたの奥さんの顔もあるかもしれない」と。……道竜は、春満の説を疑わずに信じた。物語を、冒頭のくだりにもどしたい。

上品蓮台院弥勒堂の闇は、千年の歳月に沈澱して堂内にうずくまる道竜の皮膚に、黒くねとつくようにまつわった。奈良時代に入って秦一族の何者かが建てたというこの弥勒堂に、兜率曼荼羅《とそつまんだら》の壁画がある。すでに説明したごとく、創建以来のものではなかった。建立後、寺は何度か炎上していた。その都度、この壁画も焼失し、復元または新たに描かれたと見るほうが妥当であった。寺は、千年を経てなお無名に近く、堂宇の殆どは今は礎石さえなく、朽ちこわれたこの弥勒堂の名もなき壁画など、いまは調査する学者もない。人と同じく、建物や壁画にもまた運不運があるもののように思われた。どのすき間から風が吹きこんでいるのか、道竜の手にもつローソクの灯が、たえまなく動く。幼い頃育った寺で、本堂に人が居なくなると、須弥壇の上にちりばめられた燈明の灯のむれがツイと三寸ものびるという話をきいた。道竜の手のローソクもまた、いきもののように壁をはいずって、堂内の影を動かしてゆく。壁画はすでに剝落して、部分によっては、色も分別しがたかった。

道竜は、やもりのようにひたと掌を壁につけ、目を一寸の近さに吸いつけてじりじりと壁画を舐《な》め進んだ。その姿を後ろからみれば、いっぴきの小さな妖怪のようであったかもしれない。

仏説によれば、天は九つの天によって出来ている。その一つを兜率天と云い、兜率天に座して下界をながめ、仏滅後五億年の思索をとげているのが弥勒菩薩であるといわれる。弥勒の国に住むものは、弥勒ひとりではない。いま道竜がながめている兜率曼荼羅が、それをあらわしている。この国に太陽はなく、紫金摩尼《しこんまに》の光明が旋回し、光は化して四十九重微妙の宝宮を現出する。住人の寿齢四千歳、その一昼夜は人間界の四百年に当たり、国は人間の地上を距てること三十二万由旬の虚空密雲の上にあり、国土の広さ八万由旬。ここに住む男女は、互いに手を握ることによって淫事を行なうといわれる。

道竜のローソクの灯によって照らし出された兜率曼荼羅には、まず中央に宝池があった。宝池の群青の上に金泥でかかれた船が浮かび、宝珠を連ねた橋がかかっている。池をめぐって楼閣がならび、楼閣は階廊によって方形に連結され、楼閣階廊の内外には、菩薩、諸天子、諸天女が悠揚と逍遥している。虚空にはたえず妙音が沸き、さまざまな天女が楽器をだいて天に舞っていた。

秦氏は、どういう理由でその都に弥勒堂をたて、何のため堂に兜率天の曼荼羅を描かせたのであろう。道竜の頭にも脈絡がつきかねた。キリスト教徒が天への幻覚を仏教に仮託しようとするとき、弥勒はキリストに当たり、天国は兜率天に似ると感じたからであろうか。

しかし、壁画に描かれた仏、菩薩、天子、天女のどの顔の眉目も剝げおちて、明らかには見定めがたい。春満のいうごとく、どこが異相なのであろうか。仏とみれば仏と見え、猿とみれば猿とも見える。そのいちいちを見つめわたりつつ、やがて道竜は、灯を移動させて、壁画のはしばしを眺めはじめた。はしにゆくにつれて顔料の剝落もはなはだしい。長年月のあいだに吹きこんだ外界の水気が大小の放恣なしみ跡をつくって、それが、ふしぎな次元の壁画をえがき出していた。道竜は、その奇妙なしみの壁画の上を丹念にながめてゆく。ここにも、川があり、海があり、山があり、樹があり、人がいた。それは黒海に面した七つの海をもつ都府コンスタンチノープルの景観のごとくでもあり、磽确《こうかく》たる中央亜細亜の荒沙のごとくにも見え、また、けんらんたる盛唐の長安の街路を歩みゆくがごとくにも見えた。それを見つめてゆくにつれ、それらのさまざまな景観の中を、黒く残った紫金摩尼の金泥の痕跡を背景に、かすかに動いてゆく人のあるのを道竜は見つけた。山を越え、海を渡り、街路を通って、その人はただ独り動いてゆく。どこから来、何の為に、どこへゆく者であろうか。それは、閼伽道竜自身のごとくでもあり、秦一族の漂泊の長者の姿のようにも見え、あるいは個を絶した人間そのもののようにも見えた。道竜が眺め、その人は動いてゆく。ふと、その人は、こちらをむいたかに見えた。その顔は、小さく白かった。道竜は、声をのんだ。やがて狂気したがごとくさけんだ。

「波那――」

声は堂内に反響し、人語とは思えぬ妖《あや》しさで沸いては消えた。道竜は、壁をおさえてもだえ、かれ自らも彼女とともにその壁の中に入ろうとするものの如くであった。やがて、かれの動作は次第に小さくなり、衰えゆく知覚の中に、壁そのものが満ちた。やがて道竜の手から、ローソクが落ちる。灯は、床の上に散乱した経巻のうえを、緩慢にはいはじめた。火が次第に成長し、程もなく堂内を明るくしたときは、道竜の意識はすでに現実の光の中から消えて壁の中に入っていた。

嵯峨上品蓮台院弥勒堂は、昭和二十二年八月三十一日炎上した。焼跡から一体の焼死体が発見された。地元の消防団の目には、はじめ、男女の区別さえつきがたかった。それが元H大学教授閼伽道竜と認定されるまでに、事件後一週間を経た。

下請忍者

一

戦国の武士でも、冬の寒さに堪えるのが辛かったのだろう。諸州の合戦や小ぜりあいは、たいてい春先にはじまって、晩秋におわる。

しかし、冬がまったく戦さやすみだったというわけでもなかった。冬営はもっぱら敵情視察につかわれ、伊賀甲賀の郷士から忍び武者をやとってきて、敵地に放つ。地図を作り、政情、経済を探索する。忍び武者たちは冬の武士なのである。冬の情報あつめが十分でなかった武将は、霜解けの合戦はじめにみじめな敗者の位置におちねばならなかった。

冬の武士たちは、春になると、それぞれの故郷にもどってくる。たいていは所属している郷士の田の耕作にこき使われて、ただの小作人になってしまうのである。

伊賀喰代《ほおしろ》の郷士百地《ももち》小左衛門配下の下忍《げにん》猪ノ与次郎も、そうした忍者の一人だった。

永禄三年の暮から、同四年の農閑期にかけて、小左衛門の割符を持って、遠州浜松の城主徳川家康という若大将に傭われ、甲州武田領に潜入し、道路山谷の見取図をとって浜松に帰ると、「もう用はない」と陣屋を出された。あとは正規の武士の出幕だというわけだろう。だから、この年も喰代の里にもどったのは初夏のころで、若葉の加太《かぶと》峠を越えながら、

「また、田植か」

とウンザリした。

すぐその足で、郷士屋敷に帰参の報告にいった。いつものことだが、郷士たちは、子飼いの下忍を座敷にあげることは決してしなかった。このときも、庭へまわれ、と言った。与次郎が、中庭の砂の上に亀のようにうずくまると、小左衛門が濡れ縁まで出てくるのである。笑わなかった。

「与次郎か」

七十というのに、この男の顔にはしわがなかった。かつて、笑ったことがなかったせいかもしれない。声を惜しむように、気ぜわしく言った。

「なごう鋤鍬をもたぬゆえ、腰が鈍ったこッちゃろ。明朝から樟蔭《くすかげ》の田へ出い。今夜は、これで酒でも買うて啖《くら》え」

パラパラと銀の粒が降ってきて、砂の上におちた。与次郎は這ったまま掻きあつめると、

「へい」

と言った。声がかすれた。毎度のことだが、この瞬間ほど、腹わたの煮えくりかえることはない。

「それでも、ただの小作よりはましや」

わずかでも現銀が入るからだ、と、与次郎は自分をなぐさめた。

与次郎には、姓も名乗りもない。亥年うまれの二十七歳だから、猪ノ与次郎とよばれていた。河内国石川郷の小作百姓与五次の三男にうまれたが、幼いころから三度のめしが食いかねた。

長男は、田を継ぐ。次男以下は、当時の河内百姓のならいとして、堺や、摂津平野郷の商家へ丁稚として住みこむ。与次郎の次兄は堺のべに屋に奉公し、ちかごろは番頭のはしくれになって、なかなか羽ぶりがいいという。与次郎は、六歳のときに伊賀から人がきて、ここへ奉公した。

河内国石川郷から、すでに奈良時代のころより古い間道が走っていて、伊賀に通じている。両国に人の往来があり、伊賀五十三士の郷士のなかで、下忍をこの郷にもとめる者が多かった。与次郎よりものちの忍者である石川五右衛門も、伝説によればこの郷の出身であるといわれている。

六歳で百地屋敷につれられてきたその日から、忍者の訓練をうけた。

訓練には、小左衛門が直接あたることもあり、下忍頭格の「わら猿」という男があたることもあった。

「出るな」

といって、水の中で五分も頭を抑えられ、そのまま窒息死した子も何人もあった。鼻の頭に糊をぬって紙をぶらさげ、十町走るうちにすこしでも紙が動くと、ようしゃなく弓杖でぶたれた。はげしい訓練が、子供心にも死を考えこませるようになる。

「こんなこっちゃったら、死んだほうがましや」

と真青になって日に数度も考えこむようになった時期を見込んで、刀術を教える。そういう時期には上達が異数に早いという。

ついで、偸盗《ちゆうとう》術、変装術、催眠術、幻術から諸国の方言まで教えたのち、各地の武将の要請に応じ、一人前の下忍としてほうぼうに送られる。忍術には免許も印可もなく、その術が金になるかならないかで、一人前の判定がくだされるのが常だった。

与次郎は身ごなしが軽捷《けいしよう》で、頭の働きもさとかったから、すでに十九歳のときに、越後の上杉家の用に送られ、二十一歳のときには土佐の長曾我部家にやとわれて、城取り、夜駈けにも場数をふんでいる。

諸国の大将が、忍者の必要にせまられると伊賀へ人を派遣する。郷士に金を渡し、必要な人数や用の種類をうちあわせる。城取りや後方攪乱《こうらん》用なら多人数が必要だし、探索密偵の用なら、その特技に長じた者を指定する必要があるわけだ。

「儲けるのは、スグリだけやな」

与次郎が、腹のたつのはそれだった。スグリというのは、村主《すぐり》、名主《みようしゆ》の字を当ててもいい。往古から伊賀に土着する平《たいら》姓の郷士で、与次郎のばあいは、百地小左衛門がそれに当る。忍者の世界では上忍《じようにん》ともいう。忍術伝説でいえば、百地三太夫などが上忍にあたり、講釈で活躍する猿飛佐助や霧隠才蔵などは下忍になるわけだ。いまの保険会社でいえば、上忍は代理店主にあたり、下忍は勧誘員ということになるだろう。

「よじろう」

屋敷の母屋を出てきた与次郎が、灌木の茂みのそばで、つと足をとめた。高野槙に朝の陽があたっている。その一角だけが海の底のように青い。女が、槙の幹に手をかけて、左手で与次郎を招いていた。与次郎はちょっと眉をよせて、その青い空気のなかへ入った。

「おしゃがみ」

女が、与次郎の耳もとにかぶさるようにして、唇を寄せてきた。日のにおいが、女の小袖のなかで蒸れている。

「父上が、なにか申されたか」

「なにかとは」

「ほら、あのこと。お前とのこと。夫婦《みようと》になることじゃ」

「聞かなんだ」

「あのぼけ狸め」

「これは手ひどい」

与次郎はグスッと笑った。しかし、すぐ真顔になった。父上とは百地小左衛門のことであり、この女はそのむすめ木津姫なのである。

「しかし、いくらなんでも、殿も、姫を下忍にめあわせるとは申されますまいでな」

「いや、そなたの留守中にお耳に入れておいた。よい、と申されたぞ」

しかしそれは、と言いかけた与次郎の口を木津姫の大きな掌が塞いで、

「よじろう。いや、もはやわが夫《つま》とよんでよい。まさかそなたは、心変りしていまいな」

にらみすえるように言った。与次郎は、体中から力がぬけてゆくのを覚えた。

木津姫は、女にはめずらしく骨太で、背は五尺二寸、美人といってよかった。ただ、悍婦の性《さが》がある。それに、眼もとが美しいわりには唇もとが猥雑で、この女と関係があったという下忍も、一二にとどまらない。一度柘植《つげ》の上忍の家に嫁したこともあったが、不縁になって戻った。年は、二十四になっていた。木津姫もあせっていたのだろう。たまたま、与次郎が甲斐武田領へ出てゆくすこし前に、どちらが誘ったともなく裏の竹藪のなかで野合した。

「よじろう、そなたはよい男じゃ」

ことが終ってから、女は与次郎の尻をほたほたと叩くようにして言った。

「父上にたのんで、わが夫にしてやってもよい」

これには与次郎も、あッと声をのんだ。どうせ下忍には金も田畑もない。みんな屋敷うちの小屋に棲んでいるが、妻帯している者もわずかで、旅にあるときには旅費のなかから女を買い、郷へかえれば、近在の淫奔女をみつけては這いちらしていた。そのならいで、与次郎も木津姫とむすんだつもりなのである。夫にしてやる、といわれても、百地家には家督の長男がいるし、たとえ女婿になったところで、あのケチな小左衛門が田

の一枚もくれる道理がなかった。それどころか、身うちになればいま以上に搾《しぼ》られこきつかわれるのは火をみるよりあきらかだったから、与次郎はいまより立場がわるくなる。しかし、与次郎はタカをくくった。どうせ甲斐から帰るころには木津姫もわすれているだろうと思った。が、与次郎の不幸なことに、彼女はわすれていなかった。

「今夜、待っている」

木津姫は、高野槙の根もとでしゃがみながら囁いた。また、あのときの竹藪へ来いというのである。木津姫は立ちあがった。裾がひらいて、女のにおいがした。与次郎はうなだれた。その首すじへ木津姫の唇がちかづいて、愛情を示すつもりだろう、ちょっと吸って、ふふと含み笑いをした。与次郎は、蛭《ひる》に吸われたような感触がした。

しかし、その夜木津姫が指定した竹藪には与次郎はあらわれなかった。木津姫は屋敷うちをさがし、とうとう下忍の棲む小屋を一軒一軒のぞいてまわったが、与次郎の姿はなかった。そのはずである。――与次郎は、当夜、平野ノ馬童子という甲斐へ一緒に行った朋輩を語らって、百地屋敷を脱走してしまっていたからである。

二

「逃げたのは、馬童子もか」

「馬は気のそぞろな男ゆえ、弁口の達者な与次郎にたぶらかされたのであろう」

その夜遅く、下忍の一人の小屋に与次郎の朋輩があつまって、善後策を講じた。この小屋のあるじを、平野ノ足長という。集まったのは下忍頭格のわら猿をはじめ、未《ひつじ》ノ清吉、柘植ノ妙阿弥、笠取ノ黒傷《くろきず》といった連中で、いずれも五十歳以上、いわば忍者として頽齢に達していた。

「逃げたか。ほんの先刻、裏門の前で与次郎に会うたが」

黒傷がいった。癈疾者である。むかし他国に潜入していたとき斬られたのであろう、この男には右足がつけ根から無かった。他の老忍と同様、スグリのなさけで、老後を辛うじて養《かわ》れている。

「かねがね、あれは申していた。申し条、無理のない所もある。若いころには一度はそう思う。下忍などをしていて、生涯なにになるだろうかと。命を賭けて働いたところで、妻を飼えるほどの収入があるわけでなく、陣屋の武者たちからは、乱波水破《らっぱすっぱ》とあなどられる。年をとれば、これこのとおり、手近のわしらがよい見本ではないか。乞食せぬ程度にかぼそく生かされているにすぎぬ。世に、伊賀の下忍ほどあわれな者はあるまい」

板敷の上に、荒莚《あらむしろ》をしいている。莚のうえに、地酒の入った欠け茶わんが傾いていた。

「しかし、与と馬が居ねば、わしらの寝酒にひびく」

妙阿弥が言った。事実、与と馬のほかには、百地屋敷ではすでに若い忍者のたねが切れていた。昨年まではほかに三人の若者がいたが、播州の小寺家に傭われて三木城に潜入したさいに露見して斬られた。若者の働きで集まる金銀のおかげで、老忍たちは老後の費えを得ているのである。

「与も馬も」

最後に下忍頭格のわら猿が、煙硝で焼けつぶれた面をあげてしずかに言った。「料簡をあやまっている。どうせ一本立の忍び武者になって、みずからの手で自ら売るつもりかもしれぬが、百地小左衛門さまの割符があればこそ、諸国の陣屋は買うてくれる。割符のない忍びを、だれが安んじて傭うてくれるか。まして伊賀から諸国へ廻状がまわれば、傭うものもあるまいぞ」

「いずれ、夜盗にでもなるが落ちじゃ」

「いや、与は兄が堺に奉公しているゆえ、これを頼って商人になりたいと申していたことがあった」

「忍び武者に商人ができるかよ」

「そのようなことより、伊賀の掟《しきもく》をどうする」

最後にわら猿が言った。みんな顔を見あわせた。いわれなくてもわかっていることだった。脱走者は斬られねばならぬ。ただ、この場合、与と馬を斬ることは百地屋敷の財政に直接ひびくことであり、そのしわ寄せは、当然、老忍たちの養い扶持にこたえてくるはずだった。

「掟どおりにやるか」

「いや」

一座のうちの半分がくびをふった。なだめて館へつれもどそうというのである。「それでは伊賀の掟が保てまい」と言う者があったが、これにはだれも返事をしなかった。

わら猿が言った。

「母屋がどう申さるるか、いずれは、スグリのお腹ひとつできまる」

その足で母屋の小左衛門の前へ出た。中庭にのぞむお屋敷では、小左衛門が木津姫に腰をもませていた。うつぶせになった小左衛門の小柄な体が、木津姫の肘にあふれるように揺れていた。下忍頭格のわら猿のみが母屋の座敷に出入することがゆるされている。

「斬れ」

小左衛門のしわのない顔が、木津姫の肘の下で即座に言った。言ってから、

「木津にもいぞんはあるまいな」

「ない」

左上膊をもみほぐしつつ、木津姫は顔色もかえずに言った。みて、わら猿の鼻が嗤《わら》った。彼は、この女が与次郎とわけがあったことを知っていたが、女の不節操を憤るほど、この男はゆらい男女の事に興を持っていない。

「討手は」

「まず、服部一統をはじめ、竜口百地《たつくちももち》、柘植《つげ》、名張《なばり》どのに廻状をまわし、六ツの峠をかためよ。のこる一ツは御斎峠《おときとうげ》。おそらく、与と馬はここを通る。大和から河摂へぬけ

るにせよ、京へのぼるにせよ、御斎を通らずには伊賀を出られまい。ここで斬る。小屋の者はのこらず出むけ」

「しかし、与も馬も刀術だけは不相応に達者でござるがの」

「石と鉄砲で射つぶすがよい」

「が、与と馬を殺したあと、諸国からこの喰代《ほおしろ》へ忍びの用を頼みにきたときは、どうなさる。もはやわれらでは、城取り、火付の役には立ち申さぬぞ」

「そのときは竜口や服部に頼もう」

郷士に手持の下忍がいないときは、縁者の他の郷士の下忍を借りるのが通例だったが、その場合は当然、収入は少なくなる。単なる忍者周旋業におちてしまうからである。自然、同国内の郷士仲間から軽んじられ、家格もさがる。わら猿は、そこを説いた。

「この場は辛抱なされ。な。なにごとも喰代百地家のためでござりまするぞ。下忍が居なくては家が立ち申すまい。二人をお許しなされ。これは、われら小屋住みの老人一統のねがいでもござる」

「ならば」

木津姫が、揉む手をとめて白い顔をわら猿のほうにむけた。

「与次郎だけを斬ればよい。馬童子を生かして使おう。馬はそのかされただけゆえ罪はかるい」

逃げた与《よ》が、憎かった。女の脳裡に、与を捨てて馬を夫《つま》にしようという計算がとっさに出来たのだろう。わら猿にはそれが手にとるようにわかった。この女は、馬とも関係があったことを彼は知っていたが、それにこだわったわけではない。もともと忍者の精神は、没人情のうえに成りたっている。木津姫の心理の動きなどは、たかが男女の些事だと思っているのだ。それよりも、このスグリの一家が、若い下忍の命を手軽に操作する態度がやりきれなかった。といって、べつに与や馬に対する思いやりからではない。しごく、老忍としての経済的な理由から出ている。

わら猿は、与と馬を育てた。老忍が若い下忍を訓練して一人前の稼ぎ人に仕立ててゆく裏には、やがては若い下忍の働きによって老後を養われようというごく妥当な魂胆がある。五十をすぎて体の筋が固くなると、忍者は使いものにならなくなるものだ。ただでさえ、この喰代百地家の小屋には若い下忍がすくない。五人も老忍がいる。稼ぎ手の二人の仲間に死なれては、こののち、スグリの一族がどれだけ面倒をみてくれるか疑問だった。もはや何の収入《みいり》も生まないという理由で、野に棄てられてはたまったものではないのである。

「な、四十年働きとおした下忍のねがいでござる。このとおり……」

こうなれば意気地がなかった。わら猿は、禿げてしわばんだ頭を板の上にこすりつけようとして、はっと、頭を宙に浮かした。聞き耳をたてた。長屋門のあたりから、人の騒ぐ声がきこえてくるのである。騒ぎは次第に近づいてきて、やがて、中庭へまわった。

「父上。とらえ申したぞ。上野の街道筋まで馬で追うて捕えた。屋敷を出るときから、様子をいぶかしんで跟《つ》けておるのも知らず、存外たあいもない男じゃ。ただし、与だけは逃がした」

小肥りで額がせまい。兇暴な眉と厚い唇を持った若者が、中庭の苔の上に突ったっている。木津姫がたちあがって、手燭をもって二人を照らし、濡れ縁へしゃがんだ。若者のたくましい右手に、馬童子が襟がみをつかまれて、地に泣くように伏していた。途中よほどひどく打ちすえられたのであろう、首筋から肩にかけて、砂にまみれた血がこびりついている。若者の名を、小十という。小左衛門の惣領で、二十四。

「馬じゃな」

縁から、木津姫が声をかけた。手燭をてらしてじっとみている眼が、山から猟師が獲ってきたけものの死体でも見物するような、なまなましい昂奮と興味で光っている。見つめつつ、女はわれ知らず舌を出した。舌は暗赤色にぬれて、丹念に唇を濡《しめ》らせつつ、

「馬。夫《つま》になるか。なるなら解いてやるぞ」

「このいろきちがいめ」

小十が、唾をはいた。父の小左衛門がじっとこちらを向いている。臥せながら、小十を手でまねいた。小十はうなずき、馬の縄尻を松の木につないで、上へあがった。木津姫もたちあがった。二人の子がねそべった父をとりまいて、三人でひそひそと相談をはじめた。よほどの低声らしく、はなれているわら猿には聞えなかった。

置きざりにされた、わら猿は所在がなかった。退屈なまま、中庭の馬童子にむかって

話しかけた。声は用いない、読唇術である。

(その縄、なぜ脱けぬ。それだけのことは、幼いころより教えてあるはずじゃ)

(手と肩の関節を外されている)

無理もなかった。忍者の縄脱けは、自分で体中の関節をはずしてこそ縄をぬけられる。最初から関節をはずして縛られたのでは、縄のゆるむ余地がなかった。

(逃げおおせなんだのか)

(街道で、やにわにうしろから馬で蹴倒された)

(与は?)

(わしが蹴倒されたのをみると、馬にとびのって、若《わか》を突き落した。助けてくれるかと思うたが、そのまま御斎峠へむこうて逃げてしもうた。あれにそそのかされたことを悔いている)

(べつに悔いることはあるまい)

「わら猿」

小十が呼んだので、ふりむいた。

「なにを話しておる」

「べつに」

「明朝あけ六ツに、馬の仕置をする。黒傷と柘植ノ妙阿弥と、そしてお前が仕置の役じゃ。その前に馬の縄は解く。獲物はなんなりと、料簡まかせにしよう。もし馬が勝てばその場でゆるす。くれぐれもぬかるな」

(なるほど)

言いかけたが、わら猿はだまっていた。しばらく板敷のうえに放心したように坐っていたが、やがて、物音をたてずに、ひっそりと母屋を出た。

廂を離れてから空をあおぐと、伊勢の山なみのうえに、白い弦月がかかっていた。死の象徴のようにつめたかった。わら猿は首をすくめた。そして、つぶやいた。

「殺される」

彼のみるところ、スグリの一家は、そういう方法で老忍の整理を思いたったものにちがいない。仕置とは体がいいか、ありようは打物とって仕合わせるわけであった。仕合えば、若い馬が勝つ。馬は、罪をゆるされたさの一心で、死力をつくして老忍と闘うだろう。

「人間はだれでも年をとる。こういうスグリの下に居るかぎり、馬もやがては無慚な眼に遭わねばなるまい」

わら猿は、自分の幼いころに育てられた伊賀新堂のスグリ新堂景勝のことをなつかしく思いだした。景勝はすぐれた上忍として、伊賀の北方の甲賀衆にまで親しまれていた人物だったが、年をとってから、もはや下忍どもの面倒をみられる体ではないと、土地を老忍たちに分けあたえ、若い下忍をそれぞれ知りあいのスグリの配下にまくばったうえで、自分は鈴鹿の山に隠棲した。わら猿は、十六の年にこの百地家に寄越されてきたが、以来一日として心を安んじたことがない。しかし、と言って与次郎のように逃げだそうとはしなかったのは、伊賀甲賀の郷士家というのは、たいていこれが普通だということを知っていたからである。ゆらい、忍びの業というのは、詐略と非情のうえに成りたっている。このような世渡りをするこの職業集団に、まっとうな人間感情を求めることと自体、無理なのであった。だから、腹も立ちはしなかった。立場がかわれば、自分自身もそうしたろうと思うくらいなのである。

三

百地家の西側に、もみを干す広い庭があり、高い塀にかこまれていた。黒傷は南にあり、馬童子は北にある。

黒傷は、刀ももたず、地上にすわっていた。立ったところで足の不自由なこの男は、どれほどの働きもできないと思ったからであったろう。ときどき、欠けた茶わんを口もとに持っていっては、ごくりと濁り酒をのんだ。

「早う来さらせ」

黒傷は、馬のほうへおめいた。酔っていた。酔ったまま死にたかったのか。

しかし、馬は容易に動かなかった。刀のつばを唇許に寄せて、剣尖を斜右上の風に流しつつ、左足を小きざみに慄わせていた。こわいのだった。黒傷のふところに、たった一つだが星形の手裏剣が入っているのを、馬は知っていた。

やがて、四半刻もたった。濡れ縁から、惣領の小十がしびれを切らして叫んだ。

「馬。どうした。臆《おそ》れたか」

声につきとばされたように、馬童子はつつつと走った。黒傷は、それをみて、安堵したようににやりとわらった。そのまま笑いが凍った。凍った笑いが、手裏剣とともに虚空へけし飛んだ。

黒い点が空をきった。馬は、右へよろめいた。頰先をするどい音がかすめて通った。手裏剣は、横へゆるいカーヴをえがいて、意外にも小十の居る濡れ縁の柱へぐさりと刺さった。わずか一尺の差である。

しかし、手裏剣が柱に乾いた音をたてたときは、黒傷はすでに血煙をたてて、馬の刃に伏していた。茶わんがころがって、血のなかに、つよい安酒のにおいがまじった。黒傷が、馬を射ようとしたのか、もともと小十を狙っていたのか、それは死骸にきいてみねばわからない。

「次」

小十が言った。出てきたのは、妙阿弥であった。この方は刀をもっていた。

丈は五尺にたるまい。痩せたうえに腰がまがっていた。むかしは小田原の北条家にやとわれて、この男の前には城門も城壁もないといわれた。相模、下総、伊豆の城は大小となく忍び入った経験をもつために、いまだに関東に合戦があるときは、どちらかの大将から名を指しての呼びだしがあるが、六十をすぎてからは、どの依頼もことわるようになった。

「年もとったことゆえ、わざわざ出向かいでもよい。城の見取を教えてくれるだけでよいと先方は言うぞ」

依頼をうけたスグリの小左衛門が口を酸《す》っぱくして説得しようとするが、この男の返答はいつもきまっていた。

「南無あみだぶつ」

「ばかめ」

小左衛門は、にがりきる。妙阿弥は、新興のいっぺん宗という奇妙な宗旨に凝りはじめていたのである。

一遍上人智真という旅好きな老人がはじめた宗旨で、いっさいの理屈をいうなといい、平素をつねに臨終と思えと説く。そのうえで念仏をとなえたときは、ただのいっぺんの唱名だけでも、たちどころに生きながらの仏になれるという。京から興ったこの教えは、乱世に疲れきった庶民のあいだにもてはやされ、ちかごろは、伝統的な無信仰地といわれるこの伊賀でさえ大きな人気をよんでいる。

「南無あみだぶつ」

「やめろ」

小左衛門は癇をたてて、ちかごろは妙阿弥を呼びだすこともなくなった。

馬が、ゆっくり妙阿弥へ近づいた。馬童子の名は、顔の長いところからきたのだろうが、鈍重な容貌に似あわず身ごなしは意外なほど軽捷で、彼の刀術のたくみさも、そうした所に由来していた。もともと刀術などは、べつに神秘的な術でも何でもない。反射能力という素質のうえに、腕力があればいい。あとは練習によって、敵よりも、より早く刀を使えばよいだけであった。馬は、そうした諸条件にめぐまれていた。

妙阿弥は、剣が得意ではない。抜身を右手にぶらさげたまま、だるそうに立っている。風が顔を吹き、瞼をほそめ、瞳がどこという視点もなく遠くを見ていた。

「双方、かからぬか」

見ている小十がいらだった。

馬は、ゆっくり刀を上段にあげた。据物を斬る姿勢である。妙阿弥は構えない。

「やあッ」

妙阿弥は刀をぶらさげたまま、朽木のように倒れた。倒れた顔が、ひと声、

「うひひ」

と笑った。びくッとして、馬がとびのいた。妙阿弥の口がもぐもぐと動いている。阿弥陀仏の名を唱えているのだろう。

「これで、極楽へ行ける」

そう呟いて、息が絶えた。

「次」

小十が言ったが、庭先にすわっていたわら猿は立ちあがらなかった。

「立て」

「なかなか」

わら猿はせせら笑って、

「みすみす死ぬとわかっていて、立てる道理がござるまい」

「あるじに逆らうつもりか」

「命あってのあるじでな。わら猿は黒傷のように片輪でもなく、妙阿弥のように信心深うもない。当世に未練がござるでな。そろそろ、当屋敷を退散つかまつろうかい」

よっこらしょ、と立ちあがり、老い枯れた体を、細いすねで運びはじめた。

「待て」

小十が言いかけたとき、小左衛門が、眼顔でおさえた。自発的に退散してくれるなら、わざわざ殺す必要はないのである。わら猿はわら猿で、わずかな余生を乞食でもして送るつもりなのだろう。

四

京へ出てから、わら猿は四条河原でむしろ小屋をつくった。物もらいをしたところで、堕ちるというほどの境涯でもない。下忍をしていたときに、しばしばこの姿を借りて他国の城下へ潜入しているし、第一、のべつまくなしの兵火のために、京の町の五分の一は乞食同然の生活におちている。

河原の小屋に巣食う乞食たちは、小屋の前で芸をしては鐚銭《びたせん》にありつくのである。傀儡師《くぐつし》もいるし、放下僧《ほうかそう》もいる。とくべつに芸がなければ、にわかに仕込んだ念仏踊をおどる者もいた。

「退屈や。河原へ行くか」

京の者がそう言うのは、乞食を見にゆくことだった。乞食にすれば、見られるだけの芸がなければならない。ただひたすらに物を貰ってあるくのは江戸時代以降の乞食で、戦国時代の京の乞食は、なにがしかの芸とひきかえに残飯や鐚銭をもらっていた。

わら猿はながい忍者の生活を送ってきたから、河原芸人のごまかしぐらいはできる。

「どうせ、死ぬまでの糧《かて》をうるだけの芸だ。なんとかなろう」

そのとき、小屋の前の樗《おうち》の樹の下の人だかりがざわめきはじめた。わら猿は起きあがって、人垣のうしろからのぞくと、

「おたちあい。呑馬《どんば》の術というのを知っているか」

あっとおどろいた。与次郎である。

「読んで字のごとく、これなる馬を呑む」

樗の木に馬をつないでいる。小十から奪いとったというのはこの馬であろう。与次郎はその馬を指さしながら、

「わしが呑む」

（妙な商売をはじめたな）

わら猿は苦笑した。これくらいの幻術《あやかし》ならわら猿にもできる。ただし、もう二十年も若ければ、である。クライマックスのほんの数瞬間、この群衆を集団催眠状態にもちこめばいいのだが、そこまで持ってゆくには異常な精神の緊張が必要で、わら猿のいまの年ではむりだった。群衆を催眠状態にもちこみさえすれば、たとえば、

「雨」

とひと言いっただけで、群衆は頭をかかえて逃げ散る。晴天の空から、棒のような雨が聴衆の麻痺した大脳に容赦なく降りそそぐのである。

与次郎は、弁口と沈黙をくりかえしつつ、次第に聴衆の心理の紐をかきあつめて、やがてそれが一束になって自分の手に握りおおせたとみたときに、

「ええか。脚から呑む」

重い沈黙が、群衆の中に沈澱した。だれの口も白痴のようにひらいて、思考を喪った瞳が、いちように与次郎の演技を追っている。

「呑む」

言ったときは、与次郎の口に、馬の後脚の蹄が入っていた。聴衆の表情には、ありうべからざることが起ったという意外感はなく、それが当然だという放心だけがあった。

脚を一本呑みおわると、与次郎は、

「こんどは、屁になるぞ」

と言った。聴衆を覚醒させないために、呑みながら、のべつ幕なしに喋っていなければならない。口中に馬が入っているのになぜ口が利けるのか、などと自問できるような状態から、聴衆は遠くへ持ち去られている。呑馬術は、たいてい屁でおわる。あとは、聴衆を操作しつつ、屁を吐き、脚を吐いて、

「はい、鳥目《ちょうもく》」

と、盆をまわす。

わら猿は、肚のなかでクスクス笑った。たった一人覚醒してながめていると、与次郎は半腰になって馬の琵琶股《びわまた》に抱きついているにすぎないのである。腰を振っては、上へ下へと伸びてゆく。ただそれだけのことが、眠った聴衆には、馬が呑まれてゆくように見えるのだろう。

盆がまわって、鐚銭の山が盛りあがると、与次郎はそそくさと馬のたづなを解きはじめた。わら猿は、ひょこひょこと樗の樹の下に近づいて、

「おい、与」

「えっ」

うつむいていた与次郎が、頭をあげた。とたんに、なんだわら猿か、という安堵がひろがって、照れくさそうに、

「ええしょうばいやろ」

「乞食にしてはな」

わら猿が苦笑した。

「人目が立つ。わしの小屋へこい」

「お前はんも乞食か」

「下忍の成れの果てというのは、だれも同じ智恵とみえる」

「暑い」

「ああ、もう夏じゃな」

わら猿は、東山の華頂山のほうを見た。山麓の祇園社の赤い楼門が、蒼天の下で炎《も》えたつように映えている。

小屋に帰ってから、わら猿は与次郎にいままでのいきさつを話した。話しおわると、ふたりは同時に肘まくらをついて、どちらも午睡におちてしまった。善後策を語るでもなく、事件の感想を交換しあうでもない。それが夜走動物らしい忍者の習性なのだろう。話しあって真昼の時間をつぶすよりも、夜をむかえたあとの行動の準備だけはしなければならない。

「スグリの一家の魂胆はわかる」

眼がさめて起きあがると、与次郎が話のつづきをした。

「老忍《としより》を追うたのは、物入りという理由だけではないやろ。日ならず小左衛門どのが隠居をして、小十が世をとる。いまの老忍は小左衛門どのの下忍で、小十の下忍ではない。

小十には小十の下忍がほしい。それともうひとつは、小十は腕がたつ」

「ああ、あれほどの腕なら下忍がつとまる」

「下忍を減らせる。おのれが忍者になれば、それによって得る収入は丸儲けになる。下忍はせいぜい馬童子のほかに、数人の雑輩がおれば済むわけや」

「なるほど、そこまでは考えなんだ。お前は河州そだちだけに、数略にあかるい」

わら猿は、小気味よさそうに与次郎の顔をみた。が、すぐ真顔になって、

「これから後はどうする。わしとちがって、まだ若い。まさか乞食をつづけてゆくわけにもゆくまい」

「商人になろうと思うたが、これは資本《もとで》もいることやしな。当分は資本かせぎに、呑馬術でも見せてまわろうかと思っている」

「忍びは忍びにもどれ」

「割符がない」

与次郎は、憮然としてあごをなでた。忍者は、スグリがあってこその忍者なのである。伊賀の郷士は土着で逃げもかくれもできないから、そこを信頼してこそ、諸国の豪族は忍者という危険な傭兵を使う。郷士の割符のない忍者をうかつに使えば、たとえそれがあとで敵国の廻し者だとわかったところで、どこに尻をもちこむわけにもいかないのである。

「おたがい、食いはぐれたな」

わら猿がわらった。そのあとで急に膝をたたくと、

「ひとつ方法がある。わしが今川家に傭われているときに、鵜殿長持《うどのながもち》という今川方の被官に可愛がられた。聞き知っておろう、蒲郡城の城主じゃ。いまこの城を、浜松城の徳川家康が攻めようとしている。火急のおりゆえ、忍者のひとりや二人は要ろう。わしが添書をかく。もし先方が信用すれば、傭うてくれぬともかぎるまい。ただし、内応はするな」

「せぬ」

与次郎が言った。彼は、つい最近まで家康にやとわれていたが、べつに斟酌はない。そのときそのときの金主に誠実につとめるのが忍者の道なのである。与次郎がうなずくと、わら猿は眼を光らせて、

「ならば、添書と交換に条件がある。鵜殿の用が済めば、伊賀にもどって小左衛門一家を斬れ。わしの瞼のうらに、黒傷や妙阿弥の死にざまが焼きついてはなれぬ」

「ああ人並みな」

「ああ人並みじゃ。情片輪の忍者がこのような気持になるのも齢じゃろ。仇をうってやらねば、地獄であれらと合わせる顔がないような気がする。お前が仇をうつのではない。わしがお前を傭うわけじゃ」

「傭われてやろう」

与次郎は深くうなずいて、

「しかし、お前はんは？」

「わしか。あすの朝、ここで朝餉《あさげ》をたべればそれが別れになるじゃろう。なにぶんにも齢でな。きょうも昼下りから、心の臓がいっに無うおもい。……」

翌朝、与次郎はさきに起きて駿河へ発つ身支度をととのえていたときに、ふと気がついた。わら猿が頭からふとんをかぶったまま、いっこうに起きてこないのである。暗い予感がして、ふとんをはぐってみた。わら猿はえびのように体をまげてうごかなかった。死んでいたのである。

「ゆうべで、この男の定命が来ていたのやな」

与次郎は、下忍の一生のはかなさをおもった。

五

徳川家康の鵜殿攻めは、永禄五年の真夏に行われた。この攻城戦に大量の忍者がもちいられたことは、徳川戦記のひとつである「三河後風土記」および「甲賀古士訴状」に明瞭な記載がある。伊賀甲賀をふくめて二百余人におよんだという。

このなかに、喰代百地小十も、馬童子以下の配下をつれて加わっていた。

蒲郡城は険阻な岬のうえにあり、陸路から攻めるとすれば、幅三尺ほどの道に長蛇の列をつくらねばならず、途中にいくつかの空壕と出丸にさえぎられて、力攻めをすればおびただしい犠牲を覚悟しなければならなかった。忍者が用いられた理由はそこにある。

正規軍は、岬の根に集結して、日没から三千挺の鉄砲を交互に休みなく射ちつづけて城内の注意を銃声に貼りつけさせた。陽動であった。

与次郎は、城中にあって、いつでも侍大将の用に弁じうるために広間のすみにうずくまっていた。武士は忍者をいやしんで、城将や侍大将が直接用命するときのほかは、だれも声をかけてくれるものがない。

蔑視には、与次郎も馴れている。しかしこの夜の与次郎は、自分の位置にかまっていられなくなった。広間のすみからごそごそと這いだして、武者が寄りかたまっている所までゆき、

「もし」

と、物頭らしい男の袖をひいた。

「なんだ、伊賀の男ではないか」

男が見おろした。与次郎が、口早に自分の疑問と推測をのべた。敵が深夜におびただしく無駄弾をうっているのは不審であり、おそらくそれに注意をひきつけて、海ぎわの搦手《からめて》から忍者の大勢を入れて火を放とうとしているのではないかと言うと、物頭は具足をゆすって笑いだし、

「伊賀者づれがなにを賢《さか》しらな。この城の海ぎわの崖は鳥でもないかぎり登れはせぬぞ。

それに、城攻めに忍者だけを使うなどとは聞いたこともないわ」

それっきり、この男は仲間うちの雑談に加わってしまって、与次郎の観測を上司にさえ伝えようとしなかった。

そのころ、城の背面では、崖下の怒濤のなかからたったいま誕生した黒いあやかしのように、二百人の忍者が黙々と垂直の崖を這いのぼっていたのである。小十もいたし馬童子もいた。

半刻ののち、城内の櫓《やぐら》という櫓は、一時に火を吹いた。同時に正規の攻城軍が大手門まで進出して、ときを作った。

城内は動顚した。てっきり、内応が出たと思ったのだ。味方を味方が信じられなくなった。城内のいたるところで同士討が行われ、その混乱に二百人の忍者が跳梁して、城将鵜殿長持の首は手もなく掻かれてしまった。首をとったのは甲賀者伴与七郎という男で、この男の子は江戸開府ののちに小禄ながら御家人にとりたてられている。

与次郎は逃げようとした。脱出口は、徳川方の忍者がのぼってきた海しかない。燃えあがる煙硝庫の横を駆けぬけて、搦手門のほうへ抜けようとしたとき、

「あ、与次郎」

「おお、馬か。小十もいるな」

与次郎はふりかえって、脚を踏んばり、一間半の短槍をとりなおした。

「忍者に敵味方はない。見のがしてやるから逃げろ」

小十が火に照らされながら、怒鳴った。親切からではない。勝ち戦で、手柄首をいそいでいる。この千載一遇の手柄場で、与次郎づれの相手になる手はなかった。

「そうはいかん。この城でわら猿以下の法事を営めるとはおもわなんだ」

与次郎が皮肉に笑った。言うや、馬にむかって真すぐに手槍を投げ、同時に跳躍して、小十を抜き討に斬りさげた。

「あっ、おのれは」

叫んだのは、二人ではない。小十と馬とは手傷を負ったまま地上に倒れ、同時に煙硝庫の屋根が焼けおちてきて、屍のうえに焼けのこった煙硝がはじけ飛んでいた。

与次郎が、声に振りかえったとき、さすがに蒼白になった。顔見知りの伊賀の他郷の下忍たちが、目白押しにならんでいたのである。

「見たぞ。スグリと仲間を斬ったな。いずれは伊賀に帰ってから、仕置にゆくぞ」

「ま、待て。これには仔細がある」

「言いわけはいらん。先に伊賀へ帰って、喰代の百地屋敷で待っておれ。逃げても諸国に手配って、かならず探しだすぞ」

「む、むごい。お前たちも、同じゅう下忍ではないか」

「いまは急ぐわ」

下忍たちが散った。伊賀を脱走するときも感じなかった恐怖が、はじめて与次郎の背すじを襲った。スグリはこわくなかったが、下忍仲間は怖い。伊賀では、下忍がたがいに他の非違を監視しあう習慣になっている。かれらの探索は執拗で、その仕置は残忍だった。

六

この恐怖が、与次郎に伊賀へもどらせた。どうせ逃げおおせるものでない。どこへ流れても命のあるかぎり跟《つ》けまわされるよりも、いっそ伊賀へ帰って、ぞんぶんのふるまいをしたのちに死ぬほうがましだと思ったのである。

「こうなれば、斬りまくってやるぞ」

与次郎は、色づきはじめた秋の御斎峠を越えながら、なんども背中の菰《こも》包みをゆすりあげた。包みの中には、半弓《はんきゅう》が一張とつかの長い忍び刀が一振入っている。

しかし、気負いながらも、心の片隅ではふっきれぬ淋しさがのこった。

「下忍は、しょせん、下忍の宿命からのがれられんものかい」

顔が、鬼相《きそう》をおびている。いったん死を決意すると魂魄が体をはなれるものらしく、峠をおりる脚が雲をふむように他愛ないのが、与次郎はわがことながらおかしかった。

ふもとで、上野在の下忍が柴を刈っているのに遭った。

「あ。喰代の与次郎か」

叫ぶなり、崖むこうへ消えた。この男の伝達で、与次郎帰来の報せは、またたくうちに小さな伊賀盆地にゆきわたった。

「鬼相じゃ。むやみに手をだすな」

そういう囁きもつたわる。死を決意した男に手をださないというのも、忍びの術のひとつなのだ。

与次郎は、森を通り、部落を通った。樹の蔭、家の窓から、伊賀の眼がのぞいているのを痛いほどに意識したが、与次郎はかまわずに突進した。

喰代へ出る最後の部落を通過したとき、与次郎は、ひとりの男に道をはばまれた。

「猪ノ与次郎」

男は腕組を解いて、ゆっくり呼んだ。

「ここから先は、喰代百地領になる。肩の刀と半弓を地の上へ置け。丸腰になって入ってもらおう」

「たしか、お前は柘植《つげ》ノ縞平《しまへい》やな」

「そう。百地のスグリに頼まれた」

「斬られたいのか」

「斬れるものならなあ」

「馬鹿め」

与次郎は、いらだって唾を吐いた。この男を知っている。柘植党のなかで非違のふるまいがあって、死罪を申しわたされていたことを知っている。どうせ死ぬ男なら、と、喰代の小左衛門が柘植党にたのんで、与次郎と咬みあわせようとしているのであろう。男の顔にも鬼相があった。

「なんという馬鹿や」

与次郎はなさけなくなった。伊賀の忍者は狡智にたけているくせに、自分の人生を大事にする本当の智恵には暗い。白痴のように欠けているのだ。

「退け。下忍が下忍同士で殺しあうことはない」

「与」

男はいきなり斬りつけてきた。与次郎は跳ねあがって、草むらへころげた。ごろごろところがりながら、肩の刀のつかを、浅く右手で握った。男はかぶさるように真向からふりおろそうとしたとき、与次郎の刀が横にうなって、男の右胴をふたつに割いた。死体が与次郎の顔にかぶさってきた。

「ペッ」

死体をすかすように跳ねおきると。踏みだしたその足で、南へ向った。低い丘陵がうねっている。喰代の里はもう近いだろう。

丘をひとつ越えたときに、二番目の男が待っていた。右眼がつぶれていた。眼鼻がさだかでないほど、しわが顔を覆っていた。八十に近いだろう。名張党の老忍と思われるこの男は、武器をもっていなかった。

「知っているじゃろう、わしは名張の服部孫右衛門どのに仕える喜助という者じゃ、おぬしのスグリから頼まれた。わしはな、おぬしが河内から貰われてきたこれほどの」

と言って老忍は右掌で背丈を示し、

「ときから知っている。さきほどの柘植ノ縞平を斬ったか」

「ああ」

「そうか。おぬしが殺されておればわしの役は無用なのじゃが、厄介にもおぬしは生きている」

「なんの用じゃい」

「わしの役か。言うてきかすことは、ただひとつじゃ。諦めて、刀を捨てい。スグリを斬ったところで、どうなることでもない、わしにまかせぬか。伊賀逃散の罪も、蒲郡城で小十と馬を斬った罪も、わしが八十年生きたこの舌で、なんとか言いくるめてやろう。名張党として、おぬしの命を保護してもよい。どうじゃ、まかせぬか」

「詐略じゃ」

言いすてて、与次郎はすたすたとその谷を降り、二つめの丘にさしかかったとき、耳の奥からさきほどの老人の言葉がにわかによみがえってきた。スグリを斬ったところで、どうなることでもない、と言った。ただそれだけの言葉だが、八十の老忍の口から出たときは、それが動かしがたい哲理をふくんでいるように思えた。与次郎は、丘をのぼる脚が急にだるくなった。

（わしは伊賀を遁げた。また伊賀に帰っている。むかし孫悟空という唐の猿が、ついには釈迦の掌《たなごころ》のうえでしか走りまわれなんだように、わしも伊賀者の宿命のなかから、しょせん、あがき出られぬものかも知れん。そうやとすれば、たかがスグリの一人や二人を斬ったところで、わしの運命がどうかわることもない)

与次郎は、刀と半弓を草むらのなかへ捨てた。身を守る武器がもはやないとなると、かえって気が楽になった。そのまま楽々と死の国へ踏みこんでゆけそうに思えたのである。

その丘の稜線に出たときに、十数人の男が草のなかに立っていた。空がにび色に光っている。地の上にいる男たちが、与次郎の眼からみれば、死者とともに副葬する土偶のむれにみえた。

「乗れ」

重だつひとりの土偶が言った。かれは板輿まで用意してきている。与次郎はおとなしく乗った。桟がきしんで、窓がしまった。すだれがなかった。内部が暗く、このままの暗さで、与次郎の運命も永久に土中に入るものと思われた。

「降りろ」

野小屋の前でおろされ、あたえられるまま衣類をきかえた。肩衣まで着け、ふたたび輿にのった。ほどなく輿がとまった。

「降りろ」

「なるほど」

喰代百地屋敷の中である。忍者にめずらしく、切腹をさせるつもりだろう。与次郎はあらゆる武芸を教えられたが、わが身を斬る切腹の作法だけは知らなかった。

玄関からあがると、式台のうえに肥満した背の高い男が立っていた。名張服部党の郷士服部孫右衛門であることがわかる。男の大きな顔が笑った。

「与次郎。われはきょうから、名張服部家の養子と心得ろ」

「どうとでもして貰おう」

「来い」

孫右衛門は、与次郎の前に立った。広い肩幅が、与次郎の眼の前で山のようにゆれた。隙がない。与次郎は、この男にはかなわないと思った。

孫右衛門は、奥の襖の前でとまった。与次郎をまねき寄せると、

「入れ」

どんと、背をつきとばした。与次郎は、アッと口をおさえた。床柱の横で綿帽子をかぶって坐っている大きな女は、木津姫に相違なかった。綿帽子のなかから声がした。

「来たか。与次郎」

「あははは」

孫右衛門がわらって、

「与次郎、ずいぶんとしぶとい男じゃ。おなじことなら、死ぬより百地《ここ》の姫と連れそうほうがましじゃろ。これからの末永さをおもえば、これも一種の刑罰かもしれん」

その孫右衛門を、横あいから小左衛門のちいさな顔がにらんでいた。万事は、木津姫に泣きつかれて孫右衛門が仕立てたお膳立なのだろうが、小左衛門はこの処置に不満なのにちがいない。与次郎は与次郎で、しょせんは何をしても掌のなかだと思った。

外法仏

衣笠山《きぬがさやま》を吹きおろした二月の風が、ひとしきり、中御門大路《なかみかどおおじ》を撫ですぎると、白い路のところどころに薄氷が残った。氷が、青い天を映《うつ》している。僧都恵亮《そうずえりよう》はなんとなく横目でそれを見、見てから、白丁《はくちよう》ふたりの介添えで、牛車《ぎつしや》に乗ろうとした。ちかごろ、また肥りはじめて、車の乗り降りに不自由した。白丁が榻《しじ》を出して、片足をもちあげてくれたが、別の足が容易にあがらなかった。

「よい。転《ころ》ぶ」

すこしぶざまだと思ったが、体を牛車のなかへ押し転ばせようとしたところ、両足が榻から離れて、芋虫が枝にぶらさがったようなかたちになった。

「胴を、胴をかかえてくれ」

悲鳴をあげた。

腰と股《もも》に、たれかの手がかかった。細く、しなやかな感触がした。ともすればずり落ちそうになる重みを、その腕《かいな》は十分に堪えて、やがて僧都恵亮の体を牛車のなかへ押し入れた。

「痛い」

恵亮は、股にかかったその掌をみた。小さな、白い掌が、こぶしを作っていた。こぶしの指が、恵亮のゆるんだ皮膚に食い入っていたために、恵亮は正直な痛覚を訴えたのだ。掌は、恐縮したようにこぶしをゆるめた。

恵亮は、車のなかで体を一回転させて、入口のほうに顔をむけた。むけてから、にぶい驚きの声をあげた。

「白丁では、なかったのか」

当の二人の白丁は、突如横あいから出てきた白い手の持ち主の働きに、呆然《ぼうぜん》としていた。というより、その者があまりに美しかったために、制止するのを遠慮したといってもよかった。恵亮の驚きに、白丁はあらためて自分たちの無能に気付いて、その者のからだに手をかけようとした。

「待て」

恵亮が白丁を制し、その者をみた。女であった。二十五、六はすぎているだろう。白い巫女《みこ》の装束を着て、腰に榊《さかき》をたばさんでいるところをみれば、七条大宮の川勝寺のあたりに多く棲みついている口寄せの徒なのだろうか、恵亮はあらためてその風体《ふうてい》をながめた。

「名は？　これもなにかの縁だろう。聴いておこう」

恵亮の語調は尊大になった。べつに傲岸《ごうがん》な男ではないが、僧都の身分というのは、市《し》井《せい》の巫女などには、影も嗅ぐことができないほどの高さにあったからだ。かさねて云った。

「直答《じきとう》してかまわない」

「……………」

女はだまっていた。白い目をすえて、恵亮の顔をみていた。おこっているのでもなく、はにかんでいるのでもない。恵亮の顔を、まるで、唐わたりの珍異な什器《じゆうき》でもみるような目で、しかも、熱っぽく瞬《また》きもせずにみつめていた。

「わしの顔に、なにかついているのか」

「いいえ」

女はくびをふって、

「青女《あおめ》といいます。――いましがた、これも何かの縁だ、とおっしゃったのはまことでございますか」

妙なことに念を押す女だとおもったが、僧都恵亮はそれには答えず、

「いずれに住んでいる」

「安楽坊の坊間《まち》に。――お願いがあるのです」

「世すぎは、なにをしているのかな」

風がきて、女の目がそよいだ。恵亮は美しいとおもった。僧とはいえ、これほどの美しい女と、わずかの刻《とき》でも言葉を交わしているのは不愉快なことではなかった。

「巫女でございます。いいえ、宮はございませぬ。市に立って、口寄せのことなどをいたします。——お願いを申してよろしゅうございますか」

「なにかね」

云ってから、恵亮の心に、ふといわれのない恐怖が過ぎた。恵亮は女を見た。切れの長い目が、細く柔和にほほえんでいる。そのくせ、さきほどから気付いていることだが、瞳が三白《さんぱく》に固定したまま恵亮を見つめて動いていないのである。

(まさか、この白昼に)

恵亮はくびをひねった。

(物《もの》の怪《け》ではあるまいが、このような瞳の者とは縁をむすばぬほうがよかろう)

恵亮は顔をあげて、

「男」

と、白丁をよんで、あごを振った。ぐゎらりと牛車がうごき、車の中の恵亮の大きな顔がゆれた。

その揺れる顔を見つめながら、女はたたずんだまま動かず、唇だけを動かした。

「いずれ、お願いに参ります。安楽坊の青女をお忘れなく」

遠ざかってゆく路の上で、女は、はじめて鄭重《ていちょう》に頭をさげた。

坂本の坊に帰った僧都恵亮は、弟子、坊官、庭働きの者にいたるまで集めて、いそがしく指図した。恵亮にとっては、僧としての生死を賭けるような期間が、きょうからはじまるのである。

恵亮のその運命は、太政大臣《だいじょうだいじん》藤原良房がつくった。良房は、きょう恵亮を自邸にまねいた。良房はそれを話した。恵亮は意外の抜擢《ばってき》に雀躍《こおど》りしたい気持になったが、同時に不安が体のなかに満ちた。良房は、髯《ひげ》のうすいあごをひいて、

「まさか、ご不承知ではあるまい」

と念を入れた。恵亮は青い顔で、胴のふるえるのをこらえながら、それは分にある光栄である、とお礼をのべ、頭《ず》を落して、

「死を賭しても、負荷の任をお果たし申そう」

といった。安楽坊の青女に出遭ったきょうのことなのである。

良房が依頼したのは、かれのむすめ明子が生んだ今上《きんじょう》（文徳帝）の第二皇子を、台密《たいみつ》の法力によって皇太子《とうぐう》の位置につけよという祈禱《きとう》なのだ。

女御《にょうご》明子が生んだ皇子を惟仁《これひと》親王という。生後九カ月の、まだ嬰児《えいじ》にすぎない。

立太子に年齢の制約などはないが、問題は、今上には惟喬《これたか》親王という、順序からいけば当然皇太子の位置につくべき皇子があり、惟仁の異母兄にあたっている。惟喬はこの

春で十四歳を迎え、今上の寵愛は十分に濃い。

　第一皇子惟喬親王が利発で今上の寵愛もふかいということは、今上の補弼《ほひつ》の臣である太政大臣良房にとっても、当然慶賀すべきことなのであったが、ただ、親王が、藤原氏以外の氏族の腹からうまれたということだけが気に入らなかった。

　母を、静子という。紀《き》の氏《うじ》ノ長者紀名虎《きのなとら》の娘である。紀氏といえば廷臣のなかでの最高の名族の一つであり、一門に多数の顕官を擁し、しかも、長者紀名虎は剛愎《ごうふく》な策謀家で知られていた。かれに天皇の外祖父たるべき位置を渡せば、長年つちかってきた藤原一門の宮廷勢力は、どこまで後退するかわからない。

　そのとき、良房の娘明子の腹から、皇子惟仁親王がうまれた。

　当然、藤原一門の勢威にかけても、紀氏の外孫である兄皇子を押し除いて、この生後九カ月の嬰児に皇太子の衣冠をつけさせなければならなかった。

　横道《おうどう》なことはわかっている。こういう横道が、気質の繊弱な今上にどれだけの苦痛を与えるかは百も承知であったが、名は万乗《ばんじょう》の天子であっても、実は、良房にとっては甥《おい》にすぎない。ことに、この甥を帝位につけたのは藤原一門にほかならなかったから、良房は、露骨に要求をもちだした。

　帝は苦慮した。帝にすれば、良房とその背景がおそろしくはあったが、かといって、藤氏《とうし》の横道を容《い》れたときにおこる紀氏一族の憤激もおそろしいのである。そういう政治的顧慮にもまして、十四年間も父親としての愛情を満足させてくれた長子の可愛さはかくべつだったし、それに、その子の母静子が閨《ねや》で掻きくどく訴えをつよくしりぞけるほどの自信もなかった。

良房がこのことに触れるたびに、帝は蒼白になり、瞳がおちつかず、あとで発熱することさえあったために、良房はついに百歩を譲り、北面ノ武士の中からそれぞれ騎手一名ずつを選出して十番の競《くら》べ馬をさせ、その勝った側の外孫が皇太子の冠をつけるという案を出して、帝と紀名虎に示した。帝と名虎は、やむなくそれに承服した。

藤原氏は白馬。

紀氏は栗毛である。

場所は右近衛府《うこんえふ》の東、造酒司《みきつかさ》の北にある広場を用い、一日一番ずつ、十日で勝負を決することになった。時は、天安二年三月二日、吉例によって午《うま》ノ刻《こく》より開始される。太政大臣良房が僧都恵亮に依頼したのは、栗毛をしてその白馬の後を追わしめようということであった。

その女が恵亮をたずねてきたのは、琵琶湖から立つ深い霧が坂本の木立《こだち》を雨のように濡らしている朝の、まだ陽《ひ》がのぼってほどもないころであった。

「安楽坊に住む青女と申しまするそうな」

取次ぎの侍僧がいった。

「山門の下に待たせておくがよい」

住坊とはいえ、女をはばかることは叡山《えいざん》とかわらないのである。

恵亮が山門に出たとき、十一段下の路のうえに、女は女童《めわらべ》ひとりを供に、市女笠《いちめがさ》をかたぶけて立っていた。萌黄《もえぎ》の小袖が杉木立の陽に濡れて、たったいま、地の底から湧《ゆう》出《しゅっ》した美しい昆虫のようにみえた。

恵亮がおりてくる気配を十分に気付いているはずだのに、女は細い横顔をみせて日枝《ひえ》明神《みょうじん》の方角を薄目でながめていたが、恵亮があと三段のところまでくると、まるで足音を計算していたように、きっかりとふりむいて、

「まあ」

といった。

恵亮は、くるぶしのあたりから湧きあがってくる軽い戦慄《せんりつ》のようなものを覚えて、おもわず、膝に力をうしなった。

女が言葉をださずに、唇だけをひらいた。

女のなまなましく濡れた唇のひだをみて、恵亮は、どういうわけか、数年前まで毎夜愛しつづけた稚児のことをおもいだした。あの稚児は、抱くと、筆竜胆《ふでりんどう》の根をつぶしたようなにおいがしたが、この女も、そうしたにおいがするだろうか。……

「先日は、あのような礼のないふるまいをして申しわけございませぬ」

女が笑顔で云うのに、恵亮は、大きなしわばった顔に殊更《ことさら》な渋面《じゅうめん》をつくって、

「このような場所に来てもらってはこまる」

といった。取りようによっては、密事《みそかごと》をする男女のようにもみえた。あるいは、恵亮自身、この女のかもす、肌にねばついてくるような奇妙なふんいきのために、それに似た心根になっていたのかもしれない。恵亮の膝は力を喪《うしな》ったまま折れてゆき、石段のうえに腰をおろそうとした。

女は、女童に目配《めくば》せをした。女童はいそいで石段をのぼり、もっていた浅緋色のかつぎを恵亮の下に敷いた。恵亮の大きな腰が、かつぎの上におりた。腰の下から、あわあわと香が匂いたってくるのを、恵亮は嗅いだ。

「なんの用かな」

「いいえ」

女はわらい、もう一度、女童のほうへ薄いあごをむけた。女童は無文《むもん》の朱漆《しゅうるし》の箱をひらき、ふたのうえに丸いものを三つばかり載せて、

「召しあがれ」

「ほう、めずらしい。唐菓子か」

恵亮は、こういうものには目がなかった。

「餅腅《べいたん》でございます」

女は、さぐるような微笑で云った。餅腅とは、餅のなかに、鵞鳥《がちょう》や鴨《かも》の卵をつつみこみ雑菜をまぶした菓子である。果たして、菓子のうえにのびた恵亮の手がとまって、

「食えない。殺生戒を犯すことになる」

「ほほ、お気のお弱い。ここは、もう結界《けちかい》の外でございますのに」

「戒律に結界の内外《うちと》はない」

云いながらも、恵亮の咽喉仏《のどぼとけ》がしきりに動くのをみて、女は声をあげて笑い、

「早う。さ。たれも見てはおりませぬ」

まるで幼い弟をあつかうように、女は指で、その脂の浮いた菓子の一つをつまみ、

「早う、召せ」

「よいのか」

女に断わっても仕方のない事柄なのに、恵亮は女に薄く甘えたような気持になって、黒ずんだ厚い唇をひらいた。女は、黄色い歯の下に唾液のたまったその穴のなかに餅腅をおし入れると、

「もうひとつ、いかが」

「それより」

恵亮は音をたてて咀嚼《そしやく》しながら、

「用はなんだ」

「今日申さなくてもよろしゅうございます。そのようなことより、恵亮様のような大徳《だいとこ》に供養申しあげるほうが楽しゅうございます」

(見えすいたことをいう女だ)

そう思いながら、首をあげて上を見た。木立の上の空が暗く曇りはじめていた。

「雨になるかもしれない。用がなければ帰ってもらおう」

「立太子のお加持《かじ》をなさるそうでございますね」

女は、いきなり云った。恵亮は、驚きの目をあげた。

（なぜ、この女が知っている？）

女はそうした恵亮の胸の中を見透《みす》かしたように、

「京の者なら、どの坊間《まち》へ行っても知らぬ者はありませぬ。そのことについてお教え申しあげたいことがございます。相手の紀名虎さまのほうのお加持僧はどなたに決まったかごぞんじ？」

「いや、知らない。たれだ」

恵亮はつい惹《ひ》きこまれて云った。相手はどうせ、藤原氏の天台僧に対抗して真言僧を選ぶにきまっているが、たれがそれになるかは、ここ数日来の恵亮の執拗《しつよう》な関心事だったのだ。

「たれだ、それは。申せ」

「柿ノ本紀僧正真済《そうじょうしんざい》さまですわ」

「真済――」

恵亮は、目をひらいて宙を見た。教王護国寺の真済といえば、台密であれ、真言密であれ、密教を修するほどの者なら知らぬ者のない神通の行者だったのである。

「したかに真済僧正か」

恵亮は恐怖の目で女を見た。

「して、護摩壇《ごまだん》はどこに設ける」

「東寺（教王護国寺）に」

「女」

恵亮は女の袖をつかんで、

「なぜそのようなことを知っている」

云うなり、恵亮は口のなかに指を入れ、さきほど食べたばかりの餅餤を、おびただしい胃液とともに吐きだした。

「回し者か。わしに脂物を食わせて祈禱の功力《くりき》を減ぜしめようとしたのか」

「脂物を食べたからといって、恵亮さまほどの行者の功力が衰えるわけでもございますまい。たれから頼まれたのでもなく、ただわたくしが恵亮さまが好きなあまりに、ちまちまと人を走らせて噂《うわさ》を集めたにすぎませぬ。それに、お願いごとがございますゆえ、すこしでもお役にたちたいのでございます」

「いつわりはないか」

「すこしも」

「ならば、その願いというのを申せ」

「そのようにこわいお顔の恵亮さまには申しあげられませぬ。——また、いずれ」

女は、女童をうながして背をむけた。その背に雨のしずくがかかった。たちまち斑点ができ、恵亮と女との間を、青い雨の脚がさえぎった。不意に女はふりむき、笠をあげて会釈《えしやく》しつつ、暗い笠の下で目だけは笑わずにじっと恵亮の顔をみつめた。恵亮は顔を両掌でおおった。おもわずそうせざるをえなかったほどに、女の視線は熱かった。恵亮は指の股をひらいて、そっと女を見た。指の股の間に、女の目だけが青く光っていた。

（あっ）

恵亮は声をあげた。いそいで立ちあがると後ろも見ずに石段をのぼった。最後の段で、脚を宙に踏みおろした。それほど、恵亮のなかに若やいだうろたえがあった。

「あれは、化生《けしよう》の者でござるぞ」

坊官の石上《いそのかみ》ノ黒緒《くろお》がいった。

恵亮の部屋の閾《しきい》の外に頭《ず》をさげながら、黒緒は、できればこのまま床《ゆか》をすべって恵亮の膝をつかみ、なお性根が戻らなければ打擲《ちようちやく》でもしかねないようないらだちが痩《や》せた肩の表情にあった。が、恵亮はまだ呆然とした目を見ひらいたまま、

「そうかな」

と呟《つぶや》いた。あの女の目は、たしかに自分に魅力を感じているようだった。そのくらいのことは、僧坊で暮らしてきた自分にでもわかるのだ、と思った。

「愚かな」

黒緒は、あざけりを浮かべて、

「山門の柱のかげから、上《かみ》が女と話されているのを窺《うかご》うて居申したのだ。わしは俗人ゆえ、家の女のほかにいくたりかの女を知っている。その目に狂いがあろうはずがない。あの者は化生か、化生を真似《まね》るものに相違はござりませぬぞ」

黒緒は、恵亮の実家である北大路藤原家が子飼いにしていた者の子で、恵亮が九歳で得度《とくど》して叡山に入ったときに付人《つきびと》として従い、恵亮が一寺を董《とう》する身分になって以後は坊官とも雑仕《ぞうし》ともつかぬ形で、恵亮とともに年を老いた男である。

若いころは、恵亮とともに隠れ遊びや稚児遊びの秘密を共有しあったし、中年をすぎてからは、僧侶仲間にはもらすことのできぬさまざまの愚痴を、恵亮はこの男にだけは話した。無能で何の才智もない男だったが、ただ事が恵亮のことになると、全身の皮膚をいらだちこするような懸命さで随身してきた。ときには、そういう黒緒が便利だったし、時には千切《ちぎ》りすてたいほどにうとましく思うことがあった。いまが、そうなのである。

「そういう益《やく》たいもないから、詮議を云うていてもはじまるまい。女が化生であるか、回し者であるか、人を使うてとくと調べるがいい」

「ああ、仰せあるまでもない。すでに人を京へ走らせて噂や行跡《ぎょうせき》を聴きこみに参らせてござりまするわい。しかし、かなめなことは、二度とあの女を近づけぬことじゃ」

「来るものはやむをえまい」

「山門には、兵仗《へいじょう》を持つ者もあり、背を打って追いだすに事は欠きますまい。とにかく、いまは上《かみ》にとってそれどころではないはずじゃ。相手は教王護国寺の真済どのでござるな？」

「女が、そう申していた」

「勝つ御自信がおわすか」

黒緒は、いつのまにか膝を閾のうちににじり入れていた。

「おわすか」

「負けるつもりで護摩壇にむかう祈禱僧がどこの世界にあろう」

円座のうえの恵亮が、太い眉を寄せ、目に怒気を含んで云った。

「おお、やっといつものお顔に」

黒緒はうれしそうに叫んだ。

「お戻りなされたぞ。競べ馬はあと十日ではじまるという。ここは持戒一途《いちず》に願わねばならぬ。もし負ければ藤原一門の失墜はおろか、上も紀氏の手で僧都の位を削られることは必定《ひつじょう》じゃ」

翌日、恵亮は叡山《やま》へのぼった。

祈禱の座を根本中堂《こんぽんちゅうどう》にきめ、修法《ずほう》の場所、用具、荘厳《しょうごん》、人数などを指図して、すみずみまで手落ちのないようにした。中堂のなかは谷底のように暗く、敷瓦のゆかが冷たい。諸仏諸神が立ちならぶ下で、恵亮は終日ゆったりと歩を運びながら諸僧を指揮した。黒緒と話しているときとはまるで別の人物がそこにいた。恵亮は、目が大きく鼻がふとい。その目が、堂内の闇を飾る燈明《とうみよう》の光を撥《は》ねて蛍火《ほたるび》のようにひかるとき、たれの目にも、気魄《きはく》にみちた台密の祈禱僧のきびしい容儀を感ずることができた。

事実、恵亮自身も、女のことや黒緒とかわした会話のことなどはすっかり忘れていた。九歳のときに入山して以来、慈覚大師の鉗鎚《けんつい》のもとに育てられてきた恵亮は、さすがにその場所に身を入れると、生理まで変わるような比丘《びく》らしい規律を身につけていた。ちがう恵亮が、つめたい敷瓦のうえを歩いていた。

無数の燈明が、須弥山《しゆみせん》のうえの星のように恵亮のまわりに輝いていたが、それでもこの中堂の暗さを払うことはできなかった。暗さと、特有の冷えは、恵亮の考えることまで別人のものにしていた。

たとえば、この冷えのなかで恵亮の血を沸々《ふつふつ》とわきたたせている想念は、藤原一門の護持はただ一すじに自分の習得した修法のうえにかかっているということであった。

生後九カ月の皇子が、どういう顔をしているかは恵亮は知らない。また、見たくもなかった。ただわかっていることは、おそらく猿のような顔をしているその嬰児が、ただの庶子におちるか、皇太子になるかは自分の念力にかかっているということであった。

この想念は、はげしい悲壮感をともなって恵亮の全身の毛をそばたたせた。

僧としての訓練は、万巻の経典を誦《ず》し、千回の回峰行を行《ぎよう》じたところで、なま身の人までを変えはしない。ただ可能なことは、僧としての行法の座にすわっているときのみ、人間のなかに別な人間をつくることができるということだけであった。その証拠に、恵亮がこの修法の依頼を良房からうけたときは、ただ物憂さだけがあった。これは、災難に似たようなものであった。

密教の権威や行法の達人なら、叡山三千の学侶《がくりよ》、堂衆のあいだにも、恵亮よりまさる者が何人となくいるはずである。なるほど恵亮は僧位こそ高かったが、これはかれの門地の高さがそうさせただけのことで、その修法の通力《つうりき》がさせたわけではなかった。

良房が恵亮に命じた理由はただひとつ、それは恵亮が、藤原同族出身の僧侶のなかで最高の法臘《ほうろう》（得度年齢）をもつ密教修行僧であるという点であり、それは相手方の紀名虎が、同族の柿ノ本紀僧正真済をえらんだのとまったく同じ理由によるものであった。一門の祈禱は、同血の僧侶によって行なうというのが、通常の慣例になっていたからである。

良房が恵亮の肩に荷《にな》わせた荷物は、恵亮にとっては栄誉よりもむしろ災難にちかかった。恵亮は、ただ戸惑っただけの気持で、良房の邸を出、あの女に遭《あ》い、黒緒と接してきた。その同じ恵亮が、中堂のなかに入ると修法僧らしい狂気の血をわかすのはかれの長い僧堂の習慣によるものであろう。恵亮自身、これについては何ほどの違和感も感じていないのである。

中堂できびしい容儀をみせていた恵亮がその翌日、女に遭ったときは、ただのなま身の恵亮になりはてていた。

陽が暮れはじめていた。山上での仕事が意外に手間どってしまった恵亮は、供もつれずに坂本へくだる小みちをいそいでいた。道をまがるたびに、湖がみえた。そのたびに恵亮の顔が赤くなったのは、湖に残照が映《は》えていたからだろう。

「恵亮さま」

急に、右側の藪の中から声が湧いて、女の白い顔が出た。安楽坊の青女だった。青女の顔の横に、大山祇《おおやまつみ》をまつる小さな祠《ほこら》がある。坂はこれより上は、女人の登ることをゆるされない。大山祇の祠は、その結界のしるしになっていた。女はその結界よりわずかに外に身をひそめていた。

「青女か」

恵亮は、もう驚かない。むしろ、あたりをはばかるように声をひそめて云った。野で密事《みそかごと》をする麓の村の若者のようなときめきが、年甲斐もなく恵亮の頬を染めていた。

「忍んできてくれたのか」

きょうで三度目であった。はじめて恵亮はそういう言葉を素直に云えるようになっていた。女が、自分に想いをかけてくれていることは、もはや疑うことができなかった。

僧侶を好む女は宮廷にも少なくなかったし、恵亮自身の体験の中でも、そういう女を幾人かは知っていた。この青女という女は、まして巫女なのである。円頂黒衣の自分に、常の女にも増した魅力を感じているのではあるまいか。恵亮は、笹《ささ》のうえに浮かんだ女の白い顔を愛《いと》おしく思いながら、身を近づけた。

「早う。隠れて」

女は恵亮の袖をひいて、自分の体もろとも笹のなかに身を沈ませた。

恵亮は、女の腰にだきついた。女が抗《あらが》った。陽が暮れようとしていた。

「待って」

女が、低い声で云った。

「陽が落ちきらないうちに、もう一度お顔をみせて」

「こうか」

恵亮は、楽しそうに首をのばした。女が、それをふたつの腕《かいな》でささえた。頬をはさんだ掌が冷たかった。恵亮のあたまに、忘れていた記憶がよみがえった。若いころに、こういう女の仕草のなかに身をゆだねた記憶が、たしかあったような気がした。

「いいお顔」

女は、溜め息をつくように見つめた。恵亮は、年上の女に愛撫される若者のような羞恥《しゅうち》をおぼえた。

「ちかごろ、しわがふえた」

「……いいお顔」

女は、口の中で繰りかえした。恵亮は決して美男ではないことは自分でもよく知っている。顔が大きすぎた。上辺で大きくひらいた顔が、下辺で急にすぼみ、小さなあごが辛うじて全体の構造をささえていた。それよりも奇異なのは、両眼が中ほどよりもはるかに下についていることであった。ふとみると、額と鼻だけがめだち、目があごのすこし上に光っているような、奇相といえばそう云える造作であった。

「これが、いい顔なのかな」

恵亮の顔が笑った。

「本当」

女はうなずき、急に自分の小さな顔を近づけて恵亮の顔を湿らせはじめた。小さな、すべすべとした温かい舌だった。恵亮の額が濡れ、目が濡れ、鼻が濡れ、ついに恵亮の口の中に、その小さな生き物が入った。

恵亮は、それを嚙んだ。

「痛い」

女がいった。恵亮がはじめて示した能動的な衝動といえるだろう。その衝動に刺戟《しげき》されて、恵亮は女の腰を抱いた。おどろくほど細い腰だった。腰がくねって、恵亮の腕からのがれようとした。

どうした、と恵亮が思ったとき、女は恵亮の耳たぶに唇をつけて、

「お調べになりましたね」

と低く云った。

「ああ、あれか」

恵亮は、女に対して背信を働いたように赤くなった。いつのまにか、女に対して低い姿にいる自分に気付かない。

「坊官が自分の宰領《さいりょう》でやったことだ。わしは知らない」

「お気に召しました？」

「ああ」

「安楽坊で、巫女の青女ときいて頂ければ知らぬ者はないはずです。朱雀《すざく》から西に住む巫女のなかで、わたくしほど栄えている巫女はないのですから。他家の回し者になるほどの義理はどこにもなく、人に頼まれてあなたを堕《おと》しめねばならぬほど米や塩には困《こ》うじてはおりませぬ」

「すまない。黒緒という者の報告でそれがわかった」

「わたくしは、自分の目であなた様を見つけ自分の足であなた様を追っただけのことで、たれの指金《さしがね》で動いているわけでもございませぬ」

「ゆるしてくれ」

恵亮は、大きな頭を垂れた。腕の中でうごいている白い女の体を早く欲しかったのだ。

「謝っていただきたいとは思いません。ただわかっていただきたいのです。わたくしが、京の大路であなた様をお見かけしてから、もう一年になります。お気付きではございますまい。ずっと、あなた様のお車のあとをつけたり、ご住坊のお庭に忍んでみたり、つらい思いをいたしました。わたくしはただあなた様がほしかったのです」

「わしも欲しい」

「ちょっと」

女は、押しつけてくる恵亮の体から身をはなして、

「こんな体でもよければ、いつでも差しあげます。しかし、わたくしが欲しいと思うのはあなた様のとはすこしちがうのです」

闇のなかで、心なしか女の目がきらきらと光ったように思われた。

「どうちがうのかな」

恵亮の声に焦《あせ》りがあった。

「申しあげる前に、たしかにそれを下さいますか」

恵亮はだまった。女を抱く手をゆるめた。おそろしくなってきたのだ。

「下さいますか」

「わからない」

「わからなくてもいいのです。いますぐ、どうということでもないし、あなた様にご迷惑をおかけするような事でもございませぬ。ただ、よいとおっしゃっていただければいいことなのです」

女は左腕で恵亮の首を巻き、右手でそっと恵亮の手首をつかんだ。恵亮は女のなすがままに自分をゆだねた。女の手が案内したところに、なまあたたかいその素肌があった。恵亮の手がはげしくふるえた。長い禁欲が、かれを惑乱させた。

女は、笑ったようであった。

「唾をおのみあそばせ」

恵亮は、唾をのんだ。

「もう一度」

恵亮はさらにのんだ。

「目をおつぶり」

恵亮は、女の云うがままになった。女は、闇のなかで、じっと恵亮を見すえて、

「くださいますね」

恵亮は、女の顔のうえにかぶさって行きながら、だまってうなずいた。

「もっと」

恵亮は、何度もうなずき、うなずきにつれて、女は体をひらいた。恵亮が女の体のなかに入ったとき、笹の上を吹いていた風がとまった。深い闇がきた。

笹の中の恵亮とは別の恵亮が、この日は中堂のなかの護摩壇の座にすわっていた。

壇の中央に火炎が燃えさかり、火をはさんで、純白の牛が臥《ふ》していた。牛の背に、六《ろく》面六臂《めんろっぴ》の大威徳明王の真紅《しんく》の像がすわり、一臂は剣をもち、一臂は鋒《ほこ》をにぎり、一臂は輪、一臂は杵《しょ》をつかんで、恵亮をにらみすえていた。

恵亮は、両脚を盤結し、左右の足を胜《ひ》の上に載《の》せ、手は印《いん》をむすび、ときに怒号し、ときに愁訴《しゅうそ》するように経を誦しつつ、もはや生ぐさい臓腑を詰めた恵亮の色身《しきしん》は、ただ経文を誦する声帯と独鈷《とっこ》をにぎる五指のみを地上に残して、虚空《こくう》に昇華しはてようとしていた。

中堂の外では、石上ノ黒緒が門扉に耳をつけて、時おり聞こえてくる恵亮の怒濤のような誦経《ずきょう》の声に身をふるわせつつ、

「おお、おお」

とうめきつづけて、落ちつかぬ様子で待機していたが、堂から出てきた雑掌の堂衆が見とがめて、

「病いか」

「いえ」

堂衆の袖にすがるようにして訊いた。

「ご修法はいかがでござりまするか」

「さすが慈覚大師のご高弟だけあって、恵亮僧都の行法は聴く者の肝《きも》をふるわせる。いずれ、明王の感応も間近かろう」

「やれ、うれし」

黒緒は、肩を落して安堵《あんど》した。

「競べ馬のほうの吉左右《きっそう》はまだ入らぬのか」

「雲母坂《きららざか》のほうから」

黒緒は、こわばった手でその方角を指《さ》し、

「いずれ走りびとが報《し》らせに参りましょう」

「待ち遠しいな」

堂衆が不安な顔をした。競べ馬は藤原氏と紀氏とのあらそいだけではなく、真言密教に対する天台の名誉がそこに賭けられているからだった。

勝負の結果を報らせるために、京の御所から二丁ごとに人が配置され、白馬の勝利を報らせる場合には、白昼は白い布をふり、暮夜には炬火《たいまつ》をまわす。相呼応しつつ叡山《やま》をうねる雲母坂の上まで来れば、坂の上に立哨する走りびとが中堂のほうへ報らせる仕組になっているのである。

第一日の陽が暮れた。闇がみちてから、この日は山上が常にも増して冷えた。修法は日没とともに終わった。しかし、ついに白布も炬火もあがらなかった。

藤原方は負けた。

とはいえ、中堂から宿所に引きあげてきた僧都恵亮は、べつに負けたとは思わなかった。

ただ疲れた。侍僧が敷いてくれた布団のあいだに体をのべながら、疲れが快く綿のなかに融けおちてゆくにつれて、恵亮の色身がふたたびよみがえってきた。負けた実感はない。

実感は持ちようがなかった。恵亮は、支那を経て印度《インド》から伝わってきた拝火婆羅門《ばらもん》の祈禱法を、師匠の慈覚から学んだままに修したにすぎなかった。恵亮は、作法どおりに修した。火を噴き、炎を見つめ、経を誦するうちに恵亮の意識はねむりはじめ、何瞬間かは、いわゆる入我我入の妙観の境地に入ることができた。

それで効験がなければ、天台の祈禱法そのものに手落ちがあるか、良房がえらんだ白馬がるい弱《じやく》なのか、そのどちらかであった。

（負けたか。……）

布団のなかで、恵亮は、ひと事のようにつぶやき、

（しかし、わしに罪はない）

恵亮は、嬰児のような顔になって、眠りにおちた。安楽な顔を短檠《たんけい》が照らした。北大路藤原氏の二子にうまれた恵亮は、幼児のころから、克服すべきいかなる艱難《かんなん》にも遭ったことがなかった。得度して経典を学び、修法を習い、年をとればただ肥えふとっただけのことで、それ以上のものを恵亮の安楽な顔に求めるのが無理だった。恵亮には、祈禱僧に必要な狂気というものがなかった。

恵亮がねむりに落ちたころ、叡山が見おろす京の夜の巷《ちまた》では、石上ノ黒緒が、安楽坊

にむかってつきのめるような急ぎかたで歩いていた。

犬が鳴いた。

そのたびに、黒緒は小走りになった。朱雀から西の巷は夜盗が出るばかりではない。犬が群れをなして巷を走っていた。取りかこまれて食い殺された女さえいた。

安楽坊に入ると、街は急に低くなった。朽ちた軒にあごを載《の》せられそうな家なみが、うねうねとつづいていた。軒をひろって走る黒緒の足を、脂の浮いたどぶの水が何度か濡らした。血の匂いがするのは、この一角に猟師が住んでいるからだろう。巫女とかれらは、互いに憎みながらこの町に雑居していた。

黒緒は、たいまつをかざした。火の粉のなかに、青女の家の軒端が照らしだされた。注連縄《しめなわ》を張り、榊が飾られていた。

黒緒は、戸に手をかけた。音もなくあいたが、なかには灯がなかった。黒緒は、声をあげて来訪をつげた。いらえがない。

(外に出ているのかな。この夜分に、不敵な女もいるものだ)

黒緒は、たいまつを突き入れて、おそるおそる中へ入った。土間があり、湿気が足もとから冷えびえとあがってきた。葱《ねぎ》のにおいがする。女の匂いもした。においに吊りこまれるように、黒緒は土間からゆかの上にあがった。

ゆかの上が祭壇になっていた。祭壇のうらへまわった。そこが、女の臥床《ふしど》のある部屋らしかった。

黒緒は、たいまつをあげた。火の下に、たったいま女がそこから抜けでていったらしい雑然とした光景が浮き出た。

臥床がある。

真綿を詰め金襴《きんらん》で縫いとりをした唐風のぜいたくなものであった。黒緒は、鼻をつけた。すえた女の脂のにおいがした。

「糺《ただ》してやる」

意気込んでここまできたのだが、女にかわされたような気がして、布団のうえにすわりこんだ。黒緒にすれば、恵亮の祈禱に効験のなかった理由は、この女にあると思いこんでいた。女が、なんらかの呪法《じゅほう》を恵亮にかけているのに相違ないと思ったのである。叩いてほこりが出れば、検非違使《けびいし》ノ庁につきだそうと思って、捕縄まで用意してきた。

黒緒は、退屈なままあたりを見まわした。変哲もない女ずまいの部屋だった。黒緒は、たいまつをゆかに這わせて、夜盗のように調度を物色しはじめた。

部屋のすみに、黒い箱のようなものがあった。火を近づけてみると、網代《あじろ》にうるしを塗って、笈《おい》のように負いづるをつけたもので、みればこれも変哲はなかった。歩き巫女が旅に出るときに負う厨子《ずし》のようなものだと気付くと、黒緒は倦《あ》いて、それをどさりとゆかのうえに投げだした。

投げだしたとき、扉があいて、なかから生きもののようなものが転び出た。

「あっ」

黒緒は、怖れて声をあげた。黒いこぶしのようなものがしばらくゆかの上で運動をつづけていたが、やがて静止した。黒緒は火を近づけた。影が動いた。が、そのものは動かなかった。生きものではなかったのだろう。

安堵して、指につまんだ。

（まりか？）

まりではない。よく見ると、その黒いものには目があった。鼻も口もあり、毛が密生していた。干しかためた猫の頭だった。黒緒は慄《ふる》えた。掌をひらいて、それを落し、落してから、罪におびえる者のように闇のなかで真言を呟き、何度も礼拝しながら厨子におさめた。

汗が、背で凍っていた。黒緒は、そのものを知っていた。――外法仏《げぼうぼとけ》であった。

藤原氏と紀氏の競べ馬は、ここ四日にわたって藤原氏の白馬が負けつづけていた。京の御所から叡山の山頂まで立てならべられた速報の人数は、毎日むなしく日暮をむかえた。

護摩壇の上の恵亮は、日を重ねるにつれて次第に痩せていった。疲れていた。疲れのために、護摩壇にすわって経を唱えると、恵亮はすぐ忘我の境へ入った。疲れが、声に鬼気を帯びさせた。鬼気は、人をうった。堂衆たちは、口々にうめくように云った。

「これほどの修法に、なぜ大威徳明王が感応しないのだろうか」

恵亮は、夕刻になると壇をおりた。もはや自力で立つことができなかった。侍僧がむらがって手足や胴をかかえ、朽木をかつぐようにして中堂の外へ出し、輿《こし》で宿所にはこびこんで粥《かゆ》をすすらせたのち、まだ日が落ちてほどもないのに臥床に入れた。

いつもなら、すぐ眠りに落ちる恵亮が、この夜にかぎって容易にねむれなかった。体だけは一滴の精気ものこさずに疲れはてていたが、目だけが奇妙に冴えた。さすがに、連日負けつづけていることが、恵亮の胸を重くしはじめていた。不屈の闘志がわいたのではなく、ただ涙だけが無気力に頰を伝った。

（まさか）

恵亮は、臥床のなかで脂肪のぬけはじめている腹の皮膚をなでさすりながら、

（女が祟《たた》っているわけでもあるまい）

女とは、あの笹の中での女犯《にょぼん》のことであった。

僧が不犯であるべきことは恵亮もわかっている。しかし、それは建前であって、恵亮が知っている範囲の仲間のほとんどは、女体の経験をもっていた。そのうちの幾人かは、すぐれた祈禱僧として念力を高く評価されているところからみれば、女犯の閲歴が修法のさまたげになるようなことはあるまい。釈迦でさえ迦毘羅《かぴら》城の太子のころは妻子をも

っていたのである。半生にわずか数度の女犯をおかしたところで、修法僧としての体質がかわるはずがあるまいと思っていた。

ただ、山門の僧の暗黙の不文律として、女犯は語るべからずという。外にもれれば、容赦なく大衆僉議《だいしゅせんぎ》によって山門を放逐《ほうちく》されるだけのことであった。もうひとつは、情を移すべからず、という。僧にとって女犯の機会は、生涯を算しても稀《まれ》にしか来ない。ついに機会のなかった者は不犯の僧になるわけであり、機会をとらえて女犯をおかしたところで、その者に情さえ移さなければ比丘として出世街道の妨げにはならないというものであった。こういう不文律は、釈門の戒律とはべつに、兄弟子から弟弟子へと引き継がれて、叡山で生涯の大半をすごしてきた恵亮などは十分に心得ていた。

恵亮は、青女を笹の中で抱いた。片鱗も愛慕によるものではない。稀れにしか来ぬ女犯の機会を珍重したにすぎなかった。青女の体を藉《か》りて、おのれの胎内の欲念を放下《ほうげ》したにすぎず、その後の恵亮が、その前の恵亮とくらべて変化《へんげ》したということはないはずであった。変化さえしなければ女犯の罪は存在しないということを、恵亮はほかの僧とおなじく考えていた。

(——しかし、はたして、情を残さなんだか)

闇のなかで、恵亮は真剣な表情で唇をつぼめてみた。心のどこかの片隅にでも女への執着をとどめていた場合は、あるいは修法僧としての効験はうすれるかもしれないのである。

恵亮は、自分の体のなかへもぐりこんでみた。胎内のどこかに、女の体液が付着してはいまいかと嗅ぎまわった。匂いがした。恵亮は執拗にそれを嗅いだ。匂いは次第に濃度を増し、やがてねばねばと恵亮の鼻腔にまつわりつき、嗅ぎつづけるうちに、恵亮はようやくそれに気付きはじめていた。生温かいその匂いは、恵亮自身のものだったのだ。恵亮は自分の匂いの中でうめいた。うめくと同時に、恵亮の胎内《なか》でかさぶたをはっていたその記憶が膿《うみ》のように流れだし、疲れて熱を帯びた恵亮の脳裏に、青女のあざやかな白い体がうかんだ。

「青女」

恵亮は小さく叫んで、自分の声に目をひらいた。暗い虚空があった。虚空の中に、ほんの一尺そばの闇に、青女の白い顔が浮かんでいたのである。

見つめながら、どう叫んだかは、自分でも気付かない。恵亮は、臥床のはしをつかんで、もう一度、青女の名を呼んでうめいた。うめくとともに恵亮の恐怖は消えて、はげしい欲情が恵亮の体を熱くした。

（青女よ――）

それが欲情であるか愛慕なのか。恵亮にはよくわからない。咽喉がかわいた。臥床から両腕を出して虚空の顔をつかもうとしたが、関節が溶けたように動かなかった。

（青女、もう一度その体をわしに呉れ）

暗い虚空のなかの青女の顔は、暈光《うんこう》を発して微笑《わら》った。わらった唇が、わずかにひらいた。

「あす、ご祈禱のときに、右手に独鈷をもちかえて、かならず、青女とお呼びなさい。勝てるようにしてあげましょう」

闇が、沈黙した。青女の顔が消えた。恵亮は、深い眠りにおちていた。

そのとき、宿所の床下から這いだした影があった。影は、小さな箱を背負っていた。石上ノ黒緒のみた外法仏の厨子だった。影は植込みの闇を縫いながら、やがて杉木立のなかに融けた。


その夜、青女が安楽坊の家に帰ったときはすでに東山の空が白みはじめていた。軒をくぐろうとしたとき、やにわに腰にしがみついてきた者があった。

「読めたぞ、この外法使《げぼうづか》い」

ふりはなそうとして、その者を見た。小男だった。腰にまわした腕がふるえていた。青女の目にはひどく老人にみえたが、ありようは石上ノ黒緒だった。きょうは朝から、青女のもどるのを待って、軒端《のきば》にひそみつづけていたのである。

あの厨子の中のものを見てから、黒緒は陰陽寮《おんみょうりょう》へ行って知人の学生《がくしょう》にきいてみた。学生は、安楽坊に住む市子や口寄せの徒のなかで外法使いも居るときいていたが、その女はおそらくそれだろう、と云い、

「厨子？　厨子であるものか。外法箱というのだ。あの外道《げどう》の者たちの念持仏を入れている」

「念持仏とは？」

「外法仏さ」

外法とは外道のことで、経典にある諸仏諸菩薩にあらざる仏を祀《まつ》る者を謂《い》い、本尊が猫の頭や猿の手であることもあり、泥人形である場合もあった。

「それもただの泥人形ではない。夜陰、墓地に忍んでいって、七カ所の墓の土を採りあつめて人形をつくり、それを千人の人に踏ませると呪力がつくというのだ。陰陽師である私はそういう呪術を信じないがね」

と学生は云った。黒緒は、それだとおもった。女は、外法の呪法で恵亮の祈禱を擾《みだ》しているのだ。問詰《もんきつ》してもし正体をあらわせば検非違使ノ庁につきだすまでだ、と思って、黒緒は捕縄さえ用意した。軒端で待っているうちに、万一手にあまるようなことがあれば太刀で刺し殺してしまおうとまで覚悟した。

「騒がないで」

女は云った。

「恵亮さまの随身の方ですね。家へ入りましょう。すわってゆっくりお話しすればわかります」

「誑《たぶらか》されまい」

「ええ、誑しませんよ」

家へ入ってから、祭壇の前で女は黒緒に円座をあたえた。

「わたくしは外法使いです。人々に求められて、まじないをしたり、祈禱をしたりして世を渡っています。ほとんど京に居ますが、ときどき歩き巫女になって、諸国を行脚するのです。なんのために行脚をするかわかりますか」

女は黒緒の顔をのぞきこんで云った。べつに答えを求めるふうでもなく、しばらく目を朝の陽のさしはじめた窓のあたりに遊ばせていたが、やがて、

「人を探すのです。わたくしだけでなく、外法使いの巫女はみんな。——人をね。万人に一人というひとを、です」

「それが恵亮僧都さまだったというのか」

「そうです」

「いろごとか」

「まあね」

女は目を細めて、膝を立てかえた。黒緒がおもわず唾をのんだほど微笑《ほほえ》んだ女の目もとが美しかった。

「しかし」

「あとふた刻《とき》もしたら、きょうの競べ馬がはじまります。早くお山にお帰りにならないとご修法の間にあいませんよ。わたくしと僧都さまとのことは、二人のあいだでちゃん

と約束ができていることなのです。僧都さまにも、たれにもご迷惑のかからないことです」

その日の定限、叡山《やま》では恵亮が護摩壇の座につき、下《しも》の京では、御所の右近衛府の前の広場で藤原の白馬と紀の栗毛が、それぞれ衛府の士に口輪をとられて胸をそろえた。広場に垣がつくられ、その垣にそって二頭の馬が走る。距離がきめられているわけでなく、途中で馬糧を飼ってもよく、馬の疲れをいやすために騎手が鞍からおりて歩かせてもよかった。ただ、四刻という長い時間のあいだ、その馬が何周できるかという所に勝負は賭けられていた。

騎手が乗った。二頭の馬が歩きはじめた。はじめの何周かは、馬の力を養い貯めるためにひた歩きに歩くほうがよかった。

山上の護摩壇では、恵亮が香を燻《くん》じはじめていた。

恵亮は疲れていた。結んだ印がともすればゆるみがちになり、誦経する声が、ときに声にならずに気息のみ洩れた。

「水」

侍僧が気をきかして、ひしゃくを延べて恵亮の口許にあてがうのである。

右近衛府の前では、ようやく二頭の馬が走りはじめた。

恵亮は何度か水をのんだ。水はすぐ恵亮のからだを汗になって濡らした。

昼になった。わずかに粥をすすったが、ほとんど咽喉を通らなかった。

「………」

侍僧が駈け寄って恵亮のそばで耳を傾けたが、恵亮のつぶれた声は言葉の形をなすことができなかった。侍僧は筆紙をとりだして、用件を書くようにすすめたが、恵亮はうるさそうに手をふった。

疲労が恵亮に幻聴をきかせ、恵亮がそれに答えたにすぎなかった。恵亮はふたたび念珠を掌に入れ、珠をまさぐりはじめた。

午後になって、山上へ急使が駈けあがってきた。白馬の力がめだって落ちはじめているというのだ。このままでは斃死《へいし》するかもしれぬと言った。恵亮は目をひらいた。

「斃死？」

恵亮は、白馬が土の上に斃れてゆく光景をあざやかな色彩とともに見た。

「斃死？　わしが？」

恵亮に錯乱がきた。斃れつつあるのが白馬ではなく自分であるような光景が脳裏を染めた。

「わしが死ぬ？」

恵亮は、すくと立った。

「わしは、死んだのか」

壇をおりて歩きはじめた。あるきながら、どこにそれほどの生命力がのこっていたかと思われるほどの力で、衣をべりべりと引き裂き、制止しようと駈けよった侍僧を、はげしい膂力《りょりょく》ではねとばした。

やがて壇にもどると、そのまま座にはすわらず、炎のむこうの大威徳明王の絵像をにらみすえながら立ちはだかり、

「………」

と叫んだが、声は口蓋《こうがい》を走るのみで言葉にはならなかった。恵亮が悩乱したという騒ぎをきいて、石上ノ黒緒は堂衆を押しのけて堂内に入った。外の明るさに馴れた目に、堂内の暗さは身動きを阻《はば》んだ。黒緒は堂のはるか下をのぞいた。そこに一団の火炎があり、独鈷をにぎって上半身をほとんど裸形《らぎょう》にした男が立ちはだかっていた。

「上《かみ》」

ころがるように階段をおりたとき、黒緒の暗い視野の中にある恵亮は、独鈷をゆっくりと左手から右手にもちかえ、

「………」

と叫んだ。取りまく人々の耳には、それは怪鳥の叫び声のようにしか聴こえなかったろうが、黒緒の耳にはまざまざと言葉をなしてきこえた。

「青女」

たしかに、そう聴こえた。しかし、それが恵亮の最後の声だった。次の瞬間、恵亮の

独鈷は、火あかりにきらめいて自らの頭蓋を打ちやぶり、脳漿《のうしよう》をとりだして香にまぶし、三度それを火中に投じて、ついに絶命した。

恵亮の脳漿が火中で燃え、その炎の前でかれが昏倒《こんとう》したとき、絵像の太白牛がまず吠え、大威徳明王が剣をあげ、杵《しよ》をまわしてまざまざと感応したという。

恵亮は悩乱したのではない、といわれた。捨身《しやしん》の修法を験《げん》じて、ついにその念力によって藤原方の艷馬はたちあがり、琵琶股《びわまた》もたくましく残る六日を駈け通して、紀氏の栗毛をはるかに引きはなし、惟仁親王に太子の座をかちとらしめた。のちの清和天皇が、このときの親王である。

この間、小さな異変があった。祈禱の勝利者である僧都恵亮の遺骸が、荼毘《だび》を待つまでのあいだに、何者かの手によって首が切りはなされていたことだった。

「なるほど、僧都のお顔は、めずらしく外法頭《げぼうがしら》だった」

山門で、物知り顔に云う者があった。外法頭とは、頭の鉢がひらき、目が両耳よりも下につき、あごが不均衡にすぼんでいる相をいう。この相の者と生前約束をして、死後すぐそれを切りとり、六十日間人の往き来のはげしい路傍に埋めておくと呪力を発するというのである。

「外法の巫女が垂涎《すいぜん》して盗みとったものに相違ない。探したところで捕まるものではない」

事件はなんとなくそんな茶呑み話に終わって、不問のうちに忘れられた。類似の事件が他にもしばしばあり、のちに太政大臣藤原公相《きんすけ》なども外法頭のゆえに死後盗みとられていることなどからみれば、この当時はさまで奇異とも思われなかったのであろう。

黒緒だけは、この事件ののち唖《おし》のように黙って暮らした。語るのがおそろしかったし、独り居て想像をひろげるだけでもこの小心な男には堪えがたかった。かれだけは、恵亮の死も、競べ馬の奇蹟も、恵亮の修法や念力によるものではなかったことを想像できるたしかな材料をもっていたからである。

牛黄加持

朝から雲が多い。

高倉二条の荒れ屋敷の樹々は、まだ黄ばんだ葉を残していたが、ことしは例年よりも秋の暮れるのが早いらしく、すわっていても、板敷のすき間から冷えびえとしたものが立ちのぼってくるようであった。

屋敷のあるじ法師義朗《ぎろう》は、さきほどから自炊の朝がゆをすすりこんでいた。邸内には、ほかに人はいない。蔀戸《しとみど》のなかは暗く、すりきれた几帳《きちょう》のかげから物《もの》の怪《け》でも出そうだった。ふと箸をとめて、外を見た。義朗の庭には陽《ひ》がなく、荒涼としていた。

が、ここから見える隣屋敷の景観は、別世界をなしていた。さきごろ死んだ贈正一位源左大臣俊房の別業《べつぎょう》なのである。庭にさまざまな落葉樹が植えこまれている所から、楓屋敷《かえでやしき》とよばれていた。

法師の荒れ屋敷とは、築地塀《ついじべい》ひとつで区切られている。塀が落ちて、隣屋敷の庭があ朽葉《くちばら》わにみえた。幾種類ものもみじは、それぞれ、御所染、葛城《かつらぎ》、呉服《くれは》、待宵、夕霧、朽《くち》葉《ば》、松影、清滝、軒端《のきば》、小倉山、さお山、金襴、などという美しい名がつけられ、雲にむかって妍《けん》をきそっていた。

そのとき、不意の明るさに、法師は箸を落した。変哲もない。

雲間から、陽が射したのである。が、やがて光は紅葉の樹林を包みはじめ、多様な色彩が光を噴き、ときに金色《こんじき》を帯び、風がきらきらと音を鳴らしはじめた。法師は溜め息をついた。

「仏国土とは、本当にあるのかもしれない。いや、四時紫金摩尼《しこんまに》の光明回旋するという仏国土が、いま降りてきたのではないか」

義朗は、醍醐《だいご》理性《りしょう》院《いん》の賢覚僧都《そうず》について真言秘密の法義を学んでいる。まだ若い。なまぐさい色身をもち、なお仏道に疑いが多かったが、いまの瞬間だけは曼荼羅《まんだら》の世界を疑うわけにはいかなかった。

降臨した紫金摩尼の光明世界のなかで、義朗自身の体が金色を放ち、そのまま即身で成仏《じょうぶつ》しているのではないかとさえ思われた。

「空き屋敷でございますね」

突如、そんな声で義朗の夢がやぶれた。この秋の日は、鳥羽上皇の院政の御代、保延三年十一月の半ばのことである。

「盗賊のすみかになりそうな屋敷ゆえ、こわしてもとの野原にしておけばよろしゅうございますのに」

(誰だ)

ふらちなことをいうのは、と伸びあがって見た。

いつのまにか、破れ築地から四、五人の女房装束《にようぼうしようぞく》が入りこんでいた。

「こわさねば火事になりましょう」

別の女がいった。

「ついさき、河原の土御門《つちみかど》殿が焼けたのも、隣の空き屋敷で、放免《ほうめん》どもが焚き火をしていたからだそうでございますよ」

賢《さか》しらげに云う。

義朗は、現実につれもどされた。

この屋敷は、もともとは、義朗の父である前《さき》ノ備中権介《びつちゆうのごんのすけ》藤原保連の建て残したものだ。

先年、京から山城一円にかけて得体の知れぬ熱病がはやった。壬生郷《みぶごう》などは、郷中の人が相次いで死に絶えて、軒並に空き家ができたという。菅公《かんこう》の祟《たた》りであると古い話をもちだす者があった。義朗の父保連は、任国から戻ってほどなくこの熱にとりつかれ、母、兄へと感染して相次いで死没した。

そのまま数年、空き屋敷のまま捨てておいたが、ある日、師の賢覚が義朗をよんで、

「ときおり暇をやる」

「え？」

「京の里屋敷へもどるがよい」

「お情けはありがたく存じますが、すでに俗縁の者が死に絶えてたれもおりませぬ」

「わかっている」

（はて。——）

解《げ》せぬまま自室にもどったが、あとで兄弟子の中で事情を知る者がいて教えてくれた。あの屋敷地が、すでに捨て屋敷になっているものとみて、検非違使左衛門尉《けびいしさえもんのじよう》平忠盛という者が、院に願い出て拝領がたを運動しているという。それだけならばよい。宋との交易で利を得ている忠盛は、日頃帰依《きえ》している天台の阿闍利《あじやり》のためにあの屋敷を改造して寺を寄進するという。宗派意識のつよい賢覚僧都にすれば京の市中に天台の寺院が一つふえることは、真言の流儀がそれだけ衰えるということであった。

そういう事情から、義朗は、べつに帰りたくもない空き屋敷にときどき寝泊りにもどるようになったのだが、不意の侵入者にこういう放言をされては、さすがに腹の虫がおさまりかねた。

（追おうか）

立ちあがったとき、義朗の耳に、低い声が伝わってきた。義朗は、息をとめてその声をきいた。声は、侍女たちをたしなめるように、

「そういうことを申すものではありませぬ。このお屋敷は前ノ備中権介のお屋敷で、ま

だ生き残った方がいらっしゃるはずなのです。——たしか」

　そこまできいたとき、義朗はすねをのばして立ちあがっていた。

(そうだ、あの声は、匣ノ上《くしげうえ》のお声ではないか)

　匣ノ上というのは、右大臣藤原長実の姫で、得子という。母が源左大臣俊房の娘であったために、義朗がまだこの屋敷にいるころから、ときどきとなりの楓屋敷にあそびにきていた。匣ノ上と愛称されるのは、匣の里御所《さとごしょ》でうまれたためであろう。

　義朗は、姫のまだ幼いころから垣間《かいま》みて知っていた。知っているどころではない。

　十六歳で得度した義朗は、ほどなく僧房のなかで、兄弟子たちから、自慰の方法を教えられた。僧房の伝承ではこの事を、

「持戒の秘法である」

　という。いうまでもなく仏法では女犯《にょぼん》は破戒の最大のものである。僧たちは稚児をもてあそんだ。が、稚児に伽《とぎ》をさせるのは高位の僧にかぎられていた。末席の僧たちは自慰でみずからの煩悩《ぼんのう》を消すほかなかった。みずからの手でその肉体をけがすことには仏法は寛大であり、釈尊の祇園精舎《ぎおんしょうじゃ》のころからすでにその法があるとされていた。兄弟子たちは、

「女を想え」

　と教える。自慰は、その想念の中の女にむかっておこなわれるのである。俗世の夫婦とおなじく、女は生涯で一人を守るのがよいとされた。吉祥天女を自分の女にする者も

あり、町ですれちがった物売り女を思いえがく者もあり、得度の前にまじわった肉親縁者のうちから選んで、生涯、想念の中で連れ添う僧もあった。——義朗は、少年のころ数度垣間みた藤原得子を自分の妻《め》とした。幼顔の得子の像は次第に義朗の想念のなかで成熟し、ついにある年の真夏の日、得子の肢体は完成した。

というその日は師匠の用で、教王護国寺の阿闍利某を訪ねるために京へ出た。東寺と通称されるこの寺の塔が、ちょうど修築を終えたばかりであったために洛の内外から見物の男女が境内へ押しかけていた。帰路、義朗は、ようやく人波をかきわけて三門を出た。そのとき、人波がくずれて、参詣人たちが義朗の前を走りだした。

「匣ノ上じゃ。見ませ」

と口々に云いながら、駈けてゆく。つられて義朗も駈けた。義朗のほとんど目と鼻のさきで青糸毛車がとまったのだ。

「おお」

義朗は、眼球から血のにじむほどに凝視した。牛がはずされ、前板の下に黒漆に金蒔絵でかざった榻《ふみだい》がおかれた。簾《すだれ》が高くあげられ、はなやかな色彩がこぼれた。右足が、榻へおりた。体をささえるために、白い左手が、車の屋形の袖をわずかにつかんでいた。

（おお）

義朗は、呼吸をわすれた。袖からわずかにこぼれ出ている白い手に、義朗は姫の裸《ら》形《ぎょう》のすべてを想像することができた。そのわけは云うまでもない。——姫は義朗が馴れ親しんだ妻《め》であったからだ。

そののちも、人のうわさで得子のことが出れば、あまさず耳にとめた。のちに美《び》福《ふく》門《もん》院《いん》の名で語り伝えられた藤原得子の美貌は、すでにこの当時から洛中の評判であった。その得子が、どういう仏天の加護か、いま義朗の荒れ庭に足を踏み入れているのである。しかも、供の者の雑言をおさえ、

「わたくしは覚えています」

と云ってくれたのだ。

「たしか、醍醐理性院の賢覚上人さまのお弟子になられた義朗という方が、まだ在世でいらっしゃると聞いています」

「その義朗が――」

法師は思わず駈け出していた。

「私めでござりまするわ」

身を投げ、足もとに跪《ひざまず》き、くわっと目をあげて得子をみた。しかしそこにはたれもいなかった。相変らず義朗は暗い蔀戸のなかに居た。そばに椀がころがっており、たべ残しの粥がこぼれていた。ありようは義朗の体が、動かなかったのだ。手足がぶるぶるとふるえて硬着し、体が椀のそばに貼りついたまま、想念の中の義朗だけが、蔀戸をあけ、濡れ縁からまろび落ち、庭を這い、得子の足もとに身を投げて、たけだけしく頭をあげたにすぎなかった。

現実の義朗は、むなしく板敷に伏していた。からだの内部から生温かいものが湧きはじめ、やがて膨満し、体外へ溢出《いっしゅつ》した。光明のない薄よごれた意識の中に陥ちこんでゆく義朗の耳に、はなやかな笑い声が忍び入り、やがて遠ざかっていった。

義朗は、力なく蔀戸の中から庭を見た。

白い単衣《ひとえ》をかずいた中央の小柄な女性《にょしょう》の後ろ姿こそ得子であるはずであった。

翌日、楓屋敷の雑人《ぞうにん》に訊ねてみると、得子は方違《かたたがえ》のために楓屋敷にきたのだという。

当時、公卿のあいだで、方忌《ほういみ》の信仰がほとんど生活の中に溶けていた。ある方角に所用があるとする。その方角に不吉とあれば、前夜他の方角へ出ていったん泊まり、翌日あらためてそこから目的の場所へ出発するのだ。北隣にゆく場合もあり、知人の宅を宿にする場合もあり、ときには、見知らぬ町衆の家などに頼んで方違をすることもあった。得子は、外祖父の別業を方違の宿に選んだという。

義朗には、画才があった。師の賢覚が、他の弟子にもまして義朗を愛したのは、その画才のゆえであったろう。

この時代、真言、天台の密教は、加持祈禱を本宗としていた。加持をする場合、まず祈るべき内容によって、壇にかかぐべき本尊をきめねばならない。本尊はかならず画像であり、彫像はとらなかった。しかも、法によってそのつど描きおろさねばならなかった。画像は消耗品といえたが、消耗品とはいえ、俗人の絵師の筆は禁物であった。一山のうち、画才のある弟子をえらんで描かしめた。

もとより巧拙は問わない。

ただ、秘法があった。ひとつは、余人に知られたくない秘法があるゆえに、寺院では在家の絵師の手に触れさせなかったのであろうか。――

この日、義朗は、師の僧の命で、孔雀明王の像を描こうとしていた。

製作の部屋へは、師の僧のほか入ることを許されない。香を焚き、孔雀明王の呪《しゅ》を唱えつつ、とりかからなければならなかった。

孔雀明王は、仏説では胎蔵曼荼羅《たいぞうまんだら》の蘇悉地院《そしっちいん》に住み、皮膚は白く、白絵の軽衣をまとい、頭冠をかぶり、瓔珞《ようらく》をたらし、四つの腕に釧《くしろ》を巻き、金色の孔雀に乗って結跏趺坐《けっかふざ》している。密教行者が、敬愛、増益、降伏、息災《そくさい》を主題する加持に用いる本尊であった。

義朗は、絵具を用意した。群青《ぐんじょう》、緑青《ろくしょう》、胡粉《ごふん》、黄土、朱土、石黄、藍、代赭《たいしゃ》、藤黄《とうおう》、臙脂《えんじ》、金粉、銀粉の順にならべ、その横に絹布を展《の》べおわったとき、師の坊が入ってきた。

「用意はできたか」

「はい。このように」

「白瓷《はくじ》は」

「用意つかまつってございます」

義朗は、白い陶製の鉢を捧げて賢覚の前にすすみ、その膝の前に置いた。

「よかろう」

賢覚は、右膝をたてて衣の前をまくり、手を臍下《せいか》に入れて、いきなり陽根をとりだした。義朗はその陽根の前に香炉をすすめ、静かに師の僧のそれを香で燻じはじめた。

香煙のなかで、賢覚のそれは、萎《な》えしぼんだまま炉にむかって垂れている。不犯《ふぼん》の阿闍利である賢覚のそれは、齢《とし》のわりには色が白く、円頭はつやばみ、ほのかに血の色をみせて光っていた。

「香をさらに。――」

「はい」

つまんで、炉にくべ足した。

「後門《こうもん》を行《ぎょう》ぜよ」

「承ってござりまする」

義朗は、こうべを垂れ、膝で進み、師の坊の背後にまわって、その臀部《でんぶ》に手をさし入れて、膀肛《ほうこう》のまわりを掻きはじめた。

「もっと柔《やお》う」

「はい」

「さらに強う」

「はい」

「撫でよ」

「承ってございまする」

「むせぶがごとく撫でよ」

「このようにでございまするか」

「肨肛に指を入れよ」

「はい」

云われるまま介抱するうち、義朗のひたいに薄く汗がにじんできた。やがて師匠は、

「よい」

といった。義朗は手をとめ、再び膝をにじって賢覚の前にもどった。

香煙の中にある賢覚僧都の陽根は、すでに兀《こつ》として天を突き指していた。

「孔雀明王の呪《しゅ》を唱えよ」

それが賢覚僧都の最後の命令だった。そのあと僧都は目を閉じ、口をつぐみ、おのれの掌をもって陽根を摩刮《まかつ》しはじめた。

義朗はしずかに呪を唱えつづけている。部屋の中は、義朗の唱える呪と、陽根の上を走る賢覚の掌の音のみがさやさやときこえた。

(師の僧は)

義朗は考える。

(陽根を摩刮するとき、どのような女身を想うのだろうか)

ふと、あの日、庭で見た藤原得子のかつぎの中の白い顔を想った。想ってから、あわててそれを消した。師匠のための呪を唱えながらわが妻《め》を想うことは、師匠へのけがれであろう。

(師匠なら、おそらく豊かな吉祥天女の裳《もすそ》のひだでも想うているのではあるまいか)

「呪を」

叱られた。くちずさむことをわすれたのである。やがて、師の坊の吐く息が荒くなり、肩がうごき、腕がふるえて、

「呪を大きく」

「はい」

賢覚は、突如あごを上げ、背をそらした。かと思うと、白瓷の器《うつわ》のなかにおびただしい精水《しょうずい》を吐きだした。

「おう、白《しろ》じゃな」

仏典のなかでは、精水は五つの色彩に分類されている。白、黄、青、赤、金がそれであった。白を最上とし、疲れたときは青味を帯び、病いのときは黄色であり、ときに赤味をおびる。仏陀の精水だけは凡夫とはちがって金色であるという。

「されば、頂戴つかまつりまする」

義朗は鉢を捧げた。この精水に卵白と膠《にかわ》を入れて攪拌《こうはん》するのだ。その液体をもって岩絵具《えのぐ》を溶くのである。阿闍利の精水を混入するのは、「行者の心水をもってよく仏天を

感じせしめ、本尊即行者、行者即本尊の入我我入の妙観にいたらしむ」るという加持の本義にもとづくものであった。

その年の夏、一山の夏安居《げあんご》がおわってから僧房の弟子たちの休暇の日が一日あった。それぞれ、洗濯をしたり、山遊びをしたり、象棋《しょうぎ》に興《きょう》じたりする。

蘇海という兄弟子があった。陽のさす縁がわで腹ばいになりながら下着のしらみをとっていたが、急に、

「義朗」

と話しかけてきた。

「お前の妻《め》はたれか」

「さあ、それより蘇海どののふしどには、どなたが居らせられましょう」

「あは、わしは浮気でな」

蘇海は毛ずねを掻きながら、

「ときに魚籃観音《ぎょらんかんのん》があり、ときに蓮臥《れんが》観音があり、ときに楊柳観音がある。先夜は、白衣《びゃくえ》観音を勧請《かんじょう》し奉ったわい」

「みな、よいかたばかりでありますな」

「お前はどなたじゃ」

「わたくしのは、生身《しょうじん》でございます」

「ほう」

にわかに興味をおこしたらしく、身をのりだして、

「たれじゃ。わかった。ときおり庫裡《くり》へ牛蒡《ごぼう》などをもてくるあの日野ノ里の物売りかよ」

「あれは、いこう、齢《とし》がさではありませぬか」

「そうであった。このあいだも、五十五じゃと申していた」

思案して、

「お前は受領《ずりょう》の子ゆえ、やはり御所の命婦《みょうぶ》でも想うているのであろう」

「いや、匣ノ上でござりまする」

「えっ」

唇をだらりと垂れた。まさか、右大臣の姫とは思わなかったのに相違ない。

「それは僭上《せんじょう》じゃ」

嫉妬をおぼえたらしく、眉をひそめて義朗をにらみつけた。

「若僧の身で僭上であるぞ」

「かと申しても、蘇海どのの妻にはおよびませぬ。藤原の氏ノ長者の娘とはいえ、所詮は俗世の女人であり、大慈悲の妙体にます観世音菩薩にはおよびもつかぬことでございます」

「なるほど、そうもいえる」

しばらく考えていたが、

「ところで、お前は、その匣ノ上に会うたことがあるのか」

「幼なじみでござりました」

蘇海をうらやましがらせるために、義朗は多少の誇張をまじえた。一度誇張すると、話は際限もなく尾ひれがついてゆく。義朗は自分の作り出す話に楽しくなった。それを、蘇海は目を光らせて根ほり葉ほりに訊くのだ。

「するとわれは歌まで送ったのかよ。が、まさか、手までは触れまい」

「忍《しの》うで参りましたのは春の宵でござりました。すでに匣ノ上は寝ずにお待ちあそばして」

と、几帳のかげでおこなわれたくさぐさのことを義朗は物語った。義朗が出家をしたのは十六歳のときである。そのとき匣ノ上は九歳にすぎない。そう勘定すればうそはすぐ知れることなのだが、いまの蘇海にはそれに気づくほどの余裕はなかった。――が、ふと、義朗は心配になった。蘇海がこれほど熱心に訊くところを見れば、ひょっとすると匣ノ上を盗《と》るつもりではあるまいか。義朗はあわてて手をふった。

「蘇海どの。それはなりませぬよ」

「なにがじゃ」

「匣ノ上は義朗ひとりの妻《め》でござります。まさかお盗みなさるおつもりではありますまいな」

「盗るものかよ」

蘇海はあわてて唇のよだれをぬぐったが、目に残った熱っぽい血の気は、十分に義朗の心配を裏書きしていた。

「おれには観世音菩薩があるでな」

「そうでございました。それほど有難い妻はござりますまい」

「しかし、惜しいことに観音にはお声がないわな」

「もったいないことをおおせられます。一心に観音を勧請し奉れば、玉女となって僧の夢寐《むび》に現われると申すではありませぬか」

「玉女ノ偈《げ》じゃな」

「左様でございます」

玉女ノ偈とは、僧の色欲のなやみを救うために観音が作った偈であるという。おそらく叡山か高野山の学生《がくしょう》の何者かが戯作したものを、のちの不犯僧《ふぼんそう》たちが語り伝えたものであろう。

行者宿報設女犯
我成玉女身被犯
一生之間能荘厳

臨終引導生極楽

「行者よ」、と観音が夢寐の間《かん》に僧に語りかけるのだ。「もしお前が宿報として女犯をせざるをえない身なら、いかにも可哀そうである。私が玉女になってやる。そしてお前によって犯されてやろう。そのかわり、一生のあいだ私を荘厳《しょうごん》せよ。死に臨めば、その縁でお前を極楽に生ぜしめてやるぞ」どの時代の不犯僧もこの玉女ノ偈にすがって煩悩を解消《げしょう》してきたのだ。

「が」

蘇海は愚鈍な眉をひそめて悲しそうに云った。

「わしの行法の至らぬせいか、まだ観世音菩薩は玉女になり給わらぬ。やはり生身《しょうじん》の女人がよい。義朗、もっと匣ノ上を語ってくれ」

「いやじゃ」

「なに」

腹がたったらしい。いきなり義朗の襟がみをつかみ、

「もう頼まぬ。したが、これだけは申しておく。埒《らち》もない分際で僭上であるぞ」

「なんの僭上なことがあろう。あの君は拙僧の幼なじみです」

「ばかめ、昔はおのれの幼なじみであったかもしれぬが、いまは万乗の君の女御《にょうご》であられるわ」

「えっ」

義朗が驚かねばならぬ番だった。

「ほう、知らなんだのか」

蘇海は拍子ぬけした顔をした。

「存じませなんだ。教えてくださりませ」

「お前の妻《め》のことではないか。まことに知らなんだのか」

「存じませなんだ」

泣きそうな顔になっていた。いったい、いつのまに女御になったのか。

「まだほどもない」

蘇海はいった。今上ではなく、院の女御にのぼったというのである。院とは、当時、すでに崇徳《すとく》天皇に位を譲って十四年になる鳥羽上皇であった。上皇は他に女御も多い。しかも、崇徳天皇に藤原璋子が中宮の位にあり、おなじく藤原泰子がわずか五年前にその寵によってとくに皇后の称をさえ与えられたおりでもあったが、得子の麗質をきいてことさらに入《じゅ》内《だい》を求められたという。

（女御に。……）

心がしぼむ思いであった。おろおろと手足の置く所を知らず数日をすごした。想念の中の妻であるが、想念の中の妻であればこそ、その女人が他の男の妻になるのは堪えがたいことであった。きけば、上皇は多淫のひとであるという。仙洞《せんとう》御所に多くの女人を擁しているというのに、なぜ不犯の僧の想念の女まで取りあげねばならないのか。その顔を義朗は、かつて御所の加持のときに、ほのかに簾をすかして見たことがあった。年を経た狐のような顔をしていた。顔を思いうかべるたびに、暗い嫉妬を覚えるのである。

奇妙なことに、女御の一件をきいてから、暮夜、義朗の臥床《ふしど》に得子が顕《あら》われることがすくなくなった。あらわれても、以前には瞳の色まで鮮明に映じた彼女の像が、手足さえおぼろげにうかぶのみであった。うかんだところで、すぐ得子の像のむこうに狐のような顔があらわれて、無残に掻き消した。義朗は、孤閨《こけい》のなかに寝なければならなかった。時に、得子の映像を引きとめるために手で掻き足であがき、臥床を汗でぬらすことがあった。義朗は目にみえて憔悴《しょうすい》した。

(どういうことであろう)

ひとつの妙計をえた。映像を定着させるために、絵をかく以外に手はなかった。それには得子の像を菩薩像に仕立てかえてしまうことであった。

(観音がよい)

しかし、得子に似あう観音とはいかなるおん姿のものがよかろう。

観音は、観自在ともいう。救世の大士である。ときに女身となり、ときに童形となり、ときに夜叉《やしゃ》となり、ときに天大将軍の身となって変化《へんげ》する。変化に三十三相があるときれ、その相によって、たとえば遊戯《ゆげ》観音、水月観音、延命《えんめい》観音、瑠璃《るり》観音、竜頭観音、一葉観音、葉衣《ようえ》観音、威徳観音、蛤蜊《こうり》観音などとおん名がついていた。

得子の像にはなんとなく遊戯観音がふさわしく思い、構図をきめると、一気にかきあげた。線に筆勢がみなぎり、出来ばえに満足した。

「よい」

彩色はせず、白描《はくびよう》の像である。蓮台に乗り、絃器を弾じている。その夜、義朗はそれをふしどの中にもちこみ、薄暗い灯あかりのそばでみた。手を入れてそっと陽根に触れた。

（………）

なんの情欲も起こらなかった。筆勢が荒らすぎたのかもしれない。

次の日は、かきあらためた。

こんどは、丹念にかいた。顔ができた。前よりもさらに似ていることに義朗自身がおどろいたほどだった。わずかに色彩を点じ、光背《こうはい》までえがいた。宝冠を重たげに左へかしげ、右肘《みぎひじ》をまげて、物憂そうに視線を下へ落している。粉本《ふんぽん》にある遊戯観音の像にくらべ、その姿態はどことなく崩れていることに義朗は気づかなかった。

（これは……出来たわ）

夜を待ってふしどの中でひろげてみた。

（絵像に神《しん》がない）

義朗は、はっとした。神がないために姿が動かないのである。姿が動かねば、情欲が湧かないのも道理だった。

義朗はいそいで起きた。画室にもどって、筆墨をもってきた。

ふしどでかきはじめたのだ。もともと、画室でえがくべき像ではあるまい。体温でぬくもったふしどの中で描くべきであった。描きながら義朗の皮膚はほのかに汗ばみ、肉はゆるみ、筋は溶け、血は駘蕩《たいとう》としてときになまぐさく湧いた。

義朗は、薄暗い灯の下で、のろのろと線をひいてゆく。かたちは容易にきまらない。何度か描きつぶした。

油が切れ、灯が消えた。おりよく、十三夜の月が射しこんでいた。義朗は作業をつづけた。月が雲間に入れば凝然《ぎょうぜん》と目をつぶった。閉じることも楽しいことであった。まぶたの裏で得子が、さまざまの肢体でうごくのである。とじながらも、義朗自身の気づかぬまに筆先きだけは、這うように紙の上を蠕行していた。

何度か月がかくれ、月が出た。最後に月が明るく醍醐《だいご》の峰の上に出たとき、義朗は大きく目をひらいて紙の上を見た。

（あっ）

そこに、宝冠をかぶり、素肌に軽衣をまとった得子が、脚をひらいて趺坐《ふざ》しつつ、婉《えん》孌《れん》として微笑していた。唇のなかに歯までみえた。歯をぬらす唾液まで感じとれた。

描線は、前二者よりはるかにつたない。胴が長く四肢がみじかく、顎が異様に長かったが、その不均衡な稚拙さが、かえってなまなましい情念をにじみ出していた。拙劣な姿態は、なにざまにも変容した。いまにも義朗のくびに腕をからませて愛撫を待とうとするがごとくであった。義朗は次第に膨満し、月の隠れとともに溢出し、やがて月が再び枕頭《ちんとう》に落ちたときは、こころよい虚脱のなかにあった。

翌日、師の坊の部屋によばれた。

賢覚僧都は夏の真っ盛りというのに七条袈裟をかけ、黒ずんだ唇をひきしめて、ひとり端座していた。

「義朗、大役があるぞ」

いきなり云う。

そのくせ、役目のことは話さず、ただ用のみを云いつけた。

「向後《こうご》、六、七カ月かかってもよい。旅に出よ」

「いずちへでも。——が、御用はなんでござりましょうか」

「申さなんだか」

「うけたまわりませぬ」

「牛黄《ごおう》……」

「は？」

賢覚は咳をした。背をまるめあごをあげて咳きこみはじめた。一度しわぶくと止まらないようであった。賢覚には労咳《ろうがい》がある。ながい持病だが、ことしに入って風邪をひくことが多くなったようだった。

「牛黄を求めて来《こ》う」

「牛黄ならば、内裏の典薬寮か市中の薬商のもとにございませぬか」

「おろか」

咳をした。

「あっても、それらは肝黄《かんおう》であるわ。生黄《しようおう》でなければならぬ」

牛黄とは、牛の病塊である。牛の角、肝臓、胆嚢《たんのう》もしくは心臓に生ずるもので、肉腫《にくしゆ》または癌であろうか。死牛から切りとったものを肝黄といい、殺した牛の角からとったものを角中黄《かくちゆうおう》といい、生牛から得るものを生黄という。生黄は医薬のなかでも最も高貴とされ、その一匁あたりの価《あた》いは、黄金に十数倍する。服用すれば、死者さえよみがえるというほどのものだ。

「生牛に牛黄があるかどうかを見わけるのがむずかしい。典薬寮の医生《いしよう》でそのことに長《た》けた者がいる。頭《かみ》には話をつけておいたゆえ、その者をともなうがよい」

咳をした。義朗は師の背をさするために背後にまわって、

「その牛黄は」

ときいた。

「薬餌《やくじ》になされるのでございまするな」

「ばかめ」

呟きこみながら、

「牛黄がこの労咳にきくかよ。牛黄加持《ごおうかじ》に用いるのじゃ」

「知らんのか」

「浅学でございまする」

「学んで知るものではない。口伝《くでん》がある。いずれは伝えよう。——ところで、この加持には、お前をぬきんでて筆頭承仕《しょうじ》とする」

「あ」

「うれしいか」

「かたじけのうございまする」

承仕とは加持を執行するいわば助手にすぎないが、密教行者の最高位である阿闍利に達するには経ねばならぬ義務である。その筆頭といえば、法臘の若い義朗には抜擢《ばってき》の人事であった。

「して、その牛黄加持はいずれから頼まれたのでございましょう」

「仙洞御所である」

「御所の」

「女御じゃ」

「あ、もしや、匣ノ上ではございませぬか」

「よう存じている」

「師の坊」

思わず賢覚の背をつかんだ。

「あすといわず今日からでも、牛黄をさがすために旅立ちましょう」

「それがよい」

賢覚は、匣ノ上が義朗にとって玉女であるとは、むろん気づいていない。

生きた牛黄をさがすことは、予想していたよりもはるかな難事であった。まず、京の市中の牛という牛をたずね、さらに、山城、丹波、大和、但馬《たじま》と近国をさがしまわった。

「病んだ牛はおらぬか」

農家へ入ってきく。病んでおれば医生が牛の腹部をおさえ、心あたりのしこりがないかをたしかめるのだ。

医生秦道臣《はたのみちおみ》は地方の荘司《しょうじ》の息子で、心映《こころば》えもあかるく、なによりも牛の病いに興味をもっていたから、この根気の要る仕事をすこしもいやがらなかった。

「牛黄と申すのは」

この男の癖で、鼻の頭を指先きで撥《は》ねあげながら云った。

「それをもつ牛を見つけたところで、すぐ取れるものではない。薬用にするには牛をクカンカッパクせしめねばならぬ」

「なんのことかな」

「吼喚喝迫」

と掌の上に文字を書き、

「その仕事をあなたにおねがいする。まず牛をつないでおいて、所かまわず撲《う》ち、牛をさんざんに吼《ほ》えさせ、しかるのち殺して切り取る」

月日は容赦なく経ち、ついに畿内《きない》五カ国をたずねても牛黄をもつ牛は見つからなかった。

「この上は筑紫へ参りましょう。かの国の牛には牛黄が多いとききます」

「いず地へでも」

筑紫はおろか、あの君のためならば義朗は韓国《からくに》へでも行くつもりであった。

幸い筑紫で得た。気候風土にどういう因があるのか、この地では拍子ぬけするほど容易に得られた。大宰府で一顆《いっか》、御笠川の下流で三顆、怡土《いと》で十顆を得て、京へもどったときは、すでに年を越えて二月堂の修二会《しゅにえ》もおわり、京は花を待つ季節になっていた。

醍醐の師の住院につくと、わらじを解くのももどかしく駈けあがって、

「師の坊はいずれにおじゃる」

「御寝所じゃ」

「この真昼から？」

「咳のお病いが、はかばかしゅうない」

「お悪いのか」

「あがって見舞うがよい」

部屋に入ると、賢覚は存外元気な顔色で床の上に起きあがった。

「これほどもござりました」

「ほう、ほう」

手をたたくようにしてよろこび、

「これで賢覚も、一代の誉《ほま》れの加持がつとまる」

「ほまれと申しますと？」

「准胝《じゅんでい》（観音の名）に祈って皇子を生み奉る」

「すると」

「なんじゃ」

「はや御懐妊でござりまするか」

「そのように聴く」

「御懐妊」

「なんという顔をする」

「いや」

義朗は真っ青になっていた。賢覚は気にとめず、侍僧に命じて棚から蒔絵《まきえ》の箱をおろさせた。
「これに、このたびの牛黄加持の割りがある。見ておくがよい」
阿闍利賢覚僧都
とある。ついで、
承仕
と肉太に書かれ、
義朗
性空
駆使《くし》の役には、無夢、舜応、教道、宗隠、とあり、見丁《けんちょう》の役には、浄珍、善道、祐玄、と出ていた。
「加持は、つぎの白月十五日にきめられた」
牛黄加持は満月の夜にかぎるのである。
「加持の支度は、満月に先立つ十八夜前からはじめる。あすはその日にあたる。支度せよ」
賢覚はその支度すべき品々をこまごまと教えた。金、銀、真珠など五宝。人参、天門冬など薬物五薬。沈、白檀《びやくだん》、丁字《ちようじ》、鬱金《うこん》、竜脳の五香。稲、大麦、小麦、緑豆、胡麻《ごま》の五穀をはじめ、机、檀、衣料にいたるまでおびただしい種類の品を必要とした。
「ご本尊は」

賢覚はいった。描かねばならぬ絵の画題であり、義朗が聞くべき肝腎のことであった。

「准胝観音である。あすからかかれ」

「お精水《しょうずい》は？」

「あす、としよう」

（大丈夫だろうか）

果して精水が採れるか。旅へ立つ前とは、人がかわるほどに痩せおとろえている師の顔をみてひそかに案じた。

翌日、賢覚の侍僧が義朗をよびにきて、精水は画室でせずに床の中でするという。賢覚はそこまで衰えていた。

義朗は云われるままに師の寝所にゆき、ふしどのなかに白瓷の鉢を差し入れた。

「稚児を呼びましょうか」

賢覚にも寵童がいた。稚児を招んで、それによって衰えた肉体から情念をかきたてさせようと思ったのだが、賢覚はにべもなく手を振り、

「無用よ。修法《ずほう》のさまたげになる。一念に准胝観音を祈念し奉れば、精水おのずから湧こう」

いつものとおり、義朗は師のからだを介抱し夕刻にまで至ったが、ついになんのきざしもないまま賢覚は全身に冷たい汗をかき疲労困憊《こんぱい》して、ほとんど呼吸さえくるしくなる始末だった。

「あす、つかまつりましょう」

師をなだめて寝かせて、念のために人参ひときれを与えた。

その翌日もむなしかった。最後の手段としてこういう場合、用いる方法があった。それは、一掬《いっきく》の般若湯《はんにゃとう》（酒）に催淫強精の薬草といわれる淫羊藿《いんようかく》を刻みこむのである。それを僧のあいだでは妙尋湯といった。

「お用いになりますか」

「ああ」

無造作にうなずき、

「見丁に採りにやらせるがよい。淫羊藿なら裏山の薬師堂の東の百年松の根もとに生えている」

「早速に」

と答えた。肚《はら》の中では、賢覚ほどの古い行者になれば淫羊藿の生えている場所まで知っているものだと感心し、あるいはときどき用いているのかもしれない、とも思った。

妙尋湯を与えると、効験はあった。たちどころに賢覚は生色を帯び、みずから摩刮し、少量ではあるが精水を得た。

「青うござりまするな」

「病いには勝てぬ。准胝観音も諒《りょう》とし給わろう」

義朗はそれで顔料を溶き、准胝観音一幅を仕上げた。

加持の支度というのは存外いそがしいものだ。五室、五薬、五香、五穀を調《ととの》えるだけでも大変なのに、加持の種類によって、壇の大きさまでちがう。牛黄加持の場合、壇は方六尺という定めがあり、一分でもまちがえば効験が減ずるといわれた。むろん、それらは加持のたびにあらたに調えねばならない。

義朗の毎日はいそがしかった。それらの多忙な法務から解放してくれるのは、就寝だけであった。疲労がかさなった。寝ることだけが楽しみだった。そこに安息があるだけではなく、得子が待っていたからだ。

毎夜、得子がきた。

妙なことだが、牛黄加持の一件をきいてからは、日をおかず寝床に得子を誘い入れなければ寝つけない習慣になった。ときには一夜に二度も誘った。もはや以前のように、得子を妻にしているという駘蕩《たいとう》としたゆとりはなくなった。現実の得子は、狐のような男に抱かれ、しかもその子をさえ宿しているという。義朗ひとりのものではないのだ。得子をよぶことを一夜でも怠《おこた》れば遠くへ消え去ってしまいそうに思えた。

遊戯観音像も、あの夜かいた一枚きりではなかった。きのうの絵は、夜が改まればすでになんの情念もおこさなくなっていることを発見したのだ。毎夜の合歓のために、毎夜かいた。夜を経るごとに像はすこしずつ崩れてゆき、ついに、明後日はいよいよ牛黄加持がはじまるという十六夜目に、義朗のえがいた紙幅の上には遊戯観音は存在していなかった。

そこに、ただ女がいた。宝冠は落ち、肌に軽衣をさえまとわず、蓮台の上に脚をまげ、両腕で天を抱いている奇怪な絵だけがあった。

そのくせ、義朗の観音を欣求《ごんぐ》する敬虔《けいけん》な気持にはかわりがなく、合歓を終えて得子の幻影がかき消えると、

「念彼観音力、釈然得解脱、呪詛諸毒素、所欲害身者……」

幾くだりかの観音経を誦《ず》するのが常であった。習慣というだけではなく、諸願をすべて聴きとどけるという経文は、合歓のあと濁ったなにかを澄んだこころよいものに昇華してくれるふしぎな働きがあるようであった。

「いよいよ、あすじゃな」

師の坊がいった。

「はい。御所へ参るのでございますな」

「御所ではない。申さなんだか」

「承っておりませぬ」

「お里の右大臣邸でおこなわれることになった」

もともと、女御は御所において修法することのできない定めであったが、匣ノ上のばあい、押して壇を御所に設けることになっていた。それほど、院の寵愛が深かった。と

ころが、古法を破って宮中で女御が修法をしたのは、人皇六十五代の花山帝《かざん》のとき帝の寵姫弘徽殿《こきでん》ノ女御の場合が唯一の例となっており、そのためあとで後宮が混乱した。悪例を繰り返さずということで、こんどは常例により、里の藤原邸で行なうことになったという。

「あの……」

「なにかな」

「まさか、直修法《じきずほう》ではござりますまいな」

「おうさ。直修法よ」

「ああ」

「いかがした」

「なんでもござりませぬ」

普通の場合、加持を受ける者をその場に居らしめることはすくない、直修法とは、匣ノ上自身が祈禱室に身を置くことだった。

(生き身の得子を拝める。……)

わッとその場でおどりあがりたいような衝動に駆られたが、賢覚の前ではそうもならず、かろうじて口を抑えて引きさがった。

――いよいよ加持の当日になった。

当日、朝から賢覚僧都の病状が思わしくなかった。咳がしきりと出、ときに痰に血が

にじんだ。弟子たちが案じて、他の阿闍利に代行をたのむようにすすめたが、

「おろかなことを」

と真顔で叱った。

「天台は知らず、真言では賢覚のほかにたれが牛黄加持の秘法を伝えているか」

右大臣家の一室に加持の壇が設けられた。四基の燈明台に灯を点じ、脇机二前、礼盤一脚を置き、香を燻《くす》べ、賢覚僧都みずからの手で、おのが精水をもって描かれた准胝観音の画像一幅をかかげおわると、ようやくにして加持の支度は成った。

准胝観音は準胝とも書く。形像は黄白色を呈し、腰に白衣をつけ、三面十八臂《ぴ》あり、第一の手は説法相、第二の手は施無畏《せむい》の印《いん》、第三は剣、ついで数珠、斧、鉤、金剛杵《こんごうしょ》、如意宝幢《にょいほうどう》、蓮華、索、輪、螺、瓶、などを持って蓮華上に座し、この菩薩を念ずる者は、児を得るという。

「モシ女人アリ」

と、経典は観音の功力《くりき》を説くのだ。

「男児ヲ求メント欲スレバ、礼拝供養セヨ。スナワチ福徳智慧ノ男ヲ生マシメン」

女児を生もうとすれば女児、男児を生もうとすれば男児を得ることができるというのだ。

「タダ、カノ観音力ヲ念ゼヨ」

経典は説く。香煙のなかで、賢覚はその観音経を誦《ず》し、義朗らが和して初夜がすぎた。

二夜も滞りなくすぎた。三夜、四夜がすぎ、結願《けちがん》の夜の夜半、ついにその瞬間がきた。匣ノ上が、承仕性空に導かれ、香煙と声明《しょうみょう》梵唄《ぼんばい》の声の満ちた加持の室に入ってきたのである。義朗の背後にすわった。義朗は、自分の背後に匣ノ上がいることを気配で感じたが、壇にむかって経を誦しつづけているかれにはふりむく自由がなかった。かれは心中でよびかけた。

（わが妻《め》よ）

香煙のなかで、女御の匂いをするどく嗅ぎわけることができた。むろん、女御の生《しょう》身《じん》の匂いを嗅いだことはない。が、いま香煙のなかにまじるその匂いは、ひそかに馴れ親しんできた暮夜の匂いと、ふしぎなほどに一致していた。

義朗は、いちだんと経をよむ声をあげた。夫《つま》義朗がここにいることを報《し》らせるときの声に似ていた。

師の坊が、急に読経をやめてふりむいた。

「義朗よ」

背に気をとられている義朗には聞こえなかった。

「義朗」

はじめて返事をして師匠をみた。その顔が死人のように蒼いのにおどろいた。

「いかがなされました」

「しばらく」

賢覚は立ちあがって襖にむかって歩きだした。筆頭承仕義朗のみがそれにつづいた。

立ちあがったとき、すばやく匣ノ上のほうを盗みみた。女御は、顔を伏せていた。中啓をもち、頰を覆い、義朗の角度からはほのかに手がみえるだけで女御の貌《かお》をみることができなかった。

義朗は失望した。念ずるような心中の声をもって、

（夫《つま》義朗が、これにおりまするぞ）

呼びかけてみた。むろん女御の耳にはいささかも聞こえない。別室に入ると、師の坊は義朗に用意の牛黄粉末を出させ、みずからは陽根をとりだして、

「摩刮すべし」

といった。義朗はおどろき、

「お精水をとるのでございますか」

「精水を以て牛黄を溶く。入我我入の秘法じゃ。摩刮せよ」

極度に衰弱していた賢覚は、わが手で摩刮する力をすでになくしていた。義朗は、両掌で師の陽根をいただいてしずかに行《ぎよう》じはじめたが、半刻《はんとき》を過ぎるもついに効験がなく、師の相貌のみがいよいよ蒼くなった。

「義朗」

かろうじて起きあがった。

「もうよい。わが胎中にはすでに精水が枯れはてたのであろう。――やむをえぬ。菩薩

も意を汲み給おう。義朗よ、おのれみずから行ぜよ」

「わたくしが？」

「摩刮せよ」

やむをえなかった。義朗は支度をし、法衣のなかでそのものに触れ、准胝観音を念じつつ懸命に摩刮し、やがて白瓷の鉢におびただしい精水を得た。

「溶くがよい」

牛黄を混入した。攪拌するうちに、黄味がかった褐色のぶきみな粘液ができあがった。賢覚はその鉢を諷経しつつ受けとると、経をやめて、低い声でいった。

「口伝じゃ。教える。牛黄加持は、百八たびの呪《しゅ》を唱えつつこれを塗る」

「いずれへ？」

――問うまでもない。半刻ののち、匣ノ上は壇の前に仰臥《ぎようが》し、股間を犠牲《いけにえ》のごとく准胝観音像にむかって開披し、うしろに拝跪《はいき》した阿闍利賢覚が産門の周囲に指をめぐらせて、一呪を唱うるごとに一指をもって塗了しつつあった。

「義朗」

義朗は、すでに血が逆流し、のどが涸《か》れ、耳に鼓動がひびいて聾《ろう》するばかりであった。

「義朗、聞こえぬか」

「うけたまわっておりまする」

「義朗」

「おんそばに」

「呪を唱えよ」

見ると、賢覚は女御のあしもとに臥し、肩で息づき、血を吐いて倒れていたのだ。

「義朗、わが行法を助けよ」

あわてて呪を引き継ぎ、鉢をとって指に牛黄を受け、塗布すべき加持の場所をみた。

あきらかにそれを見た。が、ながくそれを見ることはできなかった。義朗の意識がにわかに昏《くら》くなったからだ。

「義朗、呪を引き継いだか」

「う……」

「義朗、聞こえたか」

「は、はい」

義朗は、魘《おそ》われた者のように准胝観音の呪を夢中で唱えはじめた。

「唵左隷祖隷准胝莎嚩訶《おんされいそれいじゅんでいそわか》、唵左隷祖隷准胝莎嚩訶、唵左隷」

唱え、かつ塗り、さらに唱えかつ塗るうちに義朗の意識はふたたび昏くなり、やがて彩雲の上を踏むような気持にのめり入りつつ、のどだけはひとり慄えて、

「唵左隷祖隷准胝莎嚩訶、唵左隷祖隷准胝莎嚩訶、唵左隷」

そこにすでに生身の女御はいなかった。義朗はその股間とともに彩雲に乗り、回旋する紫金摩尼の光をあびて、夜ごとのあの遊戯観音とともに天界に踊躍《ゆやく》した。

加持は成就した。牛黄加持によって、保延五年五月匣ノ上のちの美福門院を母に、体仁親王が出生したからである。八月はやくも太子に立った。さらに永治元年、門院の嘆願が奏効して崇徳帝を廃し、わずか三歳で帝位についた。人皇七十六代の近衛天皇がそれであった。このため政情がみだれ、のちに保元ノ乱をおこす因をつくったが、むろんそこまでは、賢覚および義朗、さらに准胝観音の責《せめ》ではなかったろう。

この加持の功により僧都賢覚が越階《おつかい》して一躍権僧正《ごんのそうじょう》に任ぜられた。

美福門院はその後准三后となり、御子近衛帝の即位とともに皇后に宣下され、永暦元年十一月二十三日、四十四歳で没した。その生前の美しさは、灰から得た遺骨まで瑠璃色を呈していたと伝えられたことだけでも知れる。が、義朗は、ふたたび皇后と会うことがなかったに相違ない。この僧はのちに僧都まで進み、醍醐寺の一院で不犯《ふぼん》の生涯を終えた。

飛び加藤

二条柳馬場のあたりは、公卿や諸大夫《しよだいぶ》の屋敷が多い。鴨川堤を背にすると、右に冷泉《れいぜい》家《け》があり、左に、押小路、三条坊門、姉小路《あねのこうじ》といった屋敷がならぶ。

とはいえ、家屋敷のかたちをなしているのは、どれをとってみてもなかった。築地《ついじ》がくずれて、そのまま萱《かや》の原に崩れつづいている。池に水草が浮き、庭の木に蔦《つた》やかずらがおおうて、その葉の一枚ずつに、嵯峨《さが》のあたりの空を染める茜《あかね》の陽《ひ》ざしが溜まっていた。

どの屋敷にも、ひと気がない。いずれのあるじも、地方のよるべをたよって、食禄のあがる見込みのない京を捨てて行ったものだろう。

諸国では、あくこともなく戦乱がつづいている。ことしの五月には、尾張の上総介《かずさのすけ》信長が、駿、遠、参の領主今川義元を尾張桶狭間《おけはざま》の地で斃したという。

越後上杉家の家臣永江四郎左衛門も、そうした戦乱の諸国をへて、この京にのぼってきた。主人謙信の命によって、内裏《だいり》に金品を献上するためであった。永禄三年の真夏のことである。

役目をおわって、数日滞在した。この日も市中を見物して宿舎の近衛《このえ》屋敷にもどろうとしたとき、二条のあたりで、西山の落日をみた。——

右に冷泉、左に押小路家の破《や》れ築地がつづいている。

「墓地のように淋しい所だな」

四郎左衛門は、与力の鳴尾嘉兵衛を振りかえって笑った。

「左様。その築地のあたりに、死霊でも立ちそうに見ゆる」

「ほう。——」

四郎左衛門は、辻をまがってから目を細めて遠くをみた。

畠山屋形の廃墟のある辻に、この屋敷町にはめずらしく人だかりがしていた。荷をかついだ者が多いのは、商いを終えて家路につく者が足をとめているのだろう。

「見よう」

人垣の後ろから、背をのばして、輪のなかをみた。

牛がいた。

男が、立っている。

五尺にみたぬ小男で、武士の風体はしているが、衣服は旅よごれて、両刀さえなければ乞食のようであった。色が黒く、年齢の定かでない顔をしている。びんに白いもののまじっている所からみれば、四十を越えているのだろうか。

ただ吊りあがった目が異常であった。光を帯び、またたかなかった。四郎左衛門と目があったとき、おもわず足もとがよろめいたほどの強い吸引力をもっていた。

隣りの嘉兵衛も呆然としていた。嘉兵衛ばかりではない。男をとりまく十人ばかりの群れのどの顔も、唇を垂れ、男の動くままに、ただ瞳孔を動かしているだけであった。

男はさまざまな口上をのべ、口上のあいだに真言をとなえた。真言がおわると、口上をのべた。——声が低かった。

「よいか。ただいまより、この牛を呑む」

ざわめきがおこった。しかし、男の真言がそのざわめきを鎮めた。

男は、瞬《また》かない目で、人垣の顔をひとつひとつ見てまわった。

たれもかれも、息をするのを忘れるほどの静かさであった。どの男女の膝も、体を宙に浮かせるほどにゆるんでいた。ときどき、風が吹いてきた。そのたびに、人垣の体は、左にそよぎ、右にゆれたりした。

「おれは牛を呑む。そのかわり、一同はおれの言いつけを聴く。よいか。——うなずくがよい」

一同は、無言でうなずいた。

「おれの目をみよ」

見た。

永江四郎左衛門は、男の目が次第に大きくなってゆくように錯覚した。

男は、牛の鼻づらをとったまま、次第に後じさりしてゆく。背後の人垣が、男のために道をあけた。やがて男はとまった。人垣は、一列になって男を見るかたちになった。

「みな、かがめ」

言うより早く、群衆はかがんだ。四郎左衛門も嘉兵衛も、いつのまにか群衆に溶けこんでしまっている自分に気づかなかった。二人は、膝を折ってかがんでいた。

「あおむけざまに」

男は、唇を動かさずに言う。

「寝よ」

四郎左衛門も嘉兵衛も、背を打つような勢いでころがった。

「起きよ」

言いなりになって起きあがろうとしたとき、それぞれの目が男を見た。驚きのあまり、目をつぶる者もあり、肘を折って再びころがる者もあった。男は、牛の後右脚から、ゆっくりと呑みはじめていたのだ。

脚を呑み、尻を呑み、胴を呑み、前脚を呑み、ついに頸をのんだ。わずかに、牛の、角と目と鼻だけが残されているのみとなったとき、頭上で、

「あっ」

叫ぶ者がいた。

「お侍、牛の背に抱きついているだけじゃ」

松の木の上に、商人風《あきんどふう》の男がのぼって見おろしていたのだ。その声で、人々は夢からさめたように、自分をとりもどした。

なるほど、男も牛もそこにいた。男は牛の背に抱きついているだけにすぎなかった。

男は、苦い顔をして牛の背から降りた。

松の上の商人をじっと見あげていたがやがて視線を群衆のほうにもどした。

「愚か者がいた。術がととのわなんだ。——こんどは、夕顔を咲かせるとしよう」

男は、夕顔の種子を掌にのせ、脇差をぬいて土を掘り、種子をたんねんにうずめた。

「やがて、双葉が萌《も》えようぞ」

一同が目をこらした。ほどなく、柔らかい土を割って芽が出てきた。

「見よ」

男は咽喉奥で奇妙な笑い声をふくませながら、扇子をひらいて芽をあおぎはじめた。あおぐたびに、芽はすこしずつ伸びはじめ、やがてツルが出た。ツルは松の木の幹を這い、待つほどにみごとな花がひらいた。

「花とは必ずしぼみ落ちるものだが、この場でしぼむのを待つのも気の長いはなしじゃ。どれ、待つのも気鬱ゆえ摘《つ》んでやるとしよう」

脇差を抜き、花をちょんと摘んだ。同時に夕顔は煙のように消え、花にかわって松の木の上から商人の首が落ちてきた。

「あっ」

群衆がどよめいたとき、牛を牽《ひ》いた男の背が、すでに祇園御旅社《おたびしや》の前の路上をゆっくりと歩いていた。夕焼の空から、急速に光が褪《あ》せた。男の背に、筆で刷《は》くように闇がただよいはじめていた。

「もうし」

永江四郎左衛門と鳴尾嘉兵衛が、闇の路上を牛に乗って漕いでゆく男をよびとめた。

「なにかな」

すでに予期していたような声である。

「われらは、上杉越後守の家人でござる。拙者を永江四郎左衛門と言い、かの者を鳴尾嘉兵衛と申す。こよい、お手前にさほどの御用がなければ、われらの泊まる近衛屋敷におとまりねがうわけには参るまいか」

「よかろう」

男の計算ずくめのことだったのである。この男だけではない。京へのぼってくる牢人のたれもが、得意の武技をあらわして、諸国の武将の耳目にとどくのを待っていた。永江四郎左衛門たちも、内裏の御用でのぼったとはいえ、みちみち、屈強の者をさがすようにとの主命をうけていた。

この男は、永江四郎左衛門が、あの辻にやってくることを見越したうえで、人をあつめて幻戯《めくらまし》をやっていたという算段なのである。

近衛屋敷につくと、日が暮れていた。四郎左衛門や嘉兵衛の家来たちが、主人の帰りの遅さにさわいでいたらしく、灯をかかげて路上まで出ていた。

「客人《まろうど》じゃ。疎略にすな」

言われた家来が、男を案内して回廊を渡ろうとしたとき、男が動かなくなった。

闇のむこうをじっと見つめている。

視線の方角で、つるべを繰る音がきこえているのだが、この男の目には井戸わきにいる者の姿がみえるらしく、見つめたまま、次第に目を光らせた。

「なにか、お気にさわりましたか」

「あれに、女がいる」

「私には見えませぬが。おそらくこの屋敷の雑仕女《ぞうしめ》でございましょう」

あるじの関白左大臣近衛前嗣《さきつぐ》は、ここ数日他行して屋敷のうちにはいない。わずかばかりの家来もそれに随行し、屋敷うちには、男女の使用人数人が残っているだけであった。

「よい匂いがする」

「匂いが？」

むろん、案内《あない》の者の鼻には聞こえない。

「まだむすめじゃ。なりかたちは良うないが体のなかは、よう熟《う》れておる。よう匂う」

「は。……」

案内の者は、闇の中で立っているこの男が、人ではなく狐狸《こり》のたぐいではないかと思って、なんとなくおぞ毛が立つ思いがした。

一室に案内されて、男は、四郎左衛門と嘉兵衛のあいさつをうけた。

「まだご尊名をうかごうて居ぬやに存じますが、なんとおおせられまする？」

「人は、飛び加藤と申す」

「はて、飛び加藤。――それがお名乗りでござるか」

「名乗りなぞはない。気に入らねば、なんとでもおぬしらで、異名をつけるがよい。天地の気とともに生き、気とともに漂うておるわしに、なんの名があろうか」

四郎左衛門はこまって、

「では、いずかたのおうまれでござる」

「出自か」

皮肉な顔でわらい、

「侍にはそれが必要らしい。遠くは神代津速魂命《つはやだまのみこと》三世の孫天児屋根命《あめのこやねのみこと》より発し、二十三世を数えて、大織冠中臣連《たいしょっかんなかとみのむらじ》鎌子出づ。天渟中原瀛真人《あまのぬなはらおきのまひと》天皇（天武）の十三年朝《あそ》臣《み》を賜い、世を経るとともに家を陽明家と通称し、植家《たねいえ》、前久をうむ……」

「これはしたり。それは近衛家の家譜ではござらぬか」

越後の田舎武士とみて、あなずっているらしかった。

「まことは、大和国葛城山《かつらぎざん》のふもと、当麻《たいま》村にうまれた。山伏となり、金剛山《こごせ》で修行すること五年、葛城にこもること七年、大峰、弥山《みせん》、仏生岳、釈迦ケ岳、大日岳、涅槃《ねはん》岳、仏経ケ岳、孔雀岳を経めぐること十五年、経を誦み、観を行じ、ついに人霊から脱するをえて、ふたたび俗界にもどった」

「まあな」

「左様か」

四郎左衛門と嘉兵衛は、ひどく感心して、

「越後は遠国とはいえ、毘沙門天《びしゃもんてん》の再来といわれる謙信公を頂いてござる。あるじに引きあわせまするゆえ、われらと同道して越後に参られぬか」

「越州公は、いずれ北国を併呑《へいどん》して京に旗を立てられるご器量とみる。拙者が仕えて、お働きをたすけ参らせるのも、一興かもしれぬ」

目尻をさげ、急に俗な表情になったが、四郎左衛門も嘉兵衛も、その表情に気付くほど犀利《さいり》な目はなかった。翌朝、四郎左衛門が起き出て、飛び加藤の部屋へうかがうと、部屋のぬしは、ふたりになっていた。一人は、渦貝《うずかい》という名の年若い雑仕女であった。

飛び加藤は、めしを食っている。渦貝は、かれの膝にもたれかかりながら、加藤の食う干魚をむしっていた。四郎左衛門が入ってきたのをみて、渦貝はあわてて起きあがろうとしたが、加藤は箸の先で女の背をおさえ、

「うごかずともよい。わしと共に居るかぎりには木のはしと思うがよい」

「木のはしとは痛み入る」

四郎左衛門は、痩せ老いた顔に、苦笑をうかべた。飛び加藤はわらわず、

「ゆうべ、この女に伽《とぎ》をさせた」

「意外なお腕で」

おそらく、昨夜、女の部屋に忍び入り、例の幻戯《めくらまし》で女をとろかせたうえで、従わせたものだろう。女は、色が黒く猪首《いくび》で、目と鼻を顔の真ん中でつかみ寄せたような奇妙な容貌をしていた。田舎者とはいえ、四郎左衛門は頼まれてもこんな女に伽をさせる気は起こらない。女を引きよせて得意になっている飛び加藤をみて、

（この仁は――）

と、四郎左衛門なりに推量した。

（まだ山から降りてきて、日数も経たぬのであろう。人里に馴れておれば、このような女に目もくれぬはずだ）

「よいかな、永江どの。この女を連れて、道中の給仕をさせるぞ」

「しかし、近衛家が」

「朽ちはてたとはいえ、関白家じゃ。雑仕女の一人や二人が消えたところで、さわぐはずはあるまい」

数日経って、四郎左衛門一行は越後へ発向した。

醒《さめ》ケ井《い》でもそんなことがあった。百姓家にとまったところ、飛び加藤は、給仕に出たその家のむすめがひどく気に入ったらしく、酒をつがせたり、たわむれたりしていたが、ついに亭主をよんで、

「この娘をわしに給もれ」

といった。

亭主は迷惑した。

「世継ぎがござりませぬゆえ、この娘にむこをとって家をつがせまする。おそれながら叶いませぬ」

「ならぬというのか」

残忍な目をした。傍らの瓶子《へいじ》をとりあげ、酒を捨てて亭主の目の前で振ってみせ、

「この瓶子の中に娘を封じこめるが、よいか」

(あっ)

四郎左衛門はおどろき、この場をとりなそうと思ったが、はたして娘が瓶子に封じられるかどうかを見たくもあった。だまって、息をひそめた。

亭主は飛び加藤の力を知らない。

「ご冗談を」

といって取りあわなかった。飛び加藤は、「そうか」とうなずき、ゆっくり自分の胸もとをくつろげて肌をみせ、瓶子をその肌で温めるような仕草で、ふところの中へ入れ

た。

引きつづき酒をのんだ。娘は相変わらず酌をしていたが、いっこうに瓶子の中に入ってゆく気配はなかった。

夜が更け、一同は寝た。

翌朝、宿の者に送られて一行は出た。門のそばに娘が変わりない姿で立っているのをみて、四郎左衛門は内心ほっとするとともに、

(飛び加藤は口ほどもない)

と、軽い失望を覚えたりした。

美濃関ケ原へ出、そこから折れて北国街道を北上した。

つぎの夜も、百姓家でとまった。宿では、台所と薪を借りるだけで、四郎左衛門の小者たちが、背負ってきた米をおろしてかしぐのである。

渦貝も、台所におりて手伝っていた。そのあいだ、別室で、飛び加藤はあびるほどに酒をのんでいた。四郎左衛門が入ってくると、機嫌よく、

「まず一献《いっこん》」

と酒をすすめた。

「醒ケ井では、ひどくあの娘に執心《しゅうしん》でありましたな」

言外に、あれほど執心でも娘を奪いとることができなかったではないか、という意味の皮肉をこめた。

「この瓶子のことかな」

飛び加藤は、ふところに手を入れ、腹のあたりから例の徳利をつまみ出してきた。

「それそれ」

四郎左衛門が、おどけて掌《てのひら》で瓶子を抱いてみると、人肌のぬくもりがあった。なんとなく不気味な気がして、そっと畳の上においた。

「案ずることはない。娘は、その瓶子のなかに入っているわさ」

飛び加藤は、無造作に瓶子をとり、あげ畳のうえに傾けた。その拍子に、四郎左衛門は眩覚《めくるめ》くおもいがした。なにか、ころころという気配がして小粒なものが畳の上にこぼれた。

目をあけた。べつに眠ったような気もしなかったが、一瞬、外界のながれが中断したような気もした。——そこに、派手な小袖をきたあの家《や》の娘が、短檠《たんけい》を背に影濃くすわっているのを見た。

「これは。——」

二の句がつげなかった。加藤はわらい、

「娘、こなたに酌をしてさしあげよ」

「はい」

夢ではない。うるんだまろやかな声で、娘はありありと返事をした。

越後についたときは、そろそろ、空の色に秋の気配が濃くなりはじめていた。

永江四郎左衛門は、とりあえず、この飛び加藤を、関ノ庄菩提ケ原という在所の名主《なぬし》榊原妙阿の屋敷にとどめた。いずれこの者を主君謙信の見参に供さねばならないが、何ぶん素姓のさだかでない者であり、道中つぶさに見たとおりの怪人であった。自邸に引き入れるのは主君にはばかりありと考えたのであろうか。

四郎左衛門は、謙信の前へ出た。京での役目についてさまざまと言上したあと怪人飛び加藤について物語った。

「ほう」

謙信は興味をもったらしい。

もともと謙信は、超人譚がきらいではなかった。天文二十一年の正月以降、遁世の意思もなくして髪をおろし、僧服を着た。年わずか二十三であった。

法体にあらためた理由は、自分の心術を神仏に近づけたい、とねがったからである。

謙信は早くから女色を断ち、魚肉を食膳にのぼさなかった。念持仏を、北天守護の善神といわれる毘沙門天とし、居城春日山城の艮《うしとら》に堂をたて、神像を安置し、起誓《きしよう》して、

「われ一たび天下の乱逆をしずめ、四海一統に平均せしめんとす。もしこの願望かなうべからずんばすみやかに死を賜われ」と祈った。肉食妻帯をみずから禁じたのは、五体

を清くして誓願の貫かんことを祈るためであった。かれは、しばしば、城内の毘沙門堂に籠った。数日人に会わないこともあった。そういう祈禱僧《きとうそう》のような性格が、魔界の眷《けん》族《ぞく》のような飛び加藤に興味をもたせたのに相違ない。

「その者をよべ」

「いますぐでござりましょうや」

「ならぬ」

四郎左衛門は、戸惑うた。謙信はおっかぶせるように、

「十日のちに呼べ」

この十日ほどの間は、謙信の母、外祖父、叔父などの命日が重なっている。その飛び加藤という者がただの忍者ならばよい。もし魔性《ましょう》の者ならば、それぞれの死者の後生《ごしょう》をみだすことになろうと考えたのだ。そう考えるところに、すでに飛び加藤の術に屈していたともいえた。

謙信は、あらかじめその男についての予備知識を得ようとした。

「草をよべ」

上杉家では、忍者のことを「草」という。下賤の者だが、上士なみに主君にお目見得することができた。ただし、主君と対面できるのは庭先にかぎられている。

関ノ庄菩提ケ原の榊原家における飛び加藤の日常をしらべるために、「草」は出発した。春日山城より東南一里の所にその屋敷はある。「草」は、屋敷の背にある池の堤に

ひそんで日没を待った。

堤の根に、野ねずみの穴がある。ねずみが走り出た。「草」は、すばやく手をのばしてそれをつかんだ。あごの下を指でおさえれば、ねずみは鳴かない。

塀をこえ、庭にひそみ、時間をかけてじりじりと屋敷のなかを移動した。

中庭に出た。庭に面した部屋の雨戸が明けはなたれている。部屋のなかが、まぶしいほどに明るかった。蠟を用いた灯を、数点も使っているせいだろう。

（贅沢な男じゃ）

飛び加藤は、ふたりの女をすわらせて、こまかく身をうごかしていた。

（なにをしているのだろう）

部屋の三方に点ぜられた灯のせいか、飛び加藤がうごくたびに複雑な翳《かげ》が出来、隈《くま》が幾重にもかさなって動作が容易につかめなかった。ひとつには、「草」の位置が遠すぎるのかもしれない。

そう思って、「草」は慎重に縁にちかづき、ようやくつくばいの蔭に忍ぶことができた。

飛び加藤の右手に、光る物がきらきらと灯影に映えている。しきりと動いていた。

（なんのことじゃ。あほうな。……）

光る物は、剃刀《かみそり》だったのだ。二人の女の顔のうぶ毛を、飛び加藤は、交互に、しかも丹念に剃ってやっているのである。「草」は、なんとなくおかしみを覚えつつ、

（好色な男であるな）

どちらも色が黒く、猪首で、顔が扁平《へんぺい》なのである。そういう女が、この男の嗜好にあうのであろうか。

（まさか、気づいてはいまい）

ながい経験で、そのことはわかる。飛び加藤は微笑をし、ほとんど童子のような無心さで、女の肌を濡らしてはうぶ毛を剃っていた。

「草」は、安堵してそれをながめた。ぽつり、と水滴が襟におちた。

（雨かな）

思ったとき、

（あっ）

声をあやうく出そうとしたほど、「草」はおどろいた。飛び加藤のもつ剃刀がきらめいた瞬間、右側の女の首が、ぽろりと落ちたのである。

（まさか――）

見なおすと、たしかに落ちたはずの首が、もう元どおりになっていた。女は、相変わらず目をつぶって心地よげに顔をゆだねていたのである。

（目のあやまりだったのか）

思うまもなく、こんどは左の女の首が、ぽろりと落ちた。「草」は、目をしばたいた。やがてそれを凝視したとき、首はやはり元にもどって心地よげに剃られているのである。

「草」は総身の毛がそばだつほどの恐怖をおぼえた。

首に、ではない。

飛び加藤が、すでに「草」の存在に気づき、知りつつ「草」の心をいたぶるために、いたずらをしてみせたとしか思いようがないではないか。

（これは殺される）

身をひこうとした。そのとき、つくばいの根もとの小石が擦れて、かすかな音をたてた。

「たれ？」

女の一人が伸びあがった。

とっさに、「草」は左手につまんでいたねずみを放った。放ちながら、「草」は、この卓絶した相手に対して、おのれの使う忍びのみじめさを思った。陳腐《ちんぷ》すぎた。

「草」の手を離れたねずみは、濡れ縁の上を走った。やがて、そのねずみの足が急に重くなった。

飛び加藤が、剃刀をかすかに上下させて招いているのだ。まねかれるまま、ねずみは、吸いよせられるようにして、飛び加藤のそばへ寄った。

「こいつよ」

飛び加藤はねずみのしっぽをつまみあげ、女にいった。

「夕刻、裏の池の堤にひそんでいた。日が暮れてから塀を越え、庭を這い、そのつくばいのかげにかくれた。いま、首を斬られたさに、わしの手もとに擦りよって来おったわ」

剃刀を、丁《ちよう》と打った。ねずみの小さな首が落ちた。

――「草」は、蒼い顔をして謙信に復命した。

「とうてい、われらの術のかなう相手ではござりませぬ」

「それは、人か」

「ひょっと致しまするると」

忍びは、怖れで膝を摺りながら言った。

「魔性ではござりますまいか」

それが、飛び加藤の手だったのだろう。忍者にそういう報告をさせて、謙信の心に暗示をかけたのかもしれない。

約束された日に、飛び加藤は、永江四郎左衛門に介添えされて謙信の前に出た。

「名はなんというぞ」

「忍者に名はござりませぬ。お屋形様《やかたさま》において、なんなりとお名付けくださりますよう」

「気に入れば、名も呉れてやる。召し抱えてやらぬでもない。そちは、外道《げどう》の法を使うそうじゃが、その術はわが武略の役に立つか」

「とのは、敵方の城を見たいと思召すや」

「知れたことをいう。戦さをするのに敵陣の様子がわかれば勝ったも同然である」

「この刀」

許しを得て永江四郎左衛門に持たせてある異風のこしらえの刀を指さし、

「ひとふりだにあらば、どのような城、陣屋にも自在に出入りできまする」

「見せい」

謙信は刀を手にとった。つかの部分が二尺ばかりもあり、抜くと、刀身が一尺ほどもなかった。しかも刀身に黒さびをつけて、ぶきみな玉虫色にひかっている。謙信は手で触れようとした。飛び加藤は、あいや、と制し、

「毒が塗ってござる。お触れあそばすな」

「そうか」

鞘をみた。一尺の刀身を、二尺の鞘におさめている。こじりが分銅になっており、取りはずすと、鞘の中からずるずると鎖が出てくる仕掛けになっていた。

つばが広く、下げ緒も長い。忍び入るとき刀を塀に立てかけてつばに足指をかけ、下げ緒の先端をにぎって跳躍したあと、緒をたぐって刀を引きあげるわけである。

「なんぞ、術を使うてみい」

「御前では憚《はばか》り多うござる。おそれながら、どなた様かのお屋敷に忍び入りましょう」

「修理亮《しゅりのすけ》はおるか」

重臣のなかから、長尾修理亮がすすみ出て平伏した。

「そなたの屋敷はわけても堅固ゆえ、この者の忍び入りを防ぎとめよ。時は、明夜としよう。――これに薙刀《なぎなた》がある」

修理亮と飛び加藤に示し、

「これを屋敷の式台の上におけ。飛び加藤はこれをさらう。しくじったれば、長尾の家来のためになますになるのを覚悟するがよかろう」

「承知つかまつった」

長尾修理亮はいそいで下城するや、家ノ子はもとより、近所の知行地に散在している家来、被官の者まで狩りあつめた。

飛び加藤は、いったん、四郎左衛門の屋敷で休息した。

「だいじょうぶでござるか」

小心な四郎左衛門は、もし加藤がしくじれば責めが自分にまでおよぶことを怖れていた。

「いやいや、これしきのことは、気はしの利いた伊賀者、甲賀者づれでも出来ることじゃ。案ぜらるることはない」

勝負はあすというのに、飛び加藤は、その日のまだ陽の高いうちに、永江屋敷を出た。

長尾家の知行地は、榊原家のある関ノ庄一帯にある。すでに地理を知っていたから、しかるべき森に身をひそめた。

　森の中に、ひとすじの小みちが通っている。何人かの百姓が通った。やがて、長尾修理亮に狩りだされたとおぼしい在所の武士の一行をみつけた。一行に、五、六人の小者が従っていた。

　飛び加藤は草むらの中から目を出し、小者のうちで自分の背丈、体つきの似ている者をえらび、その顔かたち、歩き方、身ぶり、装束を丹念に記憶した。

　そのあと、榊原妙阿の屋敷に立ちまわり、屋敷の蔵へ案内してもらって恰好《かっこう》の装束をさがし、

「昼寝をするゆえ、人を入れぬよう」

と、部屋にこもった。化粧をした。面貌を変えるためである。ほどなく出てきた男を、妙阿の家人の中で、それが飛び加藤であるとはたれひとり気づく者がなかった。

　そのまま長尾修理亮の屋敷へゆき、苦もなく門内に入った、と後述の古記に識《しる》されている。

　飛び加藤は、長屋門の屋根裏にかくれて夜を待ち、日が暮れると門からおりて、屋敷うちを悠然と歩いた。

　長尾家では、侵入はあすだという先入主があった。邸内は人で満ちてはいた。が、まだ警戒の態勢ができていなかった。飛び加藤は、その虚に乗じたわけである。

　その夜は長屋門の屋根裏に巣を作って寝た。翌日、朝から屋敷うちはきびしい警戒に

入ったが、飛び加藤が行動するのに何の不自由もなかった。たれもが、森を通った新井平内左衛門という武士の小者だと思って疑わなかったのである。

さすがに、薙刀を置いてある玄関の式台付近だけはちかづくことはできなかった。薙刀の前に、三人の屈強の武士がすわり、玄関の前に十人の雑人が、手槍をにぎって立っていた。天井にまで見張りをしていた。天井板を落し、梁をまたいで、何人かの者が警戒していた。

夜になった。邸内のあちこちにかがり火が燃えつづけ、そのかがり火の一つ一つを縫って、黒い影がしきりと動いた。犬であった。修理亮自慢の巨犬で、「村雨」という。飛び加藤はあらかじめ榊原家でその評判をきいていた。

「村雨よ」

放胆にも、庭の植込みに立って、大声でよんだ。邸内のたれもがその声をきいた。まさかその堂々たる呼び声が、忍者の声だとは思わなかった。

村雨は、風を巻いて飛んできた。犬は世話をする者の手ずからでなければ物を食わない。が、村雨は、飛び加藤が投げた異様な匂いのするものを嗅いだときに習性を狂わせた。ひと口、それを嚥下した。

村雨は声もなく死んだ。飛び加藤は死骸を植込みの中に投げ入れ、夜が更けるのを待った。やがて、屋敷の東南のすみにある棟に忍び寄った。

延鑰《のびかぎ》(忍具)を用いて雨戸をはずした。一刻《にじかん》ばかり部屋のなかの寝息をうかがっていた。頃をみて婢女《はしため》の部屋に侵入し、修理亮の妻女が使っている十歳の童女を眠ったまま背にのせた。やがて、風のように邸内をぬけ出た。

四郎左衛門の屋敷に、謙信に命ぜられた検分役がつめかけている。ふらりと屋敷へ舞いもどってきた飛び加藤をみて、

「忍びこんだか。証拠はどうした」

「これでござる」

背中の童女をみせた。童女はまだ昏睡したままだった。

「たれが小娘を盗めと申した。薙刀はよ。――」

「はて」

相手をさげすんだような声で、

「ここにはないわ」

翌日、謙信の面前に出た。

「飛び加藤、負けたな」

「負けは致しませぬ」

瞼をあげ、白い目を見せた。

「負けじゃ、式台の上の薙刀をなぜ盗まなんだ」

「盗んでも詮はござりませぬ。あれは偽物でござりまするゆえ」

「偽物?」

謙信は、修理亮に薙刀を持って来させた。仔細に見るまでもない。それは謙信が手渡した薙刀とは、似て非なるものであった。吐きすてるように、

「偽物じゃな」

と謙信はいった。本物の薙刀は、城の納戸役《なんどやく》の詰《つ》め ノ間《ま》の簞笥《たんす》のなかに入れてあった。おそらく、修理亮が薙刀を謙信から手渡されて下城するまでのあいだに飛び加藤がなんらかの方法ですりかえたものに相違ない。しかし飛び加藤は、謙信からその方法をくどくたずねられてもついに答えなかった。


飛び加藤の話は、「甲越軍記」「近江輿地志略」および「明全記」に出ている。「明全記」によると、謙信は、約束によってこの男を十日間かかえたという。

五日目に思案した。当然なことである。これほど異能なものを抱えていては、万一この男に叛心がきざした場合、謙信自身の身があぶなかった。

（追うか）

愚策だろう。敵方に走った場合を考えるとおぞ毛が立った。

（殺すしか仕方があるまい）

それも惜しいと思った。

飛び加藤の役目は、お伽衆である。お伽衆とは、主君に耳学問をあたえる役目で、僧

侶、儒家のほかに、合戦の経験の深い者、諸国の地理風俗に明るい者、有職故実《ゆうそくこじつ》にくわしい者などがえらばれ、禄高身分もまちまちで謙信の身辺に侍していた。

飛び加藤の話は面白いし、とりわけ、謙信の好きな神仏奇譚に明るかった。とくに、謙信の信奉する毘沙門天の話をよくする。

「毘沙門天の本地《ほんち》はなにか」

「天竺《てんじく》に瞿《く》婁国という国がござった」

という式である。

「瞿婁国王の夫婦は老いて子がござらなんだ。大梵天王に祈念して仏の御子を得んとし、やがて姫を得た。これを天帝玉姫と申す。爾来国が栄え空に瑞雲《ずいうん》が絶え申さなんだが、隣国に摩耶《まや》国があり、国王が姫を望んで容れられなんだところから、軍兵を催し、瞿婁国は危殆《きたい》におち入り申した。姫ふかく悲しみ、身を敵国王に与えんとして旅立ったところ、山中で維曼《いまん》国の金子太子に遭い、その助けをえて摩耶王の軍を追い申したが、途中、姫は病いを得て儚《はかの》うなってござる。太子深く悲しみ、九天を駈けめぐって姫のうまれかわっている所をたずね申したところ、大梵天宮にいることを知り、面会して夫婦となり、太子は毘沙門天に、姫は吉祥天女となって衆生を済度したと申す」

「奇験《きげん》なはなしじゃな。わが国天台顕教のなかに、毘沙門堂流というものがある。僧明禅がそれを興し、秘事法門の口伝を遺したというが、存じておるか」

「それは」

しかじかであると答えてよどみがなかったから、いよいよこの男を珍重する気になったが、怖れはさらに深まった。

ついに、九日目の夜、これを殺すことを決意し、十日目の夜、万端の支度をととのえ、飛び加藤を春日山城によんだ。

廊下に人数を伏せ、武者隠しにも屈強の剣客を忍ばせて、謙信は謁見した。

「ほう、こよいはなんぞ、宴《うたげ》でもなさるのでござりまするか」

この夜は、ことさらに配慮して部屋に数人の重臣を同座させたのみだったから一同はけげんな顔をした。

「ざっと二十人ばかりの心ノ臓の鳴る音が、拙者の耳には聞こえ申すわ」

「酒をのませてやれ」

小姓が、酒器を持って飛び加藤の膝の前においた。むろん、毒酒である。小姓が注ごうとすると、

「待った」

手で制し、

「ご趣向は、相わかり申した。ひとつ、飛び加藤の最後の芸をお目にかけよう」

杯を膝の前の板敷のうえに置き、小姓の手から瓶子《へいじ》をとりあげ、みずからの手で杯に酒を注ぎはじめた。

「ご覧《ろ》うじろ」

同座している者が総立ちになった。瓶子の口からこぼれ出たものは酒ではなく、二十個ばかりの小さな人形だったのだ。人形は杯の上に落ちては板敷の上にとびおり、やがて一列になって踊りはじめた。あまりの奇異に一同が見とれているうち、

「あっ」

飛び加藤の姿は、どこにもなかったのである。板敷の上には、酒がこぼれているにすぎなかった。


飛び加藤は、その後、つてを頼んで甲斐の武田信玄のもとに仕官をもとめるが、信玄は「すだま（魑魅《ちみ》）の類《たぐ》いには用がない」といって一度も会わず、家臣馬場信勝の屋敷に起居させておいて数挺の鉄砲で撃ち殺したという。信玄の合理的性格の前には、飛び加藤の幻術も効がなかったのだろうか。

「明全記」の説では、磔刑《はりつけ》にしたという。槍がまさに飛び加藤の胸に及ぼうとしたとき、舞いあがった鳶《とび》をつかんでのがれ去ったというが、ここまで来れば話は荒唐無稽になる。

果心居士の幻術

忍者の名は、その身分や仕事のなりたちからして、容易にのちにまで残るものではない。ただ、数個の例外はある。戦国中期に飛び加藤という者がいた。越後の上杉謙信に仕えようとして接近し、かえってその術技のすさまじさを忌《い》まれて、謙信へ謁見中、謀殺されようとした。

「しばらく。――」

と、加藤はあらためて謙信の座にむかって平伏し、「殺されてもよろしゅうござるが、最期《いまわ》の思い出に面白い芸をお見せしたい」というなり、かたわらの酒器をとりあげ、しずかにそれを傾けた。

一同はその手もとを見た。酒がこぼれるかと思えば、ついに一滴もこぼれず、コトコトと音がして二十人ばかりの人形が転《ころ》がり落ち、またたくまにそれが一列にならび、手足を舞わせておどりはじめた。踊りの列がにぎやかに進んで謙信の膝もとまで達しようとしたころ、はじめて一座の意識が醒めて騒然となった。いつのまにか、加藤の姿が消えていたのである。

飛び加藤はその後甲斐《かい》へ行って武田信玄につかえた。ほどなく信玄のために殺された。その術があまりにも幻怪だったために、信玄に、畏怖《いふ》をいだかせたのだろう。このような怪人をかかえていては、いつ寝首をかかれるかわからないからだ。

飛び加藤の名は、江戸初期にまで伝わって喧伝《けんでん》された。が、生国も知れず、その本名も知れない。

戦国期を通じて、飛び加藤ほどの名を残したその社会の者は、あと一人しか居ない。ここでいう果心居士《かしんこじ》がそれである。果心居士の事績《じせき》が、飛び加藤にくらべてややくわしく後世に伝えられている理由は、かれの出身が伊賀や甲賀の草ぶかい田舎ではなく、大和興福寺の僧堂であったためだ。僧侶は文字にあかるい。旧知だった僧が、のちにかれのうわさをきいて書きとめたものが、いくつか残っている。果心の事績に触れている江戸時代の随筆集「虚実雑談集」（寛延二年刊）も、おそらくそうした古い記録から引かれたものだろう。

果心居士が、最初に群衆のなかに姿をあらわすのは、天正五年七月、大和葛城山のふもと、当麻村の、しかも田の中であった。

この日は、村じゅうが田植でにぎわっていた。

空はつきぬけるような青天だが、この里から東にかけてゆるやかに傾斜してゆく大和の野は、その野づらのきわみで、畝傍《うねび》、耳成《みみなし》、天香具山《あまのかぐやま》を霞のなかに消していた。大和盆地特有の好天なのである。

田のなかには、五、六十人の若い女が白い笠をかぶり、白い裳《すそ》ごろもをつけ、顔を紅《べに》や白粉で濃く化粧《けわい》して数列にならんでいた。

やがて、あぜにいる十数人の男が、腰鼓をうち、笛を吹き、にぎやかに田楽《でんがく》を奏舞しはじめた。そのおどけたリズムにあわせて、早乙女《さおとめ》たちが手にもつ苗を植えてゆく。

「裏の口のくるま戸を」

と田楽の連中が唄いはじめると、早乙女たちがそれに和し、

「ほそめに明けて見たならば」

とうたうのだ。さらに、

「黄金《こがね》にましたる朝日さす」

「けさの朝日さも照るよげな朝日や」

「朝日射《さ》いては畝傍山かがやく」

はてしもなくつづいてゆくのである。

この山麓の里の領主を、竹内《たけのうち》平内次郎冬秀といった。筒井順慶の被官になっている。冬秀は順慶とともに信長の石山本願寺攻めに参加して不在で、葛城山にある竹内城の留守は弟の三郎道秀があずかっていた。

道秀は田楽がすきだ。ここ十日ほどのあいだ、何度、道秀は昵近《じっきん》の家士をかえりみて、

「一日は当麻村の田楽じゃの」

といったか知れない。田楽は、この里にとっては目くらむばかりの楽しみなのである。むろんこの里ばかりではなく、田のない京の市中でも、町衆はおろか、公卿や諸大夫までが巷《ちまた》を練って踊りあるくというほどの流行ぶりであった。

この当日、道秀は近習《きんじゅう》数人とともに山上の竹内城をくだり、馬を当麻寺の門前につないで、あぜに腰をおろして騒ぎの初めから見物していた。やがて田楽が半ばに達したころ、道秀は膝をたたいてわらいころげた。

「ほう、出た、出た」

近習の首が一せいにその方角をみた。

南のあぜのむこうから珍奇な男があらわれたのである。田楽の主役である田の神なのだ。破れ大笠をかぶり、紅緒《べにお》の高足駄をはき、顔に白い麻布を垂れ、古びた女の小袖を着て、しかも紐をせず、前をはだけ、しかも下帯さえつけていない。

男女とも、その前をみてどっと囃《はや》した。おかしさに泥田へころび寝る女さえいた。

「ほいや、ほいや」

田の神は野卑《やひ》なかけ声をかけて、田の中を歩いてゆく。ひと足あるくごとに、にぎやかな笛や銅鼓のひびきが湧いた。田の神の前がはだけているのは、早乙女との合衾《ごうきん》を暗示することによって田のみのりを豊かにする願いがこめられているものだ。

田楽がすすむうち、見物も演者も入りまじって、百人あまりの里人が、田のふちで狂気にちかい乱舞をはじめた。

そのうち、日が午後へ傾くようになってから、踊りつかれた群衆が、ふと東のあぜの静かさに気づいて、

「ありあ――」

と一様に声をあげた。たしかにあぜの上に小袖が敷きつめられ、その上で道秀とその近習が見物していた。が、いつの間にか、ひどく背が低くなっていた。よく見ると、そこにならんだ八人の武士は、すべて首だけだった。胴が、溶けたように消えていたのである。首だけが田楽を見物し、なかには口をあけて唄い、おかしさに笑いほうけている首もあった。


竹内三郎道秀とその近習の首を、白昼群衆のなかで切りとったのは、田の神に扮《ふん》していた果心居士であったといわれている。どういう方法で切りとったのか、むろん、幻術のことだから、記録にはなんの解説も残されていない。

果心の仕業《しわざ》と見ぬいたのは、筒井順慶だった。被害者の兄であり、竹内城の城主である竹内平内次郎冬秀から話をきいて、

「これは容易ではない。平内、われも要慎《ようじん》するがよいぞ」

といったなり、にわかに摂津の自陣を抜けて、安土《あづち》へ急行し、信長に謁した。

「おそれながら、松永弾正《だんじょう》に謀叛《むほん》の志あるように見うけられまする」

「法印（順慶）、唐突《とうとつ》じゃな」

さすがの信長もおどろいた。

松永弾正少弼《しょうひつ》久秀《ひさひで》というのは、もともと三好氏の執事《しつじ》から身をおこし、主人長慶が老耄《ろうもう》したのにつけ入って、その子義興を毒殺し、長慶の死するにおよんで事実上三好家を簒奪《さんだつ》したうえ、永禄八年にわかに二条第に将軍義輝をかこんで殺した。さらに同十年、東大寺に拠る三好政康らを攻めて大仏殿に火を放って炎上せしめた経験をもつ。まるで謀略と謀殺のみで京摂の地を手中におさめたような男である。

弾正久秀は、永禄十一年、信長が京に入るや、戦わずして降《くだ》った。悪逆を憎むことのはなはだしい信長が、これほど奸譎《かんけつ》な久秀の降を無造作に容れたのは、久秀の勢力がなお京摂一帯に根強いものがあるとみたからだ。信長はかれを部将のうちに加え、天正四年から開始した石山本願寺攻めに参加せしめた。攻城拠点のなかでも最も重要な天王寺砦《とりで》を守らしめたのは、この男の武勇を重くみていたからに相違ない。

その弾正久秀に謀叛のきざしがあると順慶はいう。

「まさか」

と信長はいった。

「法印は永禄十二年の負け戦さを根にもっているのではあるまいな」

順慶は、大和で弾正久秀と戦い、父祖代々の居城筒井城を奪われたにがい経験がある。

しかし順慶は、

「いや」とかぶりをふった。

「怨念《おんねん》の沙汰で申しあげておるのではございませぬ」

「しかし解《げ》せぬことではないか。たかが草深い大和当麻村の地侍の弟が殺されたぐらいのことが、なぜ弾正の謀叛にまで話が飛ばねばならぬのか」

「あの殺されざまでござる」

順慶が言葉をとぎらせたのは、白昼にわかに首だけになった八人の男のぶきみな話を思いうかべたからである。さすがに剛愎《ごうふく》なこの男の唇がふるえていた。

「ただごとではございませぬ。天魔のたぐいの仕業でないとすれば、さる者が幻戯《めくらまし》を用いてなしたことに相違ござらぬ。そのさる者、拙者に存念がござる」

「たれか」

「名を申しあげても、おそらくご存じはございますまい」

順慶の筒井家は、遠い上古には河内国枚岡《ひらおか》に鎮まる天児屋根命《あめのこやねのみこと》の社の神主であった。奈良に都が移されるとともにこの社は春日野に動座して春日神社となった。この家の祖もそれに従って大和国添下郡筒井村に住み、応永のころ、その四十三代目の順永という強力の者が奈良興福寺の衆徒（僧兵）になるにおよんで家はにわかに栄えた。もともとは僧兵団を指揮して大和に威をふるい、戦国の風雲に乗じてついに大名にのしあがった家だ。法印順慶は順永から五代目で、もとより半僧半士だから頭をまるめている。色が白くまつ毛が濃く、武将にはめずらしく儒仏の教養があり、むしろ頭が怜悧《れいり》すぎるためにのちに大をなさなかった男である。

「さる者とはたれか」

信長はかさねて訊いた。

「果心と申す者でござる」

「坊主か」

「にはあらず、居士でござりまする」

「世に知れた男か」

「知れてはおりますまい。その男については拙者をのぞくほか、奈良興福寺の僧数人が存じておるのみでござりましょう」

順慶の言うところでは、かつて興福寺に一人の僧がいた。

幼にして仏道に入ったが、眼窩《がんか》くぼみ、色が漆を刷《は》いたように黒く、倭人《わじん》とは思えないほどの奇相であった。

この男について、僧堂の仲間のうち説をなす者があり、あれは天竺《てんじく》（印度）人であろう、と噂した。

「ほう、果心は天竺人か」

と信長は話の先まわりをして言った。

「おいおい申しあげまする」

順慶は唇をなめた。

果心天竺人説には、もっともな点がある、と順慶はいう。

というのは、それより前、紀州熊野に唐船が漂着し、乗っていた婆羅門《ばらもん》僧がそのまま上陸して興福寺へきたという事実があるのだ。名を、吠檀多《ベーダンタ》といった。

興福寺へ入った天竺人は、そこで受戒して仏法僧となり、べつに特記するほどのこともなく興福寺でひそやかな生涯を終えた。

寺では、義観という日本人僧の友人があり、この吠檀多の面倒をこまごまとみてやったらしい。

ところが吠檀多は死にのぞんで、義観に懺悔《ざんげ》し、意外にも女犯の罪をおかしたというのだ。相手は、東大寺に紙を入れる商人の娘で、せんという。子まで成したというのである。——天竺人の耳に義観は口をつけて、

「男か」

「男」

くるしげに言い、その子を僧とし、義観の弟子にしてやってほしいと頼んだ。——と筒井順慶は言い、

「この話、うそかまことか知れませぬ。ただ、吠檀多という婆羅門僧のいたことはたしかでござる。その隠し子が果心であったかどうかはべつとして、この子、長じて天竺楽《がく》に興味をもち、それを学ぶうち、ある日にわかに変心し申した」

変心、という言葉を順慶が使ったのは、果心がその故郷の楽をまなぶにつれて、自分の血の中にあるなにかを呼び醒まされたという意味だった。

南都に伝わる雅楽は、すべて、百済《くだら》、高麗《こま》、新羅《しらぎ》、漢土から伝来されたもので、聖武天皇の天平八年、はじめて婆羅門僧正菩提仙那《ボダイセンナ》および林邑国《りんゆうこく》（インドシナ半島の東海岸にあった国）の僧仏哲《ぶってつ》という者がきて、西方の楽を伝えた。

果心が学んだのは、その婆羅門の楽《がく》である。日本に伝来されて以来、林邑楽と名づけられていた。曲目には、菩薩、迦陵頻《かりようびん》、陵王《りようおう》、抜頭《ばとう》、陪臚《ばいろ》、安摩《あんま》、胡飲酒《こいんしゅ》、万秋楽《ばんしゆうがく》の八つがあり、林邑八楽という。

果心はとくに胡飲酒がすきであった。その管絃のひびきを聴くうち、自分のなかの天竺人の血があやしくよみがえってきたらしく、江戸初期に興福寺の僧恵海が書きのこした「外道《げどう》逆風集」という書物に、

「果心、二十四、仏法ヲ廃シテヒソカニ外道ニツク」

とある。

外道とはこの場合、婆羅門教である。古代楽をきくうち、それを生んだ印度の古代宗教の世界に、いつのほどか果心はひき入れられていたのであろう。

「果心よ」

と、義観は果心が二十四歳のときに自室によんで、叱った。

「お前は、ちかごろ経堂にこもって婆羅門学をまなんでいるときくが、まことか」

然り、と平然と答え、

胡飲酒のなかに古き婆羅門の呪法《じゅほう》がこめられているのを師は知れるか。――

という意味のことをうそぶいた。むろん義観の知る所ではない。おそらくいかなる学僧も知らないだろう。果心は血の中にある勘でそれを知った。義観は気味わるく思い、

「昔から僧になすべからざることがある。婆羅門の外道をまなぶことがそれだ。外道をまなべば、堕地獄であるぞ」

「堕地獄でよい」

義観が一瞬青ざめたほど、この時から果心の態度がかわった。

義観は思わずかっとして傍らの経机を投げつけ、

「破門じゃ」

と叫んだ。果心はその声を待っていたかのように、

「おう、願うてもない」

右手をのばして宙で経机をつかみとると、そのまま義観の眼前で机をゆっくりとまわし、奇妙な呪《じゅ》を唱えはじめた。それが、果心が発見した「胡飲酒」の呪法であるという。義観は半ばまでもきかずに失神した。そのまま義観は三日のあいだ意識もなくねむった。それを最後に果心は興福寺から姿を消した。

それから二十年になる。

人の噂では、果心はその後山に入って修法《ずほう》を重ねたともいい、天竺へ渡って婆羅門の

呪を学んだともいわれていた。

ところが、五年ばかり前、京へ勧進《かんじん》に出かけた興福寺の僧が、四条河原の茶店で酒をのんでいる果心を見かけた。

果心は、褐色のえたいの知れぬ衣服の腰を縄でむすび、青竹の杖を横たえて、清水《きよみず》の空にうかぶ雲をながめつつ椀の中の酒をなめていた。僧は懐かしさのあまり走り寄ろうとしたが、果心の姿には、一種おそれを催す威厳のようなものがあって、なんとなく、足がすくんで往来のむこうからながめていると、果心は急にふりむき、

「来《こ》よ」

と、太い青竹の先でまねいた。僧の足が青竹の切口にむかって吸いよせられるように歩みを開始した。ところが、僧の目の前に輪をえがいて動く青竹の切口が、僧の足をそれ以上に進ませなかった。

「来よ」

果心の声だけが耳朶《じだ》を打つ。僧は、汗のながれるほどに足掻《あが》いた。

「早う来う。わしは懐かしゅうある。酒が好きなら、ここで汲みかわそう。竹の中に入れ。切口から入れ。なかに机があり酒壺が置いてある。おのれの榻《とう》(腰かけ)もととのえてあるぞ。早う来う」

その声を、夢寐《むび》のなかの人のように僧はきいた。やがて目の前にまわる竹の切口は大きくひろがり、僧は、玉殿のなかに招じられるような気持になって、その洞窟の中に足

をふみ入れた。そのとたん、

（ああ）

と空《くう》を踏んだ。大きく転倒したときは、目の前で青空が回転していた。

「どうなされた」

茶店の亭主が走りよって揺さぶりおこしてくれた。意識がようやくもとにもどったとき、僧ははじめて、一本の青竹のはしを、両手で必死ににぎりしめている自分に気づいた。

「あの男はどこへ行った」

とせきこんで訊くと、亭主は、「はて」とくびをかしげ、

「その風体のお人なら、いまさき、松永様のご家来衆と一緒に往来へ出て行かれたようじゃが」

（松永弾正の――？）

僧はくびをかしげ、この僧の疑問がそのまま興福寺の僧侶仲間のうわさとなってひろまった。

「つまり」

順慶は信長にむかっていった。

「あの果心は弾正の使われ者になっている、というわけでござるわ」

「わかった」

信長はさとい男だ。

「弾正の叛意はあきらかじゃ。法印、いそぎ帰陣して、まず竹内城の手当てをせよ」

といった。

弾正の居城は信貴山《しぎさん》にある。信貴山と竹内城のある葛城山とは相呼応する連山だから、信貴山に籠城しようとすれば、まず竹内城をおさえる必要があった。ところが織田の幕将である弾正のいまの立場では、同じ織田方の筒井家の傘下に入っている竹内城に公然と兵をさしむけるわけにはいかない。

（だから、幻術の徒を用いてまず城下を惑乱させたのか）

信長は、腑に落ちた。さとりはした。が、気づくのが一日遅かった。

というのは、信長と順慶が安土城で密談していたころ、竹内城でさらに異変がおこっていたのである。

舎弟の変死をきいて、急遽《きゆうきよ》摂津の陣から帰城した竹内平内次郎冬秀は、その夜、百基のかがり火を用意し、城内くまなく配置して、終夜焚《た》かせた。

城といっても粗末な山城である。竹内街道という古街道を見おろして、山の斜面に鳥の巣のように掛かっていた。配置された百基のかがり火は、石垣の下の街道を昼のように明るくした。

居館にはとのいを増し、冬秀自身も刀をひきつけ、具足を横において、腹巻を着用したまま、

「よいか、怠《おこた》るな」

とせかせかと下知し、

「見回りを密にせよ。鉄砲の火縄を絶やすな。かがりにはジン（松脂《まつやに》）を入れよ」

などとひっきりなしにしゃべっていた。おのれも終夜寝所に入らないつもりらしく、
夜ふけてから酒を用意させ、小姓に背後から扇子を使わせて、

「こよいは妙に蒸せるわ」

と杯をふくみ、ひと口のんで息を入れたとたん、口からたらたらと血の糸をたらした。

それがこの男の最期であった。皮膚にみるみる紫の斑点が浮かんで、家来たちが騒ぎだしたときは、すでにつめたくなっていた。

朝になって気づくと、城内のあちこちに毒をのまされた犬の死骸がころがっており、忍者が侵入したことを歴然と物語っていた。

騒ぐうちに葛城の峰づたいに押し寄せた軍兵が追手門の下でときの声をあげ、そのなかで大音の者が、

「よう料簡《りようけん》せよ」

と叫んだ。

「弾正どのがこの城をご入用じゃ。降《くだ》る者は降れ。遁《に》ぐる者は命をたすけるゆえ搦《から》め手より出よ」

大和の兵は、五畿内のなかでもとくによわい。この声をきくと、城内の者はわれさき

に逃げ散って、残った者はことごとく降伏した。

この日、天王寺砦を捨てた松永弾正は、すでに信貴山城にこもって、反信長の旗をひるがえしていたのである。法印順慶の推察はみごとにあたったことになる。


その日から三カ月あまり経ったある秋晴れの日、信貴山城の本丸への石段をゆっくりと踏みのぼってくる異相の人物がいた。果心居士であった。

右に河内平野がひらけている。左をみれば大和盆地を見すかしてはるかな吉野の山なみまで遠霞のなかに見える。

ところが、大和と河内の天を画《かく》するこの山の麓には、信長の嫡子信忠を主将とする織田方の軍兵で満ちていた。

城方の兵は二カ月にわたる籠城でようやく戦意を失いつつあった。支城のほとんどは、筒井、細川、明智の軍勢の猛攻のために陥ち、援軍の見込みはなく、孤城落日の感がふかい。

果心はもう五年もの間この城に棲《す》みついている。城内のどこに棲んでいるのか、城主の弾正でさえ知らなかった。もっとも果心のために弾正が屋敷の一つも与えているわけではない。

用があれば、果心は城内のどこからともなしに出てきて、弾正に面会した。たいていは深夜にきた。ときに未明の場合もあった。案内《あない》も乞わず、風のように弾正の寝所にあらわれるのである。いつの場合も、ふすまさえ開けない。弾正が枕の上で目をあけると、そこに果心居士がいた。

弾正がこの男を知ったのは、天正元年の七月のある夜半であった。京の屋敷で茶道《さどう》の是翁《ぜおう》という老人に茶をたてさせ、香炉を胸もとに抱いてさまざまなことを黙考していると、茶杓子《ちゃびしゃく》を釜へ挿し入れようとしていた是翁が、不意に顔をあげて声高に笑った。なにごとかと思って弾正が目をあげると、

「あっ」

と思わず脇差に手をかけた。茶杓子をもつ者の顔が、似てもつかぬ真っ黒な皮膚の男にかわっていたのだ。

「おのれは何者か」

「果心と申す居士である。腑に落ちねば狐狸権現の類いとでも思うがよい。弾正どのが好きでここへ罷《まか》りこした。刃物は無用ゆえ、その手をのけられよ」

「なんの用できた」

「見とうてきた。世に悪名の高い弾正少弼どのとはどのような骨柄《こつがら》の男か」

「狼藉な」

刀を抜こうと思っても金縛りにあったように抜けず、叫ぼうにも声が出なかった。

「抜けまい。手を貸してつかわそう」

果心と名乗る男は、脇差のつかをにぎっている弾正の右手にひょいと手を触れると、弾正の腰からほとばしるような勢いで刀が抜けた。

が、抜けた刀は、そのまま果心の手に渡したような結果になった。

「これはあずかっておこうわい」

弾正の顔を食い入るように見つめていたが、やがてふっと笑い、

「凶相じゃな」

といった。

「なにが」

「おのれのつらがよ」

と目をはなさない。

「なぜ来た」

「いまも申した。わしは悪人がすきでな。悪人の手伝いをしてみたいと思うてきた。なんぞ役にたつことはないか」

「おのれは何者じゃ」

「果心という」

「名はわかった。なんの取り柄《とりえ》がある」

「まず、見やれ」

といって、果心は骨ばった長い中指をかざして、斫《き》るように窓の外をさした。

つりこまれて、弾正は窓の外をみた。窓の外には、一人の小者が、腰をまげて砂地にほうき目をつけていた。

「婆羅門の一呪、能《よ》く人を殺す、というが」

あとは言わず、だまった。果心の顔から血の気がひき、呼吸さえしていなかった。死相のまま果心は四半刻《しはんとき》もそのまま端座していたが、やがて糸のような息を吐きはじめると、窓の外の小者の動きは緩慢になり、両腕を前に垂れた。首をのばし、背をまげ、しばらく佇立《ちょりつ》していたが、ほどなく、ポトリと箒《ほうき》をとり落した。

「死んだ」

果心がいった。

「しかし、まだ立っておる」

「いずれ斃れよう」

果心のいうとおり、死骸は棒倒しになり、おどろくほど大きな音をたてて砂地に倒れた。

「見たか」

「見た。するとおのれは、あのように自在に人を呪殺《じゆさつ》することができるのか」

「なかなか」

と果心ははぐらかすように笑い、

「相手によるわ。あの小者は、わしが呪殺せずとも三日ののちに定命《じようみよう》はつきておる。

ただそれを早めたにすぎぬ。生命の強靭《きょうじん》なもの、勢いの熾《さか》んなるものには、この呪法は用をなさぬ。弾正」

「なんじゃ」

「申しておくが、右府（信長）はあの小者のごとくには参らぬ」

「たれが、右府と申した」

と狼狽をかくしきれずにいる弾正を、果心は声を出さずに笑い、

「そのしなびた顔にかいてあるわ」

といった。

果心との右の最初の対面を弾正はふしぎとここまでしか記憶していない。あとを思いだそうとしても思いだせないのは、そのあとすぐ弾正の意識が混濁してしまったせいかもしれない。果心は、いつとはなく茶室から姿を消してしまっていた。茶道の是翁が、武者隠しの戸袋の中で眠りこけているのを発見されたのは、それからずっとあとのことである。

その後、しばしば果心は弾正を訪れた。かと思うと、一年も姿を見せぬこともあった。そういうときは、弾正はほっと安堵《あんど》した。

むろん、この死神のような男を弾正は歓迎しているわけではなかった。弾正自身がよんだことは一度もなかった。むしろひどく怖れていた。果心がその気にさえなれば、弾正の息の根を止めるぐらいはわけはなかったのである。

いつの場合も果心から来た。奇妙なことに、どこの空から弾正の心底を見つめているのか、弾正が人を殺そうと思いたったときにかぎって、この男はきた。あるとき弾正は、

「おのれなどに」

と、癇をつのらせて叫んだことがある。

「頼む用はないぞ。事をなそうとすれば、おのれの采配で二万の兵が、いつなりとも腰をあげるわ」

「そうか」

そういうときは、果心は弾正が拍子ぬけするほど素直に帰って行った。

しかし、そんなときばかりではない。興福寺の僧の「外道逆風集」によると、三好氏の一族で廁《かわや》の中で死んだという義兼の場合も、病死したという義広の場合も、果心が殺したと伝えている。おそらく弾正が果心を使ったことは一二にとどまらなかったであろう。

ただ、どうしたことか、果心はいつの場合にも謝礼を求めなかった。弾正が金銀をあたえようとすると、

「これはなにかな」

指ではじいた。

「わしは、弾正どのの凶相が好きでな。その凶相のなかで棲みついていたいだけのことじゃ」

これはかえって弾正に恐怖をあたえた。礼金を授受すれば他人にすぎなかろう。果心の要求するところは、弾正自身になりたいということなのである。もっとも、すでに果心は、弾正自身であったといえる。弾正の思うところは、果心自身が感じ、弾正がやりたいと思うことは果心自身が行《ぎよう》じている。これは、別々の人間の関係ではなかった。

「居士よ」

ある夜、弾正はたまりかねて訊《たず》ねた。

「金や扶持米のためでないとすれば、なんのためにお前はおれの身辺に棲みつくのか」

「棲みたいゆえな」

果心はいつものささやくような声でいう。耳が遠くなっている弾正は、いきおい果心のほうに耳を寄せなければならなかった。

「なんと？」

「それで解《げ》せぬというなら、死神とか貧乏神と思えばよい。当人が嫌うても、あのものたちは当人の身辺に棲む」

「本意はそれだけか」

かさねて訊《き》いたが、果心はそれっきり口をつぐんで、どういう言葉も吐かなかった。

果心が、信貴山城の城内にすみついたのはここ五年ばかり前である。どこで雨露を凌いでいるのかはわからなかった。どうして食っているのかもわからない。ただひとこと、弾正に、

「城を借りるぞ」

とことわっただけだ。

むろん、果心が信貴山城に居ることを知っているのは弾正だけで、城兵のたれもが、果心の姿を見た者もいなかった。

果心は、やや足萎《あしな》えたような歩きかたで、本丸への石段をゆっくりとのぼってゆく。この稿の数ページ前でのべたごとく、天正五年十月九日の午後で、秋も暮とはいえ、夏のように陽ざしのつよい日だった。

途中、行きかう城兵と幾度もすれちがったし、城門をいくつかくぐった。ところが、この乞食のような風体の男を、たれもとがめだてする者もなかった。城内で祈禱する修験者の一人かと見たのか、咎めだてするほどの気力も城兵は喪っていたのか。それとも、果心の姿が目にうつらなかったのかもしれない。

本丸の西側が、庭園になっている。果心は白砂に影を落していそいそと歩き、やがて頃あいの石を見つけて腰をおろすと、

「これ。――」

と杖をあげた。通りかかる城兵のうち、身分ありげな者をよびとめたのである。

「弾正どのをここへ案内《あない》せよ」

「え？」

武士は耳をうたがい、やがて、これは狂人かと思った。

「果心がきていると申せ。早う。刻《とき》が移る」

多少の悶着はあったが、武士は果心の異様なたたずまいに気押《けお》されたのか、結局は弾正の近習にまで取りついた。

「果心が。……」

その名をきくと、弾正少弼の面上からいつもの剛愎な張りが消えて、すでに腰が浮きあがっていた。そのくせ、にがいものを噛《の》みくだしたような不快な面持になっているのを、家臣たちは、ふしぎなものを見るような目でみた。

弾正は小走りに庭へ出た。

そこに、陽射しをうけて光る白い石の群れがあった。

（どこじゃ）

果心の姿がみえない。

きょときょとと探していると、不意に目の前の石が動いて、

「ここじゃ」

と笑った。果心が、のびやかに石にもたれ、あごを空にむけて寝そべっている。

「なに用じゃ」

「別れにきた。ながいつきあいであったが、梵《ぼん》の命ずる運命《さだめ》は詮《せん》もない」

「ほう、どこぞへ行くのか」

弾正はほっとした。京の婦女子の好きなお伽草子にそのようなことが書かれていた。

疫病神の去るときは、かならずあいさつに来るものだと。——弾正は自分でもたまげるほどの明るい声を出して、

「いずれへ行く」

「行くのは、おぬしじゃよ」

弾正が死んだのは、その日の翌日である。

死に至るまでに多少のいきさつがあった。城は、貯蔵されている糧食、硝薬の量からみてまだ一月は持ちこたえられるはずであったが、弾正の策に齟齬《そご》があった。三日ばかり前に一人の家士をよび、

「石山の本願寺へ使いせよ」

と命じた。法主顕如に手紙をもたせて援兵を乞おうとしたのである。が、弾正の不運はこの家士の閲歴にあった。かれは筒井家の譜代相伝の侍で、かつて順慶が一時所領をうしなったとき、主家を出て弾正に仕えた男なのである。人を信じないことで生涯を送ってきた弾正は、最後になって小児のような無邪気さで人を信じた。男は信貴山を降りると石山へはゆかず、順慶の陣へ行ってその旨を明かした。

「弾正、もうろくしたな」

おりから干し豆を嚙んでいた順慶は、あやうく豆が気管に入るほど笑ったという。順慶は早速二千の精兵をととのえ、本願寺兵に仕立てて城内に送りこんだのが、果心が別れを告げにきた翌夜半であった。未明とともにその兵が城内で蜂起《ほうき》し、同時に織田方は

総攻撃を開始した。数刻で城はおちた。弾正は秘蔵の平蜘蛛《ひらぐも》の茶釜を微塵にくだき、わが手で命を絶った。――むろん果心といえども、弾正のこんな最期まで予見していたわけではなかろう。会いにきたのは、この男なりの予感があったからにすぎまい。

弾正が死んだのち、信長の命で、大和における弾正の所領一切は順慶に付せられた。興福寺衆徒の棟梁であった陽舜坊順慶が二十万石の大名になったのはこのときである。

順慶は果心居士のことをわすれるともなく年をすごした。

天正九年、信長がその子信雄《のぶかつ》に一万の軍をあたえて伊賀掃滅の命をくだしたとき、順慶も、丹羽長秀、滝川一益《かずます》、浅野長政らの諸将とともに攻略に参加した。

信長一代の合戦のうち、この戦いほど奇妙なものはなかった。永禄十二年、伊勢伊賀を攻略するために国司北畠具教《とものり》を討ったときから数えると十年という長期戦になっている。その間、五年で伊勢は平定した。さらに伊賀盆地を手中におさめるため神戸《かんべ》に丸山城を築き、滝川勝雄《まさかつ》を城将に置いて数えても、満五年はなす所がなくすぎた。しかもその城も、築城ほどもない天正七年七月、敵の夜襲に遭って早くも城は陥落し、城将滝川は武器糧秣をおきざりにして敗走したのだ。

織田軍は大軍を駐留させながらひとたびも勝ったことがなかったのは、相手の伊賀軍に主将というものがいなかったからである。

伊賀は戦国期を通じて永く国司がいなかった。一国は村々の国侍の合議でおさめ、しかも国侍は、それぞれに忍者を飼い、それを諸国に供給しては自家の経営をたてていた。

かれらは大会戦を避け、夜陰、影のごとく小人数で跳梁し、陣を焼き、部将を暗殺し、流言をながし、糧秣をうばった。織田軍は華やかな決戦をするいとまなく、まるで虫に食われる稲のごとく立ち枯れてゆく。

信長はこの陰湿な伊賀者の戦いを憎悪し、ついに天正九年三月、大軍を催して、「かの国に生けるもの、百姓はおろか走獣といえども生かすべからず」との命をくだした。順慶が参加したのは、この合戦である。

さすがに伊賀者もこの鏖殺令《おうさつれい》にはかなわず、柏原という地の砦に上忍四百三十八人、下忍千二百人がこもって最後の抗戦をした。

そのとき、筒井順慶の兵が、自陣の付近の川のふちで寝そべっている一人の僧形《そうぎょう》の男を見つけた。

「おのれは何者じゃ」

「お前のあくとうじゃよ」

あくとうとは、敵のことだ。取り巻いて打ち殺そうとしたが、果心は、「待て」と枯れ枝のような手をあげ、

「陽舜坊（順慶）に言うことがある。おなじ興福寺の仏飯を食うた果心が来たと告げよ」

筒井の兵は、果心を隙間もなくしばりあげて、箸尾五郎光秀というかれらの属長の幕営に引きたてた。

順慶は、箸尾五郎からその旨をきき、その幕営へ行ってみた。順慶が、果心の顔を見るのはこれが最初だったから非常な興味をそそられた。

「ほほう、おのれが果心か」

「おのれが陽舜坊かよ」

ふたりは、そのまま、だまった。順慶の見るところ、果心の顔は、人の顔ではなかった。枯れ黒ずんだ苔のような色の肌をもち、瞳《ひとみ》は小さく、白目は黄味を帯び、鼻が嘴《くちばし》のように突き出ていた。縛られてあごを突き出している所は、まるで鳥を思わせる姿だった。

「頼みがある。――わしはな」

聴きとれぬほどの小声で、

「柏原の砦にいた」

「そうか。弾正のもとを去ってから、伊賀にひそんでいたのか」

「慧《さと》いな。おぬしは、さとすぎるくらいじゃよ」

話はこうである。

信貴山城が陥ちてから、果心は、伊賀喰代《ほおしろ》の郷士百地《ももち》丹波という者の屋敷に身を寄せていた。

百地丹波は、いわゆる上忍である。間忍《しのび》は飼いぬしを上忍と言い、上忍の命で諸国の武将に傭われてゆく者を下忍という。いわゆる忍者とはこの下忍のことだろう。上忍は、つねづね百姓の子を物色して間忍の才のありそうな者を見つけては買いあげ、それに苛酷な訓練をほどこす。そういう子飼いの下忍のほか、諸国の忍びの芸に長《た》けた者が伊賀へあつまってきて、上忍のもとに身を寄せる。おなじく下忍ではあったが、伊賀ではこれを客忍《きゃくにん》と言った。

果心は、この客忍だった。おそらく、果心ほどの者なら、百地家から下へも置かぬ待遇を受けていたに相違ない。果心のような異常人が歓迎される土地は、伊賀しかなかった。その間、果心はおそらく百地丹波のために諸国の武将に傭われることも多かっただろう。

「それで？」

どうなのだ、と順慶はいった。

「それだけじゃよ。伊賀で暮らしているうちに、このたびの乱が起きた。やむなくこの国の徒党とともに柏原の砦にこもったのじゃが、陽舜坊が知ってのとおり、わしは武士ではない」

「僧でもないな」

「法華経演義《ほけきようえんぎ》に言う居士じゃよ」

居士トハ清心寡欲ニシテ道ヲモッテ自ラ居ルナリ、とその演義にある。果心は、文意どおり欲がなく、しかも、異道ながらも道をもって自ら居る人物ではある。――ただ、武士ではないために、合戦することが苦手だったのだろうか。

「わしは弓矢の沙汰が厭でな」

苦笑をし、

「おなじ興福寺の縁によって、わしをこの国から遁《に》がしてくれまいか」

柏原の砦一つをとりまいて、伊賀一国に織田の軍兵が隙間もなく満ちている。しかも、野に動く者とあれば何者であれ打ち殺すという命が出ていたから、さすがの果心の幻術をもってしても、のがれがたかったのだろう。よって興福寺の縁にすがり、順慶に頼みこみにきたわけなのである。

(はて、どうしたものか)

と順慶は考えた。思案していたが、やがて明るい表情になって、

(狐狸変化《こりへんげ》のたぐいというものは、恩を売ればかならず酬《むく》いることがあるという。このような者に情けをかけるのもよい。放ってやろう)

足軽一隊をつけて、鬼瘤越《おにこぶご》えから国外へ放つことにきめ、念のために、

「かならず、織田家および筒井家にはまがごとは働くまいぞ」

というと、いうまでもない、と答え、

「いずれ、礼に参上する」

「来ずともよいわ」

「いや」

果心は順慶の顔をのぞきこみ、

「法印がいま思うたとおり、狐狸変化のたぐいというものは、恩怨《おんえん》にはかならず返報するものじゃ」

内心をまざまざと読みとられて、順慶は薄気味わるくなった。

「縄を解いてやれ」

「うふ」

「なにを笑う」

「そこまで恩義は受けまい。おぬしには国外までの道案内を頼うだまでで、縄のことまでは頼うでない」

いうと、にわかに果心の体が細くなり、はらはらと縄が弛《ゆる》んで落ちた。全身の関節を瞬時に解いてしまったせいだろう。やがてそれをもとへもどすと、物音もなく立ちあがり、

「とりあえず、これを酬いよう」

枝をひろって地に図を描いた。

「なんの絵図か」

「柏原の砦の図じゃ。——ここに」

と山を背負った東のほうを指さし、

「隠し門が一つある。今夜子ノ刻、砦の中の女子供をここから落す。門がひらかれるとすぐつけ入って攻めこめば造作もなく陥ちる」

「まことか」

「うそと思えば、信ぜずともよい」

念のためにその付近に兵を埋めておくと、なるほど果心の教えたとおりになり、柏原砦は、包囲二十日目に労もなく陥ちた。

天正十年六月、信長は京の本能寺で、明智光秀の反逆にあってにわかに没した。京に旗をたてた光秀は、いちはやく書を懇意の大名に送って党《とも》を与にせんことを勧めた。

当然、順慶のもとにもきている。

かねて光秀は、信長の麾下《きか》の諸将で儒仏の教養のある者が少ないため、順慶には格別の好意をもって接してくれていた。

(どうしよう)

順慶は明敏な男である。明敏な者のみが迷う。ことに筒井家は織田家のなかでは外様《とざま》であり、信長が死んだ以上、忠義立てする必要は毫《ごう》もなかった。決断がつきかねたために、筒井城に幕下の諸将をはじめ、大和の重だつ被官をあつめて合議した。

一同は、異論もなく光秀に加担すべしと主張し、

「三州(河内、大和、紀伊)を併呑せんことこの一挙にあり。すみやかに日向(光秀)どのを援け、大功を樹《た》つべし」

といった。順慶三十四歳の血気のころである。千年に一度もない好機と思い、掌《て》につばきして立とうと決意した。ところがその夜、重臣の松倉若狭という者が登城して、急の拝謁を願い出た。

「なにか」

「お人ばらいを」

「まず、近う来い」

「は」

衣擦《きぬず》れの音をたてて若狭が寄ってきた。七尺のところで平伏し、しばらくそのままの姿勢で動かなかった。

「どうした、おもてをあげよ」

「は」

顔をあげた。蒼白であった。目がつりあがり、体が小刻みにふるえている。順慶は思わず片膝をたて、小姓から佩刀をうけると、

「若狭、乱心したか」

と叫んだ。

「いやいや、乱心にはあらず」

目にたつほどにひどくふるえてきた。歯の根も合わぬぐらいに慄《ふる》えながら、

「陽舜坊」

「なに――」

「いまこそ、恩に酬いようわ」

といった。

順慶は、愕然とした。姿はたしかに松倉若狭だが、声は、果心居士そのものだったからだ。――その果心の声が怒号するように、

「光秀は日ならず死ぬ。死者に加担しても、冥土の領国ならしらず、米のなる三州は取れまいぞ」

言いおわると、若狭は空《くう》をつかみ、口から泡を吐いて絶倒した。医者をよび、気を呼び醒ましたところ、あたりを忙《せわ》しげに見まわして、

「ここは、どこじゃ」

といった。近習の者が見かねて、

「ご前《ぜん》でござりまするぞ」

というと、若狭はしれしれと笑って、

「左様、若殿のお腫物《しゆもつ》のことじゃ。いそぎ申しあげたき儀がござる。おのおの、話が尾籠《ろう》にわたるゆえ、ご遠慮めされよ」

松倉若狭は、順慶の養嗣子四郎定次の傅人《めのと》も兼ねている。定次が、隠し場所に腫物が出来、さしたることはないと捨てておいたところ、きょうの夕餉《ゆうげ》時分からにわかに熱が出て腫れあがった。そのため、順慶の典医雅明院宗伯の診察をゆるしてほしい、という

のである。――順慶はなおも不審が去らず、若狭の顔をじっとみて、

「ただそれだけを願いにきたのか」

「そうでのうて、この夜中、なんで参上しましょうや」

と、どこまでも話が合わなかった。順慶のみるところ、果心が松倉若狭に憑依《のりうつ》ったものであろう。後日、果心と再び会うことがあったとき、このときの不審をたずねてみた。果心は笑って答えず、ただ、「その刻限は、戌《いぬ》ノ下刻《げこく》でござったろう」といった。「たしかにそうじゃ」と順慶がうなずくと、果心は、

「わしはその刻限に、京の光秀の陣屋の裏にある妙竜山持国寺の山内の薬師堂にいた」

とのみ明かした。おそらく、念力を用いて、松倉若狭をして自分の本意を言わしめたのだろうか。

ところが、このときの松倉の口が告げた言葉どおりには順慶は従わなかったが、果心の予言は、順慶の当初の決意をにぶらせた。

とりあえず、和州一万の兵を催《もよお》しはした。しかし、直ちには光秀のもとにゆかず、中国から兵を旋《めぐ》らせて光秀を討つべく北上しつつある羽柴筑前守秀吉に対しても手を打った。家老島左近《さこん》を遣《つか》わして「順慶は明智の背後を撃つ」との口上をのべさせたのである。しかもみずからは兵を進めて、予定戦場の付近の石清水《いわしみず》の八幡山に滞陣するという複雑な行動をとった。

日ならず、眼下の山崎の野に、明智と羽柴以下織田方の諸将との合戦が行なわれた。

順慶は山上からそれを見おろしていたが、ついに大事を踏んで山を降りなかった。順慶はもとより、光秀が勝つと計算していた。げんに、順慶の兵一万がこの光秀方についたならば、決戦の結果はどうなっていたかわからない。が、順慶は果心の予言が脳裏を占めつづけたのだ。そのためついにいずれにも加わらず、のちの世まで日和見《ひよりみ》のあざけりを受けた。

とはいえ、秀吉は順慶の大和における勢力をあなどれず本領を安堵せざるをえなかったから、この日和見は順慶自身の人生には大過はなかったといえるだろう。

果心と二度目に会ったのは、秀吉の城が大坂に築かれ、順慶も地を与えられて船場《せんば》に屋敷を持ったころのことである。

そのころのある日、秀吉が言った。

「わしの手許に飼いおく伊賀者が、いまの世にある異能の人物についてさまざまのことを語って聴かせた。そのうち、果心居士という者がいる」

順慶の胸が騒いだ。秀吉は語を継いで、

「その怪人は、法師が飼うていると申すではないか」

「いや、決して」

「隠すでない。そちの屋敷にいるというぞ」

えっ、と驚き、いそぎ下城して、家臣に屋敷うちを探索させた。天井から、庭石の一つ一つを剝《は》がす所まで探索したところ、騒ぎの最中に、にわかに順慶の部屋に陽《ひ》が翳《かげ》って、果心が入って来た。

「おのれ、どこに居たぞ」

と、順慶はおびえを顔に出して叫んだ。

「騒がしゅうて、昼寝もできぬ」

「どこに居た」

「棲もうと思えば」

と、順慶の背後にある文箱《ふばこ》を指し、

「あのなかでも棲める。無用の詮議であるわ」

順慶は驚き怖れ、にわかに登城して、秀吉に果心の世の常でない能力と来歴をのべ、自分に罪のないことを申しひらいた。秀吉は順慶の陳謝よりもむしろ果心そのものに興をおぼえたのか、

「その者を呼べ」

「いや、化生《けしょう》の者にござりまするゆえ、殿下に何をしでかすやら知れませぬ」

「よいわ」

とき入れず、ついに順慶は果心をともなって秀吉の前に出ざるをえなくなった。

果心居士が秀吉に拝謁したのは、天正十二年の六月のことである。同時にその日が、果心居士の死没の日となった。

城内の広間には、およそ百人ばかりの秀吉の家臣が居ならんでいる。その中央のあた

りに引きすえられた果心を秀吉は遠くから望んで、

「そちは幻戯《めくらまし》に長ずるという。見せよ」

と命じた。

果心は、ここへ通された最初から順慶が連れている総髪の者が気になっていたらしい。その場を周旋する同朋《どうぼう》の者に、再三、

「あの者を下げられたい」

と頼んだがきき入れられず、

「やむをえぬ。ではたった一つだけ仕ろう」

といって、巨大な香炉を運ばせ、そのなかに用意の香《こう》を投じてつぎつぎに焚きくすべた。

「つぎに、戸障子を」

「戸障子をどうするのじゃ」

同朋がいった。

「閉じる」

秀吉は、許してやれ、といった。庭へひらけているその側を閉めきると、白昼とはいえ、人の目鼻もさだかでない暗闇となった。

しばらく暗闇のなかに異様な香のにおいのみが満ちていたが、やがて百人の者がことごとく声をのんだ。果心の座とおぼしいあたりで、茫《ぼう》っと、人身大の燐光がほのむらだ

ったのである。

人々が声をのむうち、燐光は次第に人の形をととのえてゆき、やがてそれは、ひなびた小袖を着た女人の姿になって、紙のように白い顔に髪を垂らしてゆらゆらと立った。

むろん、一座の者のたれもがその女に見おぼえがない。ただ、秀吉のみが声をあげて立ちあがった。――果心が現出したこの亡霊がたれであったか、秀吉にどういううらみをもつ者なのかは果心伝説のどの種類にも明らかでなく、ただ「秀吉公弱年のみぎり、野陣にて犯せし女ならん」とのみ伝えている。

秀吉が腰をおろすとともに亡霊は消えた。燐光も消えた。――それとほとんど同時であった。果心の肉体は、骨を断ち割るぶきみな音とともに板敷の上にころがっていたのである。場所は大広間ではない。果心が斬殺された場所は、なんと、大広間からはるかに離れた納戸《なんど》の部屋であった。果心はいつの間にか大広間を抜け出、納戸にひそんで法力を使っていたのである。斬った男は、順慶がこの日、秀吉の許しをえて連れてきていた和州大峰山《おおみねざん》の修験者だったという。名を玄鬼《げんかい》といった。果心とはかねて顔見知りであり、どういうわけか、かねて果心が苦手にしていた者だったといわれる。果心の術が、この男のもつ何らかの術に敗れたということになるわけである。玄鬼のことは、それ以外に伝わっていない。

《編集部より》

本書に収録した作品のなかには、差別的表現あるいは差別的表現ととられかねない箇所が含まれていますが、歴史的時代を舞台としていること、作品全体として差別を助長するようなものではないことなどに鑑《かんが》み、また著者が故人である点も考慮し、原文のままとしました。

解説

磯貝勝太郎

大草原と広野がはてしなくひろがるユーラシア（アジアとヨーロッパ）大陸や、東西の文化、文明のかけ橋となったシルクロードに対して、あこがれとロマンを抱いていた司馬遼太郎は、悠久《ゆうきゆう》の歴史の流れの中で、融合した東西の文化が古代日本にもたらされた、シルクロードの東の終着点である奈良の飛鳥《あすか》の近くで生まれた。

そこは、大阪府と奈良県の境に近い、奈良県北葛城郡當麻町《きたかつらぎぐんたいまちよう》竹内《たけのうち》である。生家の河村家（母親の直枝《なおえ》の実家）にそって、竹内街道が通っている。竹内街道のコースは、推古《すいこ》天皇二十一年（六一三）、難波《なにわ》ノ津《つ》（現在の大阪の四天王寺と大阪城のある上町台地《うえまちだいち》のあたりに位置していた大和朝廷の外港）と奈良の京《みやこ》の飛鳥をむすぶためにつくられた大道《だいどう》のコースと大部分がかさなっている。

この大道のコースは、大和朝廷がユーラシア大陸の異文化、異文明を取り入れるための吸入路として、重要な役割を果たした。遣隋使《けんずいし》、遣唐使《けんとうし》、留学生は、隋や唐の文物《ぶんぶつ》（法律、学問、芸術、宗教などの文化に関するもの）をもとめて、飛鳥から長尾、竹内峠、春日、古市、岡、金岡を通って北上し、難波ノ津を経て、そこからは海路のコースを通

竹内街道と大道　（太子町立竹内街道歴史資料館）

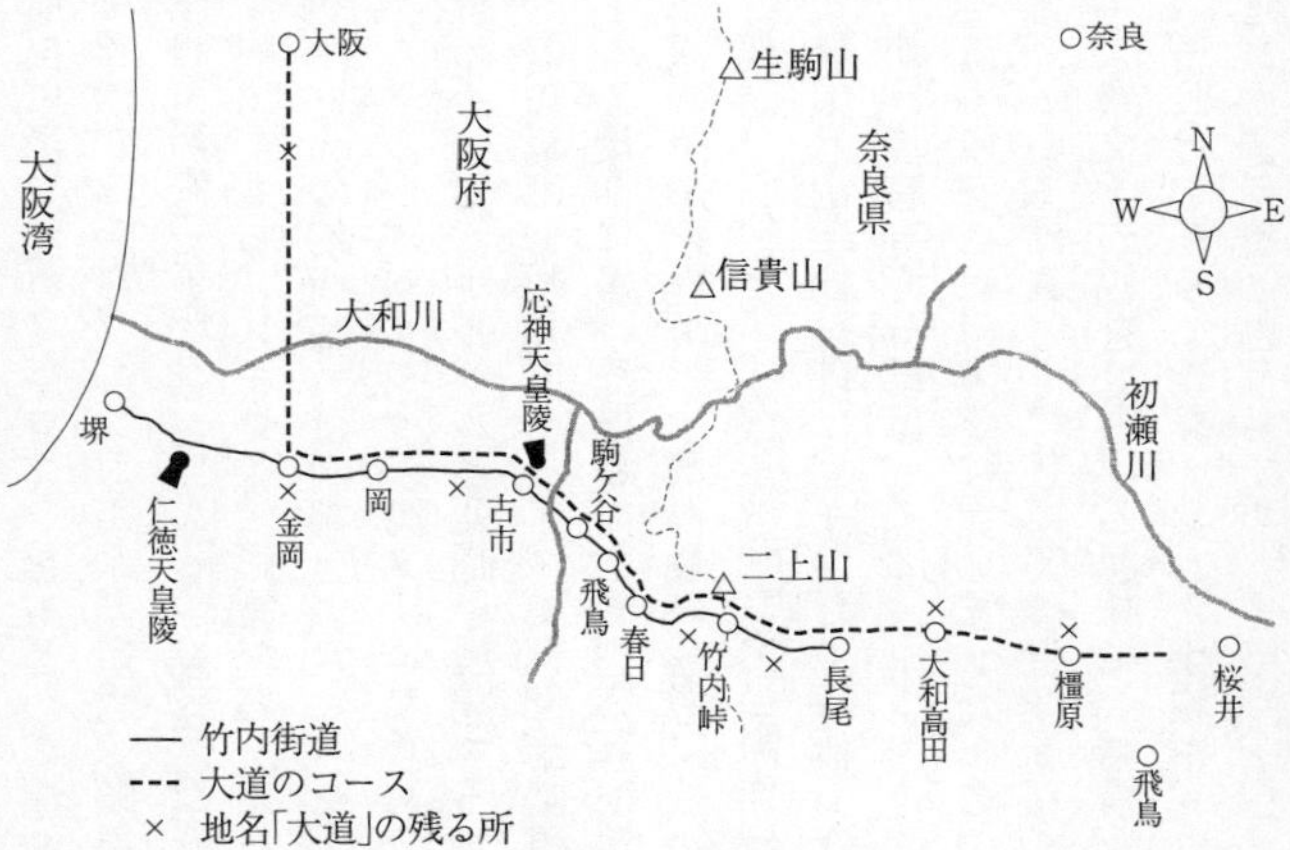

った。

瀬戸内海、対馬《つしま》海峡、朝鮮半島西沿岸、渤海《ぼっかい》湾から山東半島にいたるコースと、瀬戸内海、対馬海峡、東シナ海、揚子江《ようすこう》（現在の長江《ちょうこう》）河口にいたるコース、そのいずれかを利用したのである。

彼らとは逆に、大陸からの渡来人は、海路のコースを経て、難波ノ津に上陸し、飛鳥にいたる大道を通って、仏教の経典や仏像、絵画、工芸、散楽雑伎《さんがくざつぎ》（戯）などをもたらし、飛鳥文化に大きな影響をあたえた。

この国際的な幹線道路ともいうべき竹内街道（大道は明治時代以降、竹内街道とよばれた）にそった家で生まれたという追憶は、のちに、司馬遼太郎の詩的想像力をはばたかせ、ユーラシア大陸のモンゴル、中国、ペルシャ、コンスタンチノープル（五世紀の東ローマ帝国の都《みやこ》）などの数千年にわたる歴史にあこがれて、ロマンをもとめて漂泊する詩情の作家にしたのである。

少年のころから、モンゴル系の遊牧、騎馬民族の匈奴《きょうど》、蠕蠕《ぜんぜん》などにひかれ、大阪外国語学校（現在の大阪外国語大学）で蒙古語を学び、匈奴と関連のある騎馬民族のスキタイに興味をもち、スキタイに影響をあたえたペルシャ文化に対する関心をふかめた。

「ペルシャの幻術師」は、一二五三年、蒙古軍団を率いる若き王で、殺戮《さつりく》を好む大鷹《シンホルハ》汗《ガン》ボルトルが、ペルシャの町メナムに攻め入ったとき、救世的幻術師が出現し、美姫ナンをめぐって、ボルトルと死闘を展開するてんまつを描いた、愛と死の物語である。

この短篇は、昭和三十一年、第八回講談倶楽部賞の応募作で、司馬遼太郎というペンネームで最初に書いた作品である。応募総数一〇一三篇の中から、講談社内での第一次、第二次の予選を経て、十篇が最終選考に残った。五人の選考委員のうち、大林清と小島政二郎は、「ペルシャの幻術師」を当選作一篇だけとすれば、ふさわしくないと主張。源氏鶏太と山手樹一郎は、まったく評価しなかった。

だが、海音寺潮五郎は、

「ぼくは、これは非常に買いました。この幻覚の美しさね。出てくる人物が、型にはまっているけれども、芸術的に整理されている感じがしましたがね」

「大衆文学の幅をひろげる意味で、結構だと思うんです」

「それは、そういうジャンルの小説が、いままでないんだから、それで進歩しないんだとも言えると思うんです」

「まあ、一応ぼくは非常に買ったんだ。残しましょうよ」

「ぼくは当選作だと思う。惚《ほ》れこんじゃった」

と、好意的に評価することに終始したため「ペルシャの幻術師」は、「遠火《おび》の馬子唄《まごうた》」(畷文兵《なわてぶんぺい》)と共に当選作となった。

この作品が他の選考委員から評価されなかったのは、従来の応募作とは異なり、奇抜な印象をあたえる幻想小説であったからだ。のちに、司馬遼太郎は次のように語っている。

「ともかく書き終えたのですが、フッと心配になったのは、この小説の中に日本人が一人も出てこないことなんです。出てくるのはみんなペルシャ人やモンゴル人ばかりで、これはどこか外国の小説を翻訳して投稿しているんだろうと思われはしまいか、と不安でした。が、書きあがってしまってはもう仕方がないので、封をして送りました。七十枚でしたか、『ペルシャの幻術師』というものです」(「わが小説のはじまり」)

と、本人が外国の翻訳小説かと疑われるのではないか、とおもって書いたので、選考委員たちが、他の応募作品とくらべて、違和感をもったのは当然かもしれない。

だが、従来の応募作や大衆文学の作品に見当らない特異で、しかも、可能性を秘めていると考えて、大衆文学の幅をひろげる小説だ、と執拗《しつよう》なまでに推《お》した海音寺潮五郎は、さすがは大衆文学の興隆のために尽力してきた実作者であった。

昭和七年、「サンデー毎日」の長篇小説募集で当選した「風雲」は、幕末の志士群像の織りなす変革と混沌逆巻《こんとんさかま》く時代を主人公にした型破りの小説で、元治元年六月から七月にかけての二十数日間の京洛《きようらく》における動静が叙述されている。時代そのものを主人公に、一定の期間と場所を限り、克明に描いた小説は、当時としては破天荒《はてんこう》な作品であった。

昭和九年、作家となった海音寺潮五郎は、マスコミ化した大衆文学が通俗化し、行きづまった原因は、素材の貧困と様式の定型化にあることに気づき、大衆文学の行きづまりは、表現や技法を純文学に近づけることだけでは打開できないので、大衆文学のジャンルをひろげ、そのパターン化を打破すべきだと考えた。そして、同人雑誌「実録文学」や「文学建設」を創刊して、大衆文学・歴史文学論と歴史小説を書き、理論と実践の一致につとめた。

しかも、歴史・時代小説のジャンルだけでなく、史伝もの、中国もの、幻想小説などの各分野を開拓している。かつて、中国を舞台に一人の日本人も登場しない中国ものは売れないので、編集者は作家に書かせなかった。外国を舞台に日本人の出てこない小説は、作家、評論家、読者から好まれなかったのである。だが、中国ものを書くのが好きな海音寺潮五郎は、「中国英傑伝」「中国妖艶伝」などを書いてきた。こんにちでは、中国ものが流行しているが、そのきっかけとなったのは、「中国英傑伝」に感動した宮城谷昌光が、私小説を書くことを断念し、中国ものの執筆をはじめたからである。

幻想小説のジャンルでは、「崑崙の魔術師」「妖術」「天公将軍張角」などの幻想小説の中に、魔術師、妖術師、幻術師を主人公、狂言まわしとして登場させている。ファンタジーの物語を書くのが好きだったのである。だが、自然主義的リアリズムを基調とする純文学偏重の日本では、ファンタスティックな小説は、おとなの読むものではなく、低俗なものとみなされてきた。日本人は幻想小説をたのしむゆとりがないのだといえよう。このため海音寺潮五郎の幻想小説は、歴史・時代小説や史伝ものにくらべると、読まれてはいない。

かねがね、幻想小説が読まれない風潮を残念におもっていたので、「ペルシャの幻術師」を読んだとき、作者の発想、想像力、素材などが、いずれも、特異で、斬新《ざんしん》なので、感動したのだ。海音寺潮五郎が最初に指摘している〝幻覚の美しさ〟とは、アッサムの幻術をかけられたナンが幻覚によって恍惚状態《エクスタシー》となり、花園の中で、若者に化身した芳香の精と交情し、快楽《けらく》におぼれる甘美《かんび》なありようが、あざやかに描かれているからだ。幻術は催眠術であり、それをかけられた被術者のナンが、エクスタシーとなり、覚醒《かくせい》していくプロセスの描写も巧みだ。

「ペルシャの幻術師」の次に書いた「戈壁《ゴビ》の匈奴《きようど》」は、同人雑誌「近代説話」創刊号（昭和三十二年五月）に掲載された。

一九二〇年、寧夏《ねいか》の西の曠沙《こうさ》地で発見された、玻璃《はり》の壺についての記述を物語の発端として、発見者である英国考古学協会所属の退役大尉、サー・アルフレッド・エフイガムの詩的想像力はひろがり、中世の絹の道《シルクロード》の商業国で、オアシスの国、西夏の街衢《まち》で見たのは、十万の蒙古騎馬軍団を統率し、若き美女の女王、李晛《リーシエン》公主をもとめて、西夏城に向かう成吉思汗鉄木真《チンギスカンテムジン》であった。「戈壁の匈奴」は、この匈奴の英雄、鉄木真が五たびにわたって、美女を得るため西夏を攻略する物語である。

玻璃の壺を発見したエフイガム退役大尉は、かつての第一次大戦で左腕を付け根からくだかれた。戦場での体験は、彼を一人の夢想家に変えた。いや正しくは、歴史という死者の国の旅人にかえたという。

「彼が、沙漠の中で何かの破片を拾ったとする。事実、彼は、廃址《はいし》で無意味な小石を拾っても、そこに死者の声を聴けぬかと耳にあてた。それが一片の瓦であっても、そこに壮麗な青丹《あおに》の宮殿を幻出することができたし、錆《さ》びた銅鏃《やじり》のうえにも、百万の軍団が死闘する干戈《かんか》の音を聞くことができたし、一枚の銭刀をひろっても、その円孔の向こうに、二千年前天山《テンシャン》北路を越えてゆく悠揚たる駱駝《らくだ》隊をみることができた」

この引用文から連想するのは、司馬遼太郎が満州の四平《スーピン》の戦車学校を卒業したのち、北満の広野で演習をしていたとき、一枚の穴あき銅銭をひろったという話である。表に乾隆通宝と鋳《い》られ、裏に大阪外語で習った蒙古文字（正しくは古代満州文字）が書かれていた。おそらく蒙古へ帰る隊商の荷の中からこぼれ落ちたものであろう。それ以来、どのくらいの時が流れたのだろうか、そうおもうと、とめどもなく涙があふれた。砂漠の騎馬民族やオアシス国家の文明ほどはかないものはない。最後に清朝を建てた満州民族でさえ、消えてしまっている。その巨大な滅亡の歴史が、一枚の古銭に集約されている思いがして、もし自分の生命《いのち》が戦いの後にまで生き続けられるならば、彼らの滅亡の一つ一つの主題を自分なりにロマンの形で表現していきたいと、からだのふるえるような思いで臍《ほぞ》を決めたという。

この感動的な決意が、後年の「戈壁の匈奴」として結実するのである。エフイガム退役大尉の詩的想像力は、司馬遼太郎のそれにほかならない。詩的想像力の結晶純度が高い叙事詩である。そして、「ペルシャの幻術師」の説話（物語）構成よりも、はるかに巧緻《こうち》で、情感があふれるみずみずしい短篇だ。

「戈壁の匈奴」を読んで、大いに感動した海音寺潮五郎は、直木賞の受賞作になると確信し、当時、直木賞選考委員だったので、選考会に推薦しようとおもった。だが、日本の作家は、日本が舞台でなく、日本人が主人公でない作品を好まないため推しても落ちるかもしれないと考えて、見送ってしまった。彼が確信したごとく、この短篇は直木賞に価《あたい》する作品であることはいうまでもない。

「兜率天の巡礼」は「近代説話」の第二号（昭和三十二年十二月）に掲載された中篇である。太平洋戦争中に南朝の公卿、北畠顕家《きたばたけあきいえ》について、新説を立てたという理由で戦後、京都の大学を教職不適格者として、追放された閼伽道竜《あかどうりゅう》は、終戦の日に、最愛の妻の波那《はな》を失っていた。にわかに、彼女が発狂して死ぬとき、道竜に向けた眼差《まなざ》しは、異邦人への恐怖と嫌悪のそれであった。その意外さが彼を異常な執念で、妻の血統とルーツの追究にかりたてる。

その過程で、兵庫県赤穂郡比奈《ひな》の大避《おおさけ》神社の禰宜《ねぎ》をしている波那の実家の本家の当主から彼女の遠い祖先がユダヤ人（安息《ペルシャ》系）の移民団の子孫であることを知らされて、衝撃を受ける。彼らは古代キリスト教の一派であった景教《ネストリウス》の信徒で、日本に渡来したさいに、秦氏《はたうじ》の一族だと称して、ダビデ（漢訳名大闢《だいびゃく》）の礼拝堂（のちの大避神社）を建てたが、それは仏教の渡来以前のことだという。

この奇説を知った道竜は、文献を読みあさって想念を凝らすうち、幻想の空高く飛び立ち、五世紀の東ローマ帝国の都、コンスタンチノープルに到り、ネストリウス（その地で、イエスの母マリアを「神の母」とよぶことに反対したため追放されたが、キリスト教の分派、ネストリウス派を興した。それが東方のペルシャに勢力を得たのち、シルクロードや海路を経て、西域や中国に入った。中国では景教とよばれた）となって、都の群衆に自説を主張したり、七世紀の唐の都、長安では、流亡の景教徒の長老となり、胡女《こじょ》（碧眼《へきがん》かなしき安息《ペルシャ》系のユダヤ人の美女。道竜はこの女性の面影に波那のそれをかさねている）を抱いたりする。

その後、道竜の幻想の巡歴は、古代の日本に到り、津のくに、河内のくにを経て、たけのうち峠を越えて、大和にいたる。そして、幻想から現実にもどった道竜は、洛西の廃寺となってしまった上品蓮台院《じょうぼんれんだいいん》の弥勒堂《みろくどう》（奈良時代に渡来した秦氏が建てたという）

の壁に描いてある兜率曼荼羅図《とそつまんだら》を見つける。蠟燭《ろうそく》の灯《あかり》で、それをながめていた彼は、壁画の中に現《うつつ》の妻の波那を見い出したさいに、持っている蠟燭を落としてしまう。その時、意識はすでに現実の光の中から消えて、壁の中に入っていた。落し火によって弥勒堂は炎上し、その焼跡から発見された焼死体の身元が判明したのは、一週間を経たのちであった。

「兜率天の巡礼」には、「戈壁の匈奴」よりも精巧な技法が凝らされており、説話（物語）構成は、いっそう緻密になっている。幻想小説としての幻覚美があざやかに表現されているのは、洛西の廃寺の色彩もさだかならぬ兜率曼荼羅図に、現の波那を見い出した道竜が、狂喜したごとく妻のいる天国の兜率天へ旅立っていくくだりである。東と西、ふたつの文化、文明に影響をあたえた、景教《ネストリウス》にまつわる奇説という特異な素材を、グローバルな視点から時空を超越して、古代と現代、現実と幻想を交錯させ、道竜、ネストリウス、作者自身を三重写しにしながら、詩的な情念で描いた力作だ。

昭和二十四年夏のある日、産経新聞社京都支局の宗教担当の記者であった司馬遼太郎は、銭湯でひとりの人物に会った。その紳士は、なに者とも知れぬ司馬に、

「キリスト教を初めてもたらしたのは、聖フランシスコ・ザビエルではない。彼よりさらに千年前、すでに古代キリスト教が日本に入ってきた。仏教の渡来よりもふるかった。第二番に渡来したザビエルが、なにをもって、これほどの祝福をうけねばなら

ないか。その遺跡は京都の太秦《うずまさ》にある」

と、話してくれたという。当時、ザビエルの日本上陸四百年を記念して、各地でさまざまな催しがおこなわれ、司馬も関連の取材をしていた。その紳士はかつて、有名な国立大学教授であったと語り、〝日本古代キリスト教〟の遺跡について指示してくれたので、兵庫県の比奈ノ浦や京都の太秦の遺跡を踏査して、それに関する記事を書き、

「すでに十三世紀において世界的に絶滅したはずのネストリウスのキリスト教が、日本に遺跡を残していること自体が奇跡だ」

と、締めくくった。その記事は多くの反響をよび、海外の新聞にも転載された。その後、昼は、新聞社で、今日の「現実」を切りとる仕事をして、夜は、想念が、「現実」から抜け出して古代地図の上を逍遥《しょうよう》し、「兜率天の巡礼」を書いたという。

ちなみに、古代ペルシャに勢力を得たネストリウス派が、シルクロードを経て中国に入って、景教とよばれたが、それとは異なり、ペルシャからインドへ入り、インド東岸から海路で、中国沿岸をつたって、比奈ノ浦に着いた流浪の景教徒たちが、秦氏と称して、ダビデの礼拝堂や、いすらい井戸をつくり、のちに、一族の都を太秦にさだめて、大闢《だいびやく》の社や、やすらい井戸を残したという奇説は、大正の末期に英国人の景教徒、A. G. Gordon によってたてられた。

この説をふまえた司馬遼太郎は、道竜の妻、波那を流亡の景教徒、秦氏の末裔《まつえい》として、物語を展開している。「兜率天の巡礼」に対しても感動した海音寺潮五郎は、そのスト

ーリーにひきつけられると同時に、大いにおどろいたにちがいない。彼も Gordon 説に触発されて、長篇歴史小説「蒙古来たる」(文春文庫)を、昭和二十八年から翌年にかけて新聞に連載し、グローバルな視点から物語をくりひろげているからだ。

文永・弘安の両役前後の日本と中世のユーラシア大陸を時代背景とするこの長篇では、蒙古軍によって故国を追われたペルシャの美姫で、景教徒のセシリヤが、アラビヤから海路で、中国沿岸を経て日本に流亡してくる。それは、海路による景教のわが国への流入ルートにかさなり、ネストリウス派のキリスト教が日本に伝来したことを暗示している。

しかも、ペルシャの音曲《おんぎょく》を好むセシリヤが、クグツ(傀儡子《かいらいし》ともよばれ、狩猟、漁《すなどり》、人形回し、幻術、奇術などを生業とする漂泊民)の一団に身をかくすてんまつを描くことによって、ペルシャの音曲、幻術、奇術などが、クグツのそれらと混合し、さらに、山伏(修験者《しゅげんじゃ》)や忍者の幻術、忍術に習合されていったことを示唆しているのである。

ペルシャの幻術は、拝火教《ゾロアスター》の僧たちが、陶酔的《エクスタシー》なペルシャの音曲を奏で、幻覚症状を起こす大麻《ハシーシュ》や催眠術を使い、さまざまな幻術を演じて、人びとを信者にするための妖術のたぐいであった。拝火教はシルクロードを経て中国に入ると、祆教とよばれ、その僧たちが散楽雑伎《さんがくざつぎ》(音曲に合わせて演ずる幻術、奇術、曲芸など)をおこなった。散楽雑伎は日本にもたらされて、クグツ、山伏(修験者)、忍者に伝承された。「蒙古来たる」を読むと、散楽雑伎についての記述が断片的に散見され、その知識が活用されていることとがわかる。この作品が書かれたころは、ユーラシア大陸の西域のペルシャ文化に対する人びとの関心は、まったく、みられなかったが、海音寺潮五郎の視野には入っていたのである。

したがって、「ペルシャの幻術師」を読んだときも、「蒙古来たる」と同様に、ペルシャを侵略する蒙古軍、ペルシャの美姫、幻術師が登場し、まったく同時期のペルシャの情勢が描かれている相似性に気づいたにちがいない。このように推察すると、選考会で反対を押し切って、「ペルシャの幻術師」を当選作に推したことも納得できる。

余談ながら、Gordon は秦氏が景教徒であったという説をたてているが、要するに、秦氏は謎の一族なのである。だが、海音寺潮五郎、司馬遼太郎、いずれも指摘していないのは、散楽雑伎を中国から日本にもたらしたのが秦氏であったということである。「兜率天の巡礼」に景教徒、秦氏の日本渡来の第二梯団《ていだん》は、〃功満王の子弓月ノ君が率いて応神帝の頃来着したといわれる〃という記述がある。だが、功満王の子にあたる弓月ノ君は、正式の名前が秦《はた》ノ弓月ノ君であり、ハタは、ペルシャ語で、〃はるばるきた〃、ウヅは、〃第一〃、キは、〃人〃といい、つまり遠来の民族の統率者のことだという。

そして、彼は応神帝の時代に、散楽雑伎を得意とするペルシャ系の放浪民族がまぎれ込んでいる移民たちを統率して日本に渡来したという説がある。ペルシャの幻術や奇術を演じる放浪民族たちとその後裔は、クグツの集団に入って散楽雑伎を演じながら、各地を漂泊したのではないかとおもわれる。

それはさておき、「戈壁の匈奴」と「兜率天の巡礼」が掲載された同人雑誌「近代説話」は、寺内大吉と司馬遼太郎によって創刊された。その発刊の理念は、小説に新しい説話性を回復したいということであった。同人で、詩人、作家の伊藤桂一によると、新しい説話性というのは、斬新な物語性ということであり、エンターテインメントの物語性ではなくて、詩心に発するそれであるという。

その理念の観点から、「戈壁の匈奴」と「兜率天の巡礼」について考えてみると、いずれも、それにかなっていることに気づく。自然主義的リアリズムを基調とする純文学、ロマネスクな物語を重視する大衆文学、そのどちらにも分類しがたい、詩的な物語性ゆたかな作品なのである。とりわけ、「兜率天の巡礼」は、従来の純文学、大衆文学のワクを超越した作品だといえば、過褒《かほう》であろうか。

司馬遼太郎は生涯を通して、直木賞受賞作「梟の城」以前の諸作品を、作家として書いたとはおもいたくなかったという。そういった意識があったとするならば、未熟な作品だからという謙虚な気持があったのかもしれない。だが、すでに、「戈壁の匈奴」と「兜率天の巡礼」は、「近代説話」の理想としての文学理念を越えた水準に達していたことになる。

「梟の城」は、作者の新聞記者としての職業心理を巧みに忍者に仮託して、忍者の虚無と愛憎と幻怪の世界を描いた長篇である。選考会の席上で、才気走って、歴史の勉強が不足している、と吉川英治が指摘したので、人を酔わせる才筆は若いころの吉川英治をほうふつさせると、海音寺潮五郎が強く主張し、当選作にしてしまった。

勉強不足どころか、「梟の城」や、そのあとに書かれた「下請忍者」を読むと、忍びと忍術の相違をふまえ、上忍《じょうにん》と下忍《げにん》の関係を通して、下忍たちのきびしくて、貧困な生活のありようがとらえられており、忍者に通じていることがわかる。「梟の城」では山伏を主人公にするつもりであったが、読者になじみにくいため忍者を登場させたのである。山伏や忍者への関心は少年のころからあった。とくに山伏や修験道に興味をもっていた。幼いころの脱腸が治ったお礼参り（いわゆる十三詣《まい》り）のため山伏（修験者）の修行した根本霊場の大峰山《おおみねさん》に行き、山頂の蔵王堂《ざおうどう》の暗闇の中で、千年ものあいだ、消えずについている〝不滅の灯明《ふめつとうみょう》〟と闇に衝撃《ショック》をうけて以来、大峰山をひらいた役行者《えんのぎょうじゃ》を好きになったからだ。

役行者が大道に近い葛城山《かつらぎさん》のふもとで生まれ育ったので、同郷人としての親近感をもった。呪術者《シャーマン》の一族の彼は、まじない、うらないなどの土俗的な呪術《じゅじゅつ》にすぐれていた。しかも、外来の雑密《ぞうみつ》の呪法にも通じていた。雑密は孔雀明王《くじゃくみょうおう》の呪法である。孔雀は毒蛇や毒草さえ食べてしまう悪食《あくじき》の鳥なので、古代インドの婆羅門《バラモン》（四つの階級中で最高の僧侶）は、そのすさまじい消化力に超能力を感じて、偶像化し、神とあがめた。孔雀明王の超能力の中に呪力があると考えたのである。

孔雀明王像と呪法は、シルクロードを経て、山辺道《やまのべのみち》（のちの大道）を通って大和に入っていた。役行者はそれとわが国の古神道の土俗的な呪術を習合し、怪異な術を自在に使ったり、山野で難行苦行して験力を強め、ついに修験道の開祖とされるにいたった。のちには忍術の開祖ともいわれるようになる。

空海は、役行者が習合した、うらない、まじないなどの土俗的な呪術と、孔雀明王の呪法（雑密）を体系化し、さらに、孔雀明王を、大日如来《だいにちにょらい》（太陽、昆虫、塵など、宇宙に存在する、あらゆるものに内在して、宇宙にあまねくみちみちている超越者であるとされている）の化身《けしん》として昇華させ、純粋密教（純密《じゅんみつ》）を完成させた。純密は真言密教の僧侶によって、病気平癒《へいゆ》、安産祈願などの加持祈禱《かじきとう》で活用された。そして、役行者が習合した土俗的な呪術と雑密は、山伏の加持祈禱や、歩き巫女《みこ》の祈禱に利用されたのである。

孔雀明王の呪法が山辺道もしくは、大道を経て、大陸から大和にもたらされたころ、それと前後して、散楽雑伎は同じコースを通って、大和に伝来していた。その双方が習合されたのか、あるいは、習合されないで、密教僧、山伏、歩き巫女、クグツ、幻術師たちに伝承されたのかは、わからない。

「果心居士の幻術」の主人公は竹内當麻村に現われ、田の神に扮《ふん》して田楽《でんがく》を演じ、領主の弟とその近習を斬殺したのち、さまざまな幻戯《めくらまし》を演じた。婆羅門僧の父親の影響で婆羅門の楽《がく》の胡飲酒《こいんしゅ》にひかれた果心居士は、胡飲酒の呪法による幻術をおこなっている。

だが、田楽は散楽雑伎の幻術、奇術、舞踊、能楽、雅楽などの系統のもの（田楽は、のちに能楽、雅楽などに影響を与えていく）なので、彼は双方の系統の幻術を自在に使えたのであろうか。暗闇のなかで香を焚き、そのにおいが満ちると、花っと、人身大の燐光《こう》がほむらだち、女の亡霊が現われた。この幻戯は、いずれの系統のものなのか。「ペルシャの幻術師」では、花園のなかから芳香が漂ってきて、突然、それは一人の若者の像《かたち》をとり、美姫のナンは彼と甘美な密会の快楽をたのしんだ。幻術師のアッサムはペルシャ人なので、散楽雑伎の幻戯、すなわち、催眠術をかけたのであろう。

だが、彼は大鷹汗ボルトルと死闘の対決をしたとき、纏頭帽《ターバン》を解くや、篝台《かがりだい》に近づき、頭髪を火中に入れたところ、轟然《ごうぜん》たる音、硝臭《しょうしゅう》、血のように赤い煙が部屋中にみちた。これはインドのマジックだとおもわれる。拝火教《ゾロアスター》の僧は信者を集めるためさまざまな幻術、幻戯をおこなったので、彼らは、マギ（magi）とよばれ、これが英語のmagicの語源となった。

そう考えると、インドの婆羅門の幻術との関係はどうなのであろうか。宗教的な音曲、幻術、奇術、曲芸などの異文化は、夾雑物《きょうざつぶつ》として伝来してくるので、明確には分かちがたいのである。

「飛び加藤」の主人公は、當麻村に生まれている。果心居士は當麻村に出現する。そこは作者の生誕地なので、彼らへの愛着が感じられる。役行者まがいの修行をした彼は、真言をとなえながら、集団催眠術を使った呑馬《どんば》術を使っており、その施術のプロセス描写がおもしろい。「下請忍者」の下忍、猪《い》ノ与次郎の呑馬術と同様に、それがおこなわれていたことは、『信西古楽図《しんぜいこがくず》』の入馬腹舞の図や、『今昔物語集』の記述で明らかだ。

「外法仏」は、外法頭《げぼうがしら》という奇形の頭をもつ異相の密教僧と外法使いの歩き巫女が登場する怪異譚《かいいたん》である。髑髏《どくろ》による巫術《ふじゅつ》と拝火婆羅門の呪術との相乗作用の奇っ怪さにおどろかされるが、『今昔物語集』『増鏡』などに外法頭についての記述がある。髑髏によるシャーマンの術は、古代の中国、モンゴル以来のものだが、猫や猿の頭が入った外法箱による歩き巫女の術は、日本独自のものだ。外法頭と外法箱、二つを素材としてストーリーを展開しているのは興趣深い。

「牛黄加持」は、真言密教僧の安産祈願の加持祈禱の物語だが、牛黄《ごおう》（牛の角、心臓などに生じた病塊を粉末にして、密教僧の精水《ザーメン》で溶いたもの）の粘液を、藤原得子（のちの美福門院）の産門に、一指《いっし》をもって塗るごとに、一呪《いちじゅ》を唱えるくだりの描写には圧倒される。

古代ペルシャの拝火教、祆教、拝火婆羅門などの呪法、幻術などに大きな影響を受けている修験道、密教は、こんにちでも、日本人の自然観、死生観とのかかわりが少なくない。われわれの祖先たちは、真言密教僧、山伏、巫女の呪法、祈禱、占いなどによって、日常生活の営みなかで喜怒哀楽をあらわしてきた。歴史・時代小説のおもしろさは、そのような時代の特色を知ることにある。

『ペルシャの幻術師』の八つの中短篇は、いずれも、初期の幻想小説だが、「外法仏」

「牛黄加持」などの短篇には、そのころの時代相があざやかに映し出されており、現代の読者をひきつける。二十一世紀の科学万能の時代でも、その限界を越えた次元の異なる神秘の世界が存在し、科学的合理主義の光を受けつけない心の闇の領域を誰でも持っている。現代のわれわれは、次元の異なる神秘の世界に畏敬を抱き、そういった合理化できない心、深層意識の中に、呪術、幻術、予言能力などの神秘的現象への潜在的な畏れと関心があるので、これらの作品に魅力を感じるのだといえよう。

（文芸評論家）

〔初出一覧〕

「ペルシャの幻術師」　昭和三十一年五月「講談倶楽部」文庫初収録

「戈壁の匈奴」　昭和三十二年五月「近代説話」
光文社文庫　日本ペンクラブ編『黄土の群星』収録

「兜率天の巡礼」　昭和三十二年十二月「近代説話」文庫初収録

「下請忍者」　昭和三十四年十二月「講談倶楽部」
講談社文庫『最後の伊賀者』収録

「外法仏」　昭和三十五年三月「別冊文藝春秋」
講談社文庫『最後の伊賀者』収録

「牛黄加持」　昭和三十五年十二月「別冊文藝春秋」
新潮文庫『果心居士の幻術』収録

「飛び加藤」　昭和三十六年一月「サンデー毎日」
新潮文庫『果心居士の幻術』収録

「果心居士の幻術」　昭和三十六年三月「オール讀物」
新潮文庫『果心居士の幻術』収録

文春文庫

ペルシャの幻術《げんじゅつ》師《し》

定価はカバーに
表示してあります

2001年2月10日　第1刷
2022年4月5日　第16刷

著　者　司《し》馬《ば》遼《りょう》太《た》郎《ろう》
発行者　花田朋子
発行所　株式会社 文藝春秋

東京都千代田区紀尾井町3-23　〒102-8008
TEL 03・3265・1211㈹
文藝春秋ホームページ　http://www.bunshun.co.jp

落丁、乱丁本は、お手数ですが小社製作部宛お送り下さい。送料小社負担でお取替致します。

印刷・凸版印刷　製本・加藤製本
Printed in Japan
ISBN978-4-16-710592-1

（　）内は解説者。品切の節はご容赦下さい。

司馬遼太郎
ロシアについて
北方の原形

日本とロシアが出合ってから二百年ばかり、この間不幸な誤解を積み重ねた。ロシアについて深い関心を持ち続けてきた著者が、歴史を踏まえたうえで、未来を模索した秀逸なロシア論。

し-1-58

司馬遼太郎
この国のかたち
（全六冊）

長年の間、日本の歴史からテーマを掘り起こし、香り高く豊かな作品群を書き続けてきた著者が、この国の成り立ちについて、独自の史観と明快な論理で解きあかした注目の評論。

し-1-60

司馬遼太郎
八人との対話

山本七平、大江健三郎、安岡章太郎、丸谷才一、永井路子、立花隆、西澤潤一、A・デーケンといった各界の錚々たる人びとと文化、教育、戦争、歴史等々を語りあう奥深い内容の対談集。

し-1-63

司馬遼太郎
最後の将軍
徳川慶喜

すぐれた行動力と明晰な頭脳を持ち、敵味方から怖れと期待を一身に集めながら、ついに自ら幕府を葬り去らなければならなかった最後の将軍徳川慶喜の悲劇の一生を描く。（向井　敏）

し-1-65

井上　靖・司馬遼太郎
西域をゆく

少年の頃からの憧れの地へ同行した二大作家が、興奮も覚めやらぬままに語った、それぞれの「西域」。東洋の古い歴史から民族、そしてその運命へと熱論ははてしなく続く。（平山郁夫）

し-1-66

司馬遼太郎
竜馬がゆく
（全八冊）

土佐の郷士の次男坊に生まれながら、ついには維新回天の立役者となった坂本竜馬の奇跡の生涯を、激動期に生きた多数の青春群像とともに大きなスケールで描く永遠の傑作青春小説。

し-1-67

司馬遼太郎
歴史と風土

「関ケ原の戦い」と「清教徒革命」の相似点、『竜馬がゆく』執筆に到るいきさつなど、司馬さんの肉声が聞こえてくるような談話集。全集第一期の月報のために語られたものを中心に収録。

し-1-75

（　）内は解説者。品切の節はご容赦下さい。

司馬遼太郎
世に棲む日日（全四冊）
幕末、ある時点から長州藩は突如倒幕へと暴走した。その原点に立つ吉田松陰と、師の思想を行動化したその弟子高杉晋作を中心に変革期の人物群を生き生きとあざやかに描き出す長篇。
し-1-105

司馬遼太郎
酔って候
土佐の山内容堂を描く「酔って候」、薩摩の島津久光の「きつね馬」、宇和島の伊達宗城の「伊達の黒船」、鍋島閑叟の「肥前の妖怪」と、四人の賢侯たちを材料に幕末を探る短篇集。（芳賀　徹）
し-1-109

司馬遼太郎
義経（上下）
源氏の棟梁の子に生まれながら寺に預けられ、不遇だった少年時代。義経となって華やかに歴史に登場、英雄に昇りつめながらも非業の最期を遂げた天才の数奇な生涯を描いた長篇小説。
し-1-110

司馬遼太郎
以下、無用のことながら
単行本未収録の膨大なエッセイの中から厳選された71篇。森羅万象への深い知見、知人の著書への序文や跋文に光るユーモア、エスプリ。改めて司馬さんの大きさに酔う一冊。（山野博史）
し-1-112

司馬遼太郎
故郷忘じがたく候
朝鮮の役で薩摩に連れてこられた陶工たちが、帰化しても姓をあらためず、故国の神をまつりながら生きつづけて来た姿を描く表題作のほかに、「斬殺」「胡桃に酒」を収録。（山内昌之）
し-1-113

司馬遼太郎
功名が辻（全四冊）
戦国時代、戦闘も世渡りもからきし下手な夫・山内一豊を、三代の覇者交代の間を巧みに泳がせて、ついには土佐の太守に仕立て上げたその夫人のさわやかな内助ぶりを描く。（永井路子）
し-1-114

（　）内は解説者。品切の節はご容赦下さい。

司馬遼太郎
夏草の賦（上下）
戦国時代に四国の覇者となった長曾我部元親。ぬかりなく布石し、攻めるべき時に攻めて成功した深慮遠謀ぶりと、政治に生きる人間としての人生を、妻との交流を通して描く。（山本一力）
し-1-118

司馬遼太郎
司馬遼太郎対話選集　全十巻
歴史、戦争、宗教、アジア、言葉……。幅広いテーマをめぐって、司馬遼太郎が各界の第一人者六十名と縦横に語り合った対談の集大成。「日本の今」を考える上での刺激的な視点が満載。
し-1-120

司馬遼太郎
十一番目の志士（上下）
天堂晋助は長州人にはめずらしい剣のスーパーマン。高杉晋作は、旅の道すがら見た彼の剣技に惚れこみ、刺客として活用する。型破りの剣客の魅力がほとばしる長篇。（奈良本辰也）
し-1-130

司馬遼太郎
花妖譚
黒牡丹・白椿・睡蓮など、花にまつわる妖しくて物悲しい十篇の幻想小説。国民的作家になる前の新聞記者時代に書かれ、人間の性《さが》の不思議さを見つめる若々しい視線が印象的。（菅野昭正）
し-1-132

司馬遼太郎
殉死
日露戦争で苦闘した第三軍司令官、陸軍大将・乃木希典。戦後は数々の栄誉をうけ神様と崇められた彼は、なぜ明治帝の崩御に殉じて、命を断ったのか？　軍神の人間像に迫る。（山内昌之）
し-1-133

司馬遼太郎
歴史を紀行する
高知、会津若松、鹿児島、大阪など、日本史上に名を留める十二の土地を訪れ、風土と人物との関わり合い、歴史との交差部分をつぶさに見直す。司馬史観を駆使して語る歴史紀行の決定版。
し-1-134

（　）内は解説者。品切の節はご容赦下さい。

司馬遼太郎
木曜島の夜会
オーストラリア北端の木曜島では明治初期から太平洋戦争前まで、多くの日本人が白蝶貝採取に従事していた。恐怖に耐えつつも海に生きた彼らの軌跡を辿る表題作ほか三篇。（山形眞功）
し-1-135

司馬遼太郎
手掘り日本史
日本人が初めて持った歴史観、庶民の風土、史料の語りくち、「手ざわり」感覚で受け止める美人、幕末三百藩の自然人格。圧倒的国民作家が明かす、発想の原点を拡大文字で！（江藤文夫）
し-1-136

司馬遼太郎・陳　舜臣
対談　中国を考える
古来、日本はこの大国と密接な関係を保ってきた。「近くて遠い国」中国をどのようにとらえるべきか、我が国のとるべき立場を歴史の大家が論じつくした中国論、日本論。（山内昌之）
し-1-137

司馬遼太郎
日本人を考える
司馬遼太郎対談集
梅棹忠夫、梅原猛、陳舜臣、富士正晴、桑原武夫、山口瞳、今西錦司ほか各界識者と司馬が語り合う諸問題は、21世紀になっても続いている。貴重な示唆に富んだ対談集。（岡崎満義）
し-1-138

司馬遼太郎
余話として
竜馬の「許婚者」の墓に刻まれた言葉、西郷さんの本当の名前――。歴史の大家がふとした時に漏らしたこぼれ話や、名作の舞台裏をまとめた、壮大で愉快なエッセイ集。（白川浩司）
し-1-139

司馬遼太郎
対談集
歴史を考える
日本人を貫く原理とは何か？　対談の名手が、歴史に造詣の深い萩原延壽、山崎正和、綱淵謙錠と自由自在に語り合う。歴史を俯瞰し、日本の〝現在〟を予言する対談集。（関川夏央）
し-1-140

（　）内は解説者。品切の節はご容赦下さい。

安部龍太郎
等伯（上下）
武士に生まれながら、天下一の絵師をめざして京に上り、戦国の世でたび重なる悲劇に見舞われつつも、己の道を信じた長谷川等伯の一代記を描く傑作長編。直木賞受賞。（島内景二）
あ-32-4

安部龍太郎
姫神
争いが続く朝鮮半島と倭国の平和を願う聖徳太子の遣隋使計画。海の民・宗像の一族に密命が下る。国内外の妨害工作に悩まされながら、若き巫女が起こした奇跡とは――。（島内景二）
あ-32-6

安部龍太郎
おんなの城
結婚が政略であり、嫁入りが高度な外交だった戦国時代。各々の方法で城を守ろうと闘った女たちがいた――井伊直虎、立花誾千代など四人の過酷な運命を描く中編集。（島内景二）
あ-32-7

安部龍太郎
宗麟の海
信長より早く海外貿易を行い、硝石、鉛を輸入、鉄砲をいち早く整備。宣教師たちの助力で知力と軍事力を駆使して瞬く間に九州を制覇した大友宗麟の姿を描く歴史叙事詩。（鹿毛敏夫）
あ-32-8

安能　務
始皇帝　中華帝国の開祖
始皇帝は〝暴君〟ではなく〝名君〟だった!?　世界で初めて政治力学を意識し中華帝国を創り上げた男。その人物像に迫りつつ、現代にも通じる政治学を解きあかす一冊。（冨谷　至）
あ-33-4

浅田次郎
壬生《みぶ》義《ぎ》士《し》伝《でん》（上下）
「死にたぐねえから、人を斬るのす」――生活苦から南部藩を脱藩し、壬生《みぶ》浪と呼ばれた新選組で人の道を見失わず生きた吉村貫一郎の運命。第十三回柴田錬三郎賞受賞。（久世光彦）
あ-39-2

浅田次郎
輪違《わちがい》屋《や》糸里《いとさと》（上下）
土方歳三を慕う京都・島原の芸妓・糸里は、芹沢鴨暗殺という、新選組の内部抗争に巻き込まれていく。大ベストセラー『壬生義士伝』に続き、女の〝義〟を描いた傑作長篇。（末國善己）
あ-39-6

（　）内は解説者。品切の節はご容赦下さい。

浅田次郎
一刀斎夢録（上下）
怒濤の幕末を生き延び、明治の世では警視庁の一員として西南戦争を戦った新選組三番隊長・斎藤一の眼を通して描き出される感動ドラマ。新選組三部作ついに完結！（山本兼一）
あ-39-12

浅田次郎
黒書院の六兵衛（上下）
江戸城明渡しが迫る中、てこでも動かぬ謎の武士ひとり。勝海舟や西郷隆盛も現れて、城中は右往左往。六兵衛とは一体何者か？笑って泣いて感動の結末へ。奇想天外の傑作。（青山文平）
あ-39-16

あさのあつこ
燦《さん》 1 風の刃《やいば》
疾風のように現れ、藩主を襲った異能の刺客・燦。彼と剣を交えた家老の嫡男・伊月。別世界で生きていた二人には隠された宿命があった。少年の葛藤と成長を描く文庫オリジナルシリーズ。
あ-43-5

あさのあつこ
燦 2 光の刃
江戸での生活がはじまった。伊月は藩の世継ぎ・圭寿と大名屋敷住まい。長屋暮らしの燦と、伊月が出会った矢先に不吉な知らせが。少年が江戸を奔走する文庫オリジナルシリーズ第二弾！
あ-43-6

あさのあつこ
燦 3 土の刃
「圭寿、死ね」。江戸の大名屋敷に暮らす田鶴藩の後嗣に、闇から男が襲いかかった。静寂を切り裂き、忍び寄る魔の手の正体は。そのとき伊月は、燦は。文庫オリジナルシリーズ第三弾。
あ-43-8

あさのあつこ
火群《ほむら》のごとく
兄を殺された林弥は剣の稽古の日々を送るが、家老の息子・透馬と出会い、政争と陰謀に巻き込まれる。小舞藩を舞台に少年の友情と成長を描く、著者の新たな代表作。（北上次郎）
あ-43-12

あさのあつこ
もう一枝《いっし》あれかし
仇討に出た男の帰りを待つ遊女、夫に自害された妻の選ぶ道、若き日に愛した娘との約束のため位を追われる男――制約の強い時代だからこその一途な愛を描く傑作中篇集。（大矢博子）
あ-43-16

（　）内は解説者。品切の節はご容赦下さい。

青山文平
白樫の樹の下で
田沼意次の時代から清廉な松平定信の息苦しい時代への過渡期。いまだ人を斬ったことのない貧乏御家人が名刀を手にしたとき、何かが起きる。第18回松本清張賞受賞作。（島内景二）
あ-64-1

青山文平
かけおちる
藩の執政として辣腕を振るう男は二十年前、男と逃げた妻を斬った。今また、娘が同じ過ちを犯そうとしている——。時代小説の新しい世界を描いて絶賛される作家の必読作！（村木　嵐）
あ-64-2

青山文平
つまをめとらば
去った女、逝った妻……瞼に浮かぶ、獰猛なまでに美しい女たちの面影は男を惑わせる。江戸の町に乱れ咲く、男と女の性と業。女という圧倒的リアル！　直木賞受賞作。（瀧井朝世）
あ-64-3

青山文平
遠縁の女
追い立てられるように国元を出、五年の武者修行から国に戻った男が直面した驚愕の現実と、幼馴染の女の仕掛けてきた罠。直木賞受賞作に続く、男女が織り成す鮮やかな武家の世界。
あ-64-4

朝井まかて
銀の猫
嫁ぎ先を離縁され「介抱人」として稼ぐお咲。年寄りたちに人生を教わる一方で、妾奉公を繰り返し身勝手に生きてきた、自分の母親を許せない。江戸の介護を描く傑作長編。（秋山香乃）
あ-81-1

朝松　健
血と炎の京《みやこ》
私本・応仁の乱
応仁の乱は地獄の戦さだった。花の都は縦横に走る塹壕で切り刻まれ、唐土の殺戮兵器が唸る。戦場を走る復讐鬼・道賢と、救いを希う日野富子を描く書下ろし歴史伝奇。田中芳樹氏推薦。
あ-85-1

井上ひさし
手鎖心中
材木問屋の若旦那、栄次郎は、絵草紙の人気作者になりたいと願うあまり馬鹿馬鹿しい騒ぎを起こし……歌舞伎化もされた直木賞受賞作。表題作ほか「江戸の夕立ち」を収録。（中村勘三郎）
い-3-28

（　）内は解説者。品切の節はご容赦下さい。

東慶寺花だより
井上ひさし
離縁を望み決死の覚悟で鎌倉の「駆け込み寺」へ——女たちの事情、強さと家族の絆を軽やかに描いて胸に迫る涙と笑いの時代連作集。著者が十年をかけて紡いだ遺作。（長部日出雄）
い-3-32

秘密
池波正太郎
家老の子息を斬殺し、討手から身を隠して生きる片桐宗春。だが人の情けに触れ、医師として暮すうち、その心はある境地に達する——。最晩年の著者が描く時代物長篇。（里中哲彦）
い-4-95

鬼平犯科帳　決定版（二十三）
池波正太郎
特別長篇　炎の色
謹厳実直な亡父に隠し子がいた。衝撃の事実と妹の存在を知った平蔵は、その妹のためにひと肌脱ぐ。一方、おまさは女盗賊に気に入られ、満更でもない。「隠し子」「炎の色」を収録。
い-4-123

鬼平犯科帳　決定版（二十四）
池波正太郎
特別長篇　誘拐
国民的時代小説シリーズ「鬼平犯科帳」最終巻。未完となった表題作ほか「女密偵女賊」「ふたり五郎蔵」の全三篇。秋山忠彌「平蔵の好きな食べもの屋」を特別収録。（尾崎秀樹）
い-4-124

その男
池波正太郎
（全三冊）
杉虎之助は大川に身投げをしたところを謎の剣士に助けられる。こうして〝その男〟の波瀾の人生が幕を開けた——。幕末から明治へ、維新史の断面を見事に剔る長編。（奥山景布子）
い-4-131

旅路
池波正太郎
（上下）
新婚の夫を斬殺された三千代は実家に戻れとの藩の沙汰に従わず、下手人を追い彦根から江戸へ向かう。己れの感情に正直に生きる美しい武家の女の波瀾万丈の人生を描く。（山口恵以子）
い-4-134
池波正太郎・逢坂　剛・上田秀人・梶　よう子
風野真知雄・門井慶喜・土橋章宏・諸田玲子
池波正太郎と七人の作家　蘇える鬼平犯科帳
逸品ぞろいの「鬼平づくし」。「鬼平」誕生五十年を記念し、七人の人気作家が「鬼平」に新たな命を吹き込んだ作品集。本家・池波正太郎も「瓶割り小僧」で特別参加。
い-4-200

（　）内は解説者。品切の節はご容赦下さい。

稲葉　稔
すわ切腹
幕府役人事情　浜野徳右衛門

剣の腕を買われ、火付盗賊改に加わった徳右衛門。大店に押し入った賊の仲間割れで殺された男により、窮地に立つことに。何よりも家族が大事なマイホーム侍シリーズ、最終巻。

い-91-6

稲葉　稔
武士の流儀（一）

元は風烈廻りの与力の清兵衛は、倅に家督を譲っての若隠居生活。平穏が一番の毎日だが、若い侍が斬りつけられる現場に居合わせたことで、遺された友の手助けをすることになり……。

い-91-12

稲葉　稔
武士の流儀（二）

清兵衛がある日見かけたのは、若い頃に悪所で行き合った因縁の男・吾市だった。吾市の悪評に胸騒ぎを覚える清兵衛。やがて、織物屋のご隠居が怪我を負わされたと耳にして……。

い-91-13

稲葉　稔
武士の流儀（三）

家督を譲った息子の真之介から、頰に古傷をもつ男が町奉行所に清兵衛を訪ねてきたと聞く。与力時代に世話をした咎人だと考えた清兵衛は、男が住むという長屋を探しに出かけるが……。

い-91-14

稲葉　稔
武士の流儀（四）

清兵衛は洗い張り職人に着物を預けに出かけるが、何やら様子がおかしい。なんと、大身旗本の奥方の高価な着物が夜のうちに消えてしまったという。見かねた清兵衛は行方を探るが……。

い-91-15

犬飼六岐
鷹ノ目

メリケンでいう賞金稼ぎ、本邦でいう勧賞金目当ての流れ者。世は信長が、将軍とともに上洛を果たした頃、渡辺綱の子孫条四郎は高札に掲げられた罪人を追って諸国を旅し事件を捌く。

い-93-2

伊東　潤
王になろうとした男

信長の大いなる夢にインスパイアされた家臣たち。毛利新助、原田直政、荒木村重、津田信澄、黒人の彌介。いつ寝首をかくか、かかれるかの時代の峻烈な生と死を描く短編集。（高橋英樹）

い-100-1

（　）内は解説者。品切の節はご容赦下さい。

伊東 潤
天下人の茶

政治とともに世に出、政治によって抹殺された千利休。その高弟たちによって語られる秀吉との相克。弟子たちの生涯から利休の求めた理想の茶の湯とその死の真相に迫る。（橋本麻里）

い-100-2

伊東 潤
悪左府の女

冷徹な頭脳ゆえ「悪左府」と呼ばれた藤原頼長が、琵琶の名手に密命を下し、天皇に仕える女官として送り込む。保元の乱へと転がり始める時代をダイナミックに描く！（内藤麻里子）

い-100-4

伊東 潤
修羅の都

この鎌倉に「武士の世」を創る！　頼朝と政子はともに手を携え、目的のため弟義経、叔父、息子、娘を犠牲にしながらも邁進していく。その修羅の果てに二人が見たものは……。（本郷和人）

い-100-5

宇江佐真理
名もなき日々を
髪結い伊三次捕物余話

伊三次の息子・伊与太が想いを寄せる幼馴染の不破茜は、奉公先の松前藩の若君から好意を持たれたことで藩の権力争いに巻き込まれていく。若者たちが転機を迎えるシリーズ第十三弾。

う-11-21

宇江佐真理
昨日のまこと、今日のうそ
髪結い伊三次捕物余話

病弱な松前藩のお世継に見初められ、側室になる決心をする茜。一方、伊与太は才気溢れる絵を描く弟弟子から批判されて己の才能に悩み、葛飾北斎のもとを訪ねる。（大矢博子）

う-11-22

宇江佐真理
竈河岸《へっついがし》
髪結い伊三次捕物余話

息子を授かって覚悟を決める不破龍之進。一方、貴重な絵の具を盗まれた伊与太はひとり江戸を離れる——デビュー以来二十年間、大切に書き継がれた傑作人情シリーズの最終巻。（杏）

う-11-23

宇江佐真理
河岸の夕映え
神田堀八つ下がり

御厩河岸、竈河岸、浜町河岸……。江戸情緒あふれる水端を舞台に、たゆたう人々の心を柔らかな筆致で描いた、著者十八番の人情噺。前作『おちゃっぴい』の後日談も交えて。（吉田伸子）

う-11-15

（　）内は解説者。品切の節はご容赦下さい。

繭と絆
植松三十里
富岡製糸場ものがたり

日本で最初の近代工場の誕生には、幕軍・彰義隊の上野での負け戦が関わっていた。日本を支えた富岡には隠された幕軍側の哀しい事情があった。世界遺産・富岡製糸場の誕生秘話。（田牧大和）

う-26-2

遠謀
上田秀人
奏者番陰記録

奏者番に取り立てられた水野備後守はさらなる出世を目指し、松平伊豆守に服従する。そんな折、由井正雪の乱が起こり、備後守はその裏にある驚くべき陰謀に巻き込まれていく。

う-34-1

無用庵隠居修行
海老沢泰久

出世に汲々とする武士たちに嫌気が差した直参旗本・日向半兵衛は「無用庵」で隠居暮らしを始めるが、彼の腕を見込んで、難事件が次々と持ち込まれる。涙と笑いありの痛快時代小説。

え-4-15

平蔵の首
逢坂　剛・中　一弥　画

深編笠を深くかぶり決して正体を見せぬ平蔵。その豪腕におののきながらも不逞に暗躍する盗賊たち。まったく新しくハードボイルドに蘇った長谷川平蔵もの六編。（対談・佐々木　譲）

お-13-16

平蔵狩り
逢坂　剛・中　一弥　画

父だという「本所のへいぞう」を探すために、京から下ってきた女絵師。この女は平蔵の娘なのか。ハードボイルドの調べで描く、新たなる鬼平の貌。吉川英治文学賞受賞。（対談・諸田玲子）

お-13-17

闇の平蔵
逢坂　剛・中　一弥　画

ひどい嵐の夜、酒問屋に押し込み強盗が入った。そんな折、「闇の平蔵」と名乗り役人を成敗処罰すると言う輩が現れた。逢坂剛が描く〈火付盗賊改・長谷川平蔵〉シリーズ第三弾。（対談・近藤文夫）

お-13-18

生きる
乙川優三郎

亡き藩主への忠誠を示す「追腹」を禁じられ、白眼視されながら生き続ける初老の武士。懊悩の果てに得る人間の強さを格調高く描いた感動の直木賞受賞作など、全三篇を収録。（縄田一男）

お-27-2

「司馬遼太郎記念館」への招待

司馬遼太郎記念館は自宅と隣接地に建てられた安藤忠雄氏設計の建物で構成されている。広さは、約2600平方メートル。2001年11月に開館した。

数々の作品が生まれた自宅の書斎、四季の変化を見せる雑木林風の自宅の庭、高さ11メートル、地下1階から地上2階までの三層吹き抜けの壁面に、資料本や自著本など2万余冊が収納されている大書架、……などから一人の作家の精神を感じ取っていただく構成になっている。展示中心の見る記念館というより、感じる記念館ということを意図した。この空間で、わずかでもいい、ゆとりの時間をもっていただき、来館者ご自身が思い思いにしばし考える時間をもっていただきたい、という願いを込めている。（館長　上村洋行）

利用案内

所在地　大阪府東大阪市下小阪3丁目11番18号　〒577-0803
TEL　06-6726-3860
HP　http://www.shibazaidan.or.jp
開館時間　10:00〜17:00（入館受付は16:30まで）
休館日　毎週月曜日（祝日・振替休日の場合は翌日が休館）
特別資料整理期間（9/1〜10）、年末・年始（12/28〜1/4）
※その他臨時に休館することがあります。

入館料

	一般	団体
大人	500円	400円
高・中学生	300円	240円
小学生	200円	160円

※団体は20名以上
※障害者手帳を持参の方は無料

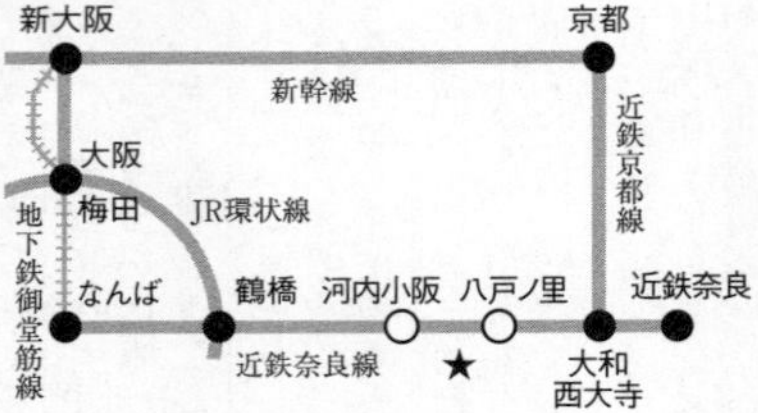

アクセス　近鉄奈良線「河内小阪駅」下車、徒歩12分。「八戸ノ里駅」下車、徒歩8分。
Ⓟ5台　大型バスは近くに無料一時駐車場あり。事前に予約が必要です。

記念館友の会　ご案内

友の会は司馬作品を愛し、記念館を支えてくださる会員の皆さんとのコミュニケーションの場です。会員になると、会誌「遼」（年4回発行）をお届けします。また、講演会、交流会、ツアーなど、館の行事に会員価格で参加できるなどの特典があります。

年会費　一般会員3000円　サポート会員1万円　企業サポート会員5万円
お申し込み、お問い合わせは友の会事務局まで
TEL 06-6726-3860　FAX 06-6726-3856